Schwarz wird werden die Sonne

Die Erde sinkt ins Meer

Vom Himmel schwinden die heiteren Sterne

Glutwirbel umwühlen den allnährenden Weltenbaum

Die heiße Lohe beleckt den Himmel

*Edda (Völuspa 56)*

Wolf von Fichtenberg

# Zeitgleiche

*Fiktiver Realroman*

www.tredition.de

© 2020 Wolf von Fichtenberg
Erste Auflage

Umschlaggestaltung, Illustration: Wolf von Fichtenberg

Verlag: tredition GmbH
978-3-347-00999-8 (Paperback)
978-3-347-01000-0 (Hardcover)
978-3-347-01001-7 (e-Book)

Bibliografische Information der Deutschen Nationalbibliothek:
Die Deutsche Nationalbibliothek verzeichnet diese Publikation in der Deutschen Nationalbibliografie; detaillierte bibliografische Daten sind im Internet über http://dnb.d-nb.de abrufbar.

*Whitehaven (GB) In der Nacht zum 25. Mai kam es in der Irischen See zu einem tragischen Schiffsunglück, bei dem die Yacht Seacloud unter nicht geklärten Umständen sank.*

*Trotz mehrfach abgesetzter Notrufe konnte der englische Heringstrawler Mermaid nur einen ertrunkenen Seemann aus der See bergen. Unter den Opfern dieses Unglücks befindet sich auch der deutsche Ingenieur Ottmar Rahner.*

*Auf Grund der Wetterbedingungen  kann daher erst nach Beruhigung dieser Lage mit der Suche nach Überlebenden begonnen werden, obgleich es wenig Hoffnung für die Verunglückten zu geben scheint.*

*Meldung der Nachrichtenagentur DAYWATCH am 26. Mai.*

---

# 1

Knurrig stand Wolf Berger auf.

Er hatte seinen Urlaub abbrechen müssen, weil Hollmann und Freitag wegen eines Unfalles im Krankenhaus lagen. Die Zwillinge, wie sie in der Redaktion genannt wurden, waren beim Fahren auf einer Gokartbahn ineinander gerast und teilten sich nun ein Zimmer im Krankenhaus. Er war müde und missgelaunt.

Gähnend öffnete Berger eine Tüte  mit Keksen und spülte dieses karge Frühstück mit einem Schluck aus einer Flasche mit abgestandenem Mineralwasser herunter. Tiefatmend kratzte er sich über die Bartstoppeln an seinem Hals.

‚ Das Rasieren fällt aus‘, dachte er bei sich und rieb sich müde, nach nur drei Stunden Schlaf, die Augen und sah auf die halb geöffnete Reisetasche am Boden, die den unordentlich hineingestopften Inhalt zeigte: Schmutzige Wäsche, einige Reiseführer und eine ausgelaufene Flasche Ketchup.

Umständlich zog er sich an und stieß die Tasche mit dem Fuß zur Seite, was eine rote Tomatenspur auf dem stumpfen Parkett hinterließ.

„Scheiße", fluchte Berger, warf die Tür beim Verlassen der Wohnung kräftig ins Schloss und lief dann hastig die Treppe hinab. Die Zeit drängte, denn Krammer, der ständig schwitzende Chefredakteur, hatte sich schon zweimal klagend in den Anrufbeantworter ergossen und irgendetwas von einer wichtigen Sache geredet, die unaufschiebbar sein sollte.

, Pah', schnaubte er durch die Nase und verlangsamte jetzt absichtlich die Schritte, schlenderte zu seinem Wagen und fuhr dann, gemütlich das Tempolimit einhaltend, zum Redaktionsgebäude und parkte dort laut gähnend sein Fahrzeug bewusst vor Krammers Limousine.

„Na, schon zurück?" grinste der Pförtner aus dem Glaskasten heraus und ließ rasch eines seiner Schmuddelhefte unter das Pult fallen.

„Sicher", erwiderte Berger kurz, „und ich hab' auch etwas mitgebracht."

Er beugte sich kurz zu dem Pförtner und entleerte den krümeligen Restinhalt der Kekstüte schwungvoll auf den mit Notizzetteln übersäten Schreibtisch.

„Idiot!" schrie der Pförtner Berger hinterher, der schon den Paternoster bestiegen hatte, welcher ihn direkt in Krammers Etage trug.

„Tag Berger, Urlaub beendet?" empfing ihn, abfällig grinsend, die Sekretärin Krammers, deren Fingerfertigkeit und Hingabebereitschaft vom Chefredakteur nicht nur arbeitstechnisch geschätzt wurde. Ihre lackierten Finger drückten den Türsummer ins Chefbüro.

„Ja, ja Täubchen."

Berger ging an ihrem Tisch vorbei und wusste, dass sich Frau Taube über diese Anrede ärgerte: „Man hatte Sehnsucht nach mir."

„Und wie", waren die ersten Worte die Berger beim Betreten des Raumes hörte, als er ein lässiges „Moij'n Chef", fallen ließ.

„Mensch, Berger, ich warte schon ewig auf Sie."

Krammer saß in seinem Sessel, eingeklemmt hinter der auf Hochglanz polierten Glasplatte, die ihm als Schreibtisch diente, und blies hinter einem eingebildeten Staubkorn her. Wie üblich lag nichts auf dem Tisch.

Man konnte von Krammer halten, was man wollte, aber sein Gedächtnis war phänomenal. Kein Notizzettel verunzierte den Tisch, höchstens manchmal ein Rätselheft, welches er - bleistiftnagend - in Windeseile füllte. Wenn man ihn nicht kannte, glaubte man, er säße einfach nur so da, doch Krammers Arbeit lief in seinem Kopf ab, schneller und präziser als jedes Computerprogramm es vermochte. Wie immer schwitzte er.

„Setzten sie sich."

Krammer deutete auf einen der winzigen Klapphocker vor seinem Schreibtisch, eine seiner letzten Ideen, denn unbequem sitzende Mitarbeiter beschränkten sich auf das Wesentliche und versuchten erst gar nicht eine gemütliche Gesprächsatmosphäre entstehen zu lassen.

„Herrliche Sitzpolster", spottete Berger tiefatmend, und schob dann die beiden Hocker zusammen und setzte sich. Krammer schaue stutzend auf.

„Tut mir leid, aber die Zwillinge fallen aus. Ihre restlichen Urlaubstage hängen sie einfach hinten an, wenn diese Sache hier fertig ist. Also, folgendes…" Wie immer kam Krammer sofort zur Sache: „Morgen kommt Regionalminister Rossmann und eröffnet die Ausstellung im Museum. ,Der Gral in Wort, Mystik und Bild' nennt sich die Chose. Leihgaben aus Spanien, Frankreich, Italien… Ach, aus der ganzen Union. Da brauche ich eine Spitzenreportage und ein Interview. Schöne Bilder natürlich auch, die macht der Spargel. … Und, wie war's im Urlaub?"

„Zu kurz", antwortete Berger etwas unwillig und kratzte sich erneut die Bartstoppeln.

„Wegen dem Kunstquatsch musste ich den Urlaub abbrechen?"

„Genau! Wer soll das denn sonst machen? Sie haben doch einige Semester Kunstgeschichte studiert, also den nötigen Hintergrund. Sie machen das schon!"

Krammer drückte auf die Gegensprechanlage.

„Frau Taube zum Diktat."

Damit war das Gespräch beendet.

„Na ja, dann noch ein fruchtbares…äh… Diktat, Chef", grinste Berger anzüglich. Er erhob sich und ließ die Sekretärin vorbei, bevor er beim Verlassen des Raumes die Tür zuzog. Er hörte noch kurz, wie der Schlüssel im Türschloss die Tür von innen verriegelte.

Berger grinste.

, Paternoster defekt! ' stand auf dem Zettel, welcher an einem rotweißen Plastikband befestigt war.

Berger zuckte mit den Schultern und lief die Treppe hinab zur Bildredaktion, wo er Spargel, wie Peter Sparg, der Fotoreporter, genannt wurde, mit den Beinen auf dem Schreibtisch sitzend antraf.

Spargel zerriss gerade langsam und irgendwie uninteressiert einige Großfotos, wobei er die Schnipsel in den einige Schritte entfernten Papierkorb zu werfen suchte. Der Boden war mit dem Papier übersät.

„Tag Spargel."

Berger setzte sich auf die Schreibtischkante und griff nach einem der Fotos, welches das Bild einer hübschen, dunkelhaarigen Frau zeigte.

„Was ist los?"

„Aus…! Es ist aus und vorbei, " Spargel riss weiter an den Fotos, „Petra ist abgehauen…, hat einen Unternehmensberater oder so was aufgerissen und liegt jetzt in Spanien am Strand…Klappte in der letzten Zeit auch nicht mehr so gut mit uns. Aber he, bist Du nicht im Urlaub?"

„Vergiss es. Die Zwillinge haben sich ins Krankenhaus gelegt, und da musste ich einfliegen … Und das alles nur wegen so einer Kunstausstellung, mit Minister."

Berger hob die Stimme.

„Du sollst die Fotos machen. Aber schöne Fotos bitte, der Minister ist im Wahlkampf."

Spargel reckte sich vor und nahm den ganzen Fotostapel und warf ihn in den in den Papierkorb.

„Komm, Wolf, trinken wir etwas."

Sein Arm legte sich freundschaftlich auf Bergers Schulter.

„Nee, lass' mal, ich brauche noch Schlaf, " entgegnete Berger und ließ den Fotoreporter stehen.

„Außerdem muss ich noch ins Archiv, wegen dem Zeug von morgen."

„Na ja...". Spargel winkte ab und nahm aus dem geöffneten Schreibtisch eine Flasche Wodka, die darin bereits trinkfertig, ohne Verschluss, stand und setzt sie gierig an.

Im Archiv angekommen setzte sich Berger an den Computer und suchte das Programm nach Informationen über den Gral sowie über die Ausstellung ab; doch außer dem Üblichen, das es die Schale wäre, mit der das Blut Christi aufgefangenen worden sein solle und Querverweisen zu Sagen des Mittelalters, war nur noch eine ellenlange Liste zu finden, welche alle Bilder nannte, die sich irgendwie mit dem Gral befassten.

Berger gähnte und beschloss ein akzeptables Interview zu führen und dann allgemeines Zeug, belangloser füllender Art zu schreiben, wie man es täglich in den Gazetten fand. Wegen so etwas hatte Krammer ihn aus dem Urlaub geholt....

## 2

Am nächsten Morgen stand Spargel schon frühzeitig vor dem Museum. Seine Augen waren gerötet und verquollen und ließen ahnen, dass der Wodka im Büro nicht das einzige war, was er am Vortag getrunken hatte.

Berger parkte seinen Kombi und lief durch die herumstehenden Schaulustigen und Reporter der anderen Zeitungen zu Spargel hinüber.

„Na, dass sieht mir aber nach einer feuchten Nacht aus", begrüßte er den Fotoreporter.

„Hör auf, Wolf, ich bin ganz schön abgestürzt."

„Hoffentlich stürzt Du bei den Fotos nicht ab. Komm rein, es wird voll."

Ein Konvoi, eingerahmt von einer kleinen Polizeieskorte, hielt an und aus einer dunklen Limousine stieg Regionalminister Rossmann, mildtätigt die Hand zum Gruß winkend, wie ein Potentat vergangener Zeiten. Zwei unscheinbar wirkende Männer begleiteten ihn, wohl seine Leibwächter , vermutete Berger, und führten ihn, an der Menge vorbei, in die Empfangshalle zu einem Rednerpult, neben dem seitlich ein Büffet aufgebaut worden war, welches der Minister kurz musterte. Aus dem Hintergrund klang mittelalterliche Musik und die Saaldiener waren in Fantasiekostüme gesteckt worden, die einen Bezug zu der Ausstellung schaffen sollten.

Rossmann wartete kurz und stellte sich dann hinter das Rednerpult wo er mit dem Finger auf das Mikrofon klopfte, welches stoppend hallte und das Gemurmel und die Musik verstummen ließ.

Die Blitzlichter der Fotografen füllten klickend die Stille und ein Sektkorken ploppte.

Mit beiden Armen beschwichtigen, winkte Minister Rossmann ab und begann seine Rede.

„... Sehr geehrte Damen und Herren, wertes kunstinteressiertes Publikum, es..."

Zu weiteren Worten kam Rossmann nicht, denn das Klirren einer fallenden Sektflasche ließ die Augen zur Galerie wandern und unwirsches Gemurmel setzte ein. Spargel, wohl etwas geräuschempfindlich ob der letzten Nacht, zuckte zusammen und schoss einige Fotos, ohne auf das Motiv zu achten.

Der Minister stand am Pult und seine Hände verkrampften sich an dessen Kante, während ein feiner Strahl roten Blutes aus einem kleinen Punkt auf seiner Stirn floss, sich an der Nase teilte und über die Wangen rann. Die Leibwächter neben ihm sahen es zuerst und griffen stützend zu, die Menge schrie auf. Irgendjemand rief nach einem Arzt, ein anderer Besucher nach der Polizei.

Reflexartig stieß Berger dem neben ihm stehenden Spargel den Ellenbogen in die Rippen.

„Los, mach Fotos",  schrie er in dem Getümmel, denn Sensationen verkaufen sich eben besser, ja, wesentlich besser, als ein Bericht über eine mittelalterliche Kunst  und Kulturausstellung.

„Halt! Die Waffe weg!"

Die uniformierten Beamten der Polizeieskorte hatten die Dienstpistolen gezogen und zielten zu der Galerie, auf der eine etwa fünfundzwanzigjährige Frau stand, die teilnahmslos herunter schaute und eine Waffe in der Hand hielt.

„Los! Mach' endlich Fotos, Spargel!"

Berger schob sich durch die laute Menge und lief die Treppe hinauf, während Spargel ihm, Blitzlichter von sich gebend, drängend folgte. Ein Polizist wollte Berger zurückhaltend und zog ihm am Arm, doch Berger drückte ihn weg, hastete die Treppe weiter hoch und stand vor der Frau.

„Wer sind Sie?" stieß er hervor, getrieben von beruflicher Neugier.

Die Frau schaute starr zu Boden, ließ die Waffe fallen und lehnte sich an das Geländer der Galerie.

„Gerda Rahner", hörte Berger eine tonlose Stimme.

Ein wuchtiger Schlag drückte Berger beiseite und zurück. Beamte in Zivil warfen die Frau zu Boden, während ein Dritter hinzu stürzte und seinen Fuß auf den Hals der Frau setzte. Sie stöhnte röchelnd auf. Spargel schoss Foto um Foto, bevor er zur Seite gerissen wurde.

„Der Film ist beschlagnahmt! Oder arbeiten Sie mit Speichermedien?"

Ein hagerer Mann in den Fünfzigern, unauffällig in Grau gekleidet, sagte die Worte leise und bestimmend zu Spargel und hielt seine Hand fordern vor den Reporter.

„Pressefreiheit!" schrie Berger.

Der Graue sah ihn hart und geringschätzig an. Spargel nestelte an der Kamera und reichte dem Mann dann die Filmrolle aus seinem alten Apparat.

„Idiot!" grunzte Berger und trat ihn leicht vors Schienbein und wandte sich zu dem Hageren.

„Ihre Dienstmarke! Das hat ein Nachspiel!"

„Ach, meinen Sie?"

Der Hagere lächelte zynisch, drehte sich um und verschwand durch eine angelehnte Tür.

## 3

„Großartig!"

Krammer lachte breit und steckte sich ein Stück Schokolade in den Mund.

„... Und der hat nicht gemerkt dass er jetzt einem völlig falschen Film hat? Man, dass macht Auflage! Die anderen Fotografen mussten ihre Filme abgeben, einige sogar ihre Kameras. Umso besser, dann berichtigen wir eben exklusiv. Schreiben Sie was Schönes dazu, Berger!"

Krammer schob Berger und Spargel zur Tür und zwängte sich anschließend in den Sessel, während er die Gegensprechanlage zu seinem Vorzimmer betätigte.

„Frau Taube. Bitte zum Diktat."

Dann schaute er kurz auf und sah die beiden Reporter noch unschlüssig an der Tür stehen.

„Los, raus jetzt! An die Arbeit!"

Die Tür öffnete sich, und die Sekretärin drückte sich an Berger und Spargel vorbei und wieder hörte man das Geräusch des sich umdrehenden, verschließenden Schlüssels.

Spargel sah Berger grinsend an. Auch er ahnte mehr, als das er es wusste, was hinter der verschlossenen Türe nun diktiert wurde…

„Also los, ich entwickle schon mal die Bilder."

„Warte."
Berger schüttelte den Kopf.
„Wieso wurden ruck-zuck die Filme beschlagnahmt? Wer war der Kerl in dem grauen Anzug und wer ist diese Gerda Rahner?"
Spargel zuckte nur mit den Schultern.
„Das ist doch egal, Hauptsache, wir sind exklusiv!"
„Nee...nee", wieder schüttelte Berger dem Kopf.
„Zeig' mir nachher doch mal die Bilder; ich schmiere mal eben etwas zusammen, damit der Chef seinen Willen hat. Aber irgendetwas stimmt da nicht. Das rieche ich förmlich."

„Fertig."
Berger atme tief aus und überflog noch einmal die getippten Zeilen. Zwar gab es in seinem Büro einen Computer, doch hackte er immer noch auf der alten Reiseschreibmaschine herum, die er sich damals, von seinem ersten Gehalt, gekauft hatte. Das habe so etwas von altem Journalismus meint er stets dazu, wenn man ihn darauf ansprach. Auch Spargel dachte ähnlich und nahm lieber die Kamera mit einem einzulegenden Film, statt auf die modernen, digitalen Apparate mit integrierten Speichermedien zurückzugreifen.

Spargel trat in den Raum und wedelte mit den gerade entwickelten Fotos herum.
„Hier, Wolf."
Berger nahm den Stapel und betrachtete die Bilder. Nein, eigentlich betrachtete er die Frau auf diesen Bildern, die dort zu sehen war. Sie hielt die Mündung ihrer Schusswaffe auf den Boden gerichtet.
„Ist Dir etwas aufgefallen?"
Fragend sah Berger den Fotografen an.
„Eigentlich nicht."
Berger blätterte weiter den Stapel der Aufnahmen durch.
„Nichts Besonderes; nur der hagere Typ ist auf keinem Foto drauf. Ich stand wohl nicht so günstig. Ach ja, da ist noch etwas."
Spargel zog das Foto hervor, auf welchem die Frau mit der geneigten Pistole zu sehen war.

„Hier, da glänzt etwas am Finger. Es sieht aus wie ein Ring. Und hier", Spargel zog ein weiteres Foto heraus, dass die Frau am Boden liegend zeigte „... hier ist die Hand nackt. Kein Ring zu sehen. Das kann aber auch ein Lichtreflex sein. Ich vergrößere das mal."

Während Spargel davon eilte, reckte sich Berger und goss erneut eine Tasse Kaffee ein, stellte sich ans Fenster und sah dem Regen zu, der die Stadt in trüben Dunst hüllte.

Nach drei Tassen Kaffee war Spargel zurück.

„Es ist ein Ring! Schau. Hier."

Berger beugte sich über die Fotos, die Spargel auf den Schreibtisch gelegt hatte. Grobkörnige Vergrößerungen, etwas unscharf, aber erkennbar und sie zeigten einen Ring auf dessen polierter Fläche man schwach eine eingravierte Zahl sah. 81.

„Kein Ring,... Ring, ...kein Ring...", Berger schaute Spargel an und dann wieder die Fotos.

„Wieso ist hier kein Ring zusehen, wo die Hand doch auf diesem Foto viel deutlicher zu sehen ist?"

„Wir sollten zur Polizei gehen. Vielleicht erfahren wir dort mehr."


# 4


Das Präsidium der Polizei - außen ein roter Bausteinbau aus der Gründerzeit, innen völlig modernisiert, lag nur einige Straßen weit von der Redaktion entfernt.

Als die beiden das Gebäude betraten, kam ihnen Inspektor Dorfmann entgehen, ein ehemaliger Mitschüler Bergers. Zwei Menschen, die sich nicht besonders mochten.

Berger war in den Augen Dorfmanns nichts anderes als ein Schmudeljournalist und Berger hielt den Inspektor für einen pedantischen, obrigkeitshörigen Lakaien.

„Tag, Inspektor", Berger grinste bereit, „ich brauche einige Informationen über Gerda Rahner, ... ist vor einigen Stunden verhaftet worden."

„Keine Informationen, Berger, außer einer vielleicht, denn die Frau hatte einen Herzinfarkt und ist tot. Der Arzt kam leider zu spät." Dorfmann drehte sich um und eilte auch schon weiter und verschwand in einer der vielen Dienstzimmer des langen Ganges.

Spargel und Berger schauten sich verdutzt an.

„Ich glaube Du hast Recht, da stinkt etwas gewaltig! Vielleicht sollten wir die Bilder vorerst noch nicht veröffentlichen, Krammer wird zwar toben, aber was will er gegen falsch belichtete Filme machen?"

Berger nickte stumm.

„Ich geh' dann jetzt", sagte Spargel, „Petra hat vorhin angerufen, sie will mich treffen.... Sie ist Hals über Kopf aus Spanien abgehauen und ich soll sie vom Flugplatz abholen, ich weiß aber nicht wann sie eintrifft."

Berger hob kurz grüßend die Hand und schaute ratlos zur Decke des Flures.

Was stimmte hier nicht?


Die Nachrichten des Tages waren voll mit der Meldung über das Attentat auf Regionalminister Rossmann und die Zeitungen übertrafen sich in ihren Schlagzeilen, doch ein Bild der Attentäterin zeigte niemand, nicht einmal den Namen nannte man.

Berger nagte auf seiner Unterlippe, kratzte den Kopf und drückte eine Zigarette in dem überquellenden Aschenbecher aus.

Ein kurzer Anruf bei Krammer bewilligte ihm die restlichen Urlaubstage und er griff erneut zum Telefon und wählte die Nummer der Pathologie des Krankenhauses und fragte nach Dr. Wirtzinger, von dem er erfuhr, dass Gerda Rahner bereits in vier Tage auf dem Waldfriedhof beigesetzt würde. Vielleicht war dort etwas zu finden, was seine Gedanken ordnen konnte und er beschloss zu der Beerdigung zu gehen.


Es regnete leicht, als Berger nach vier ereignislosen Tagen etwas abseits hinter einem Gebüsch stand und die kleine Gruppe der Trauernden beobachtete. Nur wenige Menschen waren gekommen, sehr wenige.

Genauer gesagt: Es waren nur vier Personen, wenn man den Laien-
prediger mitzählte, der die üblichen belanglosen Worte brabbelte.

Berger zündete sich pietätlos eine Zigarette an und dachte daran,
dass das Attentat rasch, sehr rasch, aus den Medien verschwunden
war. Trotz seiner guten Verbindungen hatte er nichts über Gerda
Rahner erfahren können, ja es schien als gäbe es gar keine Ver-
wandte und doch, dort am offenen Grab, stand eine Frau, die Gerda
Rahner wie aus dem Gesicht geschnitten schien.

Berger trat die Zigarette aus und ging langsam zu den Trauernden,
um die obligatorische Schaufel Erde auf den dabei stumpf klingenden Sarg zu werfen. Die wenigen Anwesenden sahen ihn dabei fragend an, doch er drehte sich tonlos um und ging einige Schritte auf
dem Friedhofsweg entlang, gefolgt von der Frau, die der Toten so
ähnlich sah.

„Wer sind Sie?" fragte er, als er die Frau aus seinen Augenwinkeln
sehen konnte. Ihre Ähnlichkeit mit der Toten war verblüffend.

„Ich heiße Berger, Wolf Berger, Journalist", stellte er sich der Frau
vor.

„Was? Wer? Kannten sie meine Schwester? Ich heiße Nora Rahner.
Gerda war meine Zwillingsschwester. Sie war nur fünf Minuten älter …."

„Nein, ich kannte sie nicht. Aber ich war dabei, als sie festgenommen wurde."

Die Frau schluckte.

„Herzinfarkt…, wer denkt an so etwas, wenn man gerade sechsund-
zwanzig Jahre alt geworden ist."

Berger schaute auf und sah, wie sich die Frau mit einem bestickten
Taschentuch, auf dem ein Monogramm zu sehen war, die Tränen
von ihrer Wange tupfte. Berger sah noch etwas, das er schon einmal
kurz gesehen hatte: Einen Ring, mit einer eingravierten Zahl. 81.

Sein Interesse war geweckt.

„Der Ring. Entschuldigen Sie bitte, aber, diesen Ring habe ich schon
einmal gesehen."

Die Hand der Frau sank und sie schaute auf den Ring, als würde sie
ihn jetzt erst wahrnehmen.

16

„Ach, nur ein Erbstück: Gerda besaß den gleichen Ring, aber jetzt ruht er im Grab."

Sie schluchzte.

„Ich hätte sie gerne noch einmal gesehen, aber der Sarg durfte nicht mehr geöffnet werden."

Wieder wischte sie eine Träne ab.

Berger griff in seine Hemdtasche und reichte der Frau seine Visitenkarte.

„Rufen Sie mich doch mal an. Ich würde gerne mit Ihnen sprechen. Dann, wenn es Ihnen besser geht."

Stumm und ohne hinzusehen nahm die Frau die Visitenkarte und schritt langsam zu dem Grab zurück.

‚Was bedeutet die 81', dachte Berger... ‚und warum war der Ring der Toten auf den Fotos nicht mehr zu sehen?'

Ohne sich umzusehen verließ er den Friedhof, und er bemerkte nicht dass ihn zwei Männer beobachteten, die hinter einer dicken Buche standen und ein Richtmikrofon unter der Jacke verbargen. Auch sie verließen den Friedhof kurz nach Berger, nicht jedoch ohne zuvor ein Telefonat mit dem Handy durchgeführt zu haben.

## 5

Drei Tage später.

Berger schaute sich gerade gelangweilt eine der unzähligen Talk Shows zum überflüssigen Thema ‚Hilfe, ich bin zwanzig Jahre alt und immer noch Jungfrau' an, die von einer, ständig dazwischen redenden, spätpubertierenden Endvierzigerin moderiert wurde, als das Handy summte.

Er schob den Tellern mit den aufgewärmten Nudeln beiseite. Am Apparat war Nora Rahner. Ihre Stimme klang aufgeregt.

„Kann ich Sie treffen?"

Berger spürte ein Zittern in ihrer Stimme.

„Sicher, wann und wo?"

„Jetzt gleich, im Café am Rathaus."

Damit brach auch die Verbindung schon ab und Berger verließ die Wohnung. Das leise Surren im Handy hielt er für eine der in der letzten Zeit häufig auftretenden Störungen.

Als Berger das Café betrat, saß Nora Rahner an einem Ecktisch und nippte an einem Kaffee, während sie gerade mit der linken Hand nervös eine halb gerauchte Zigarette ausdrückte.
„Was gibt es denn so Dringendes?"
Ohne auf die Aufforderung, sich zu setzen, zu warten, ließ Berger sich in einen Stuhl fallen und rief der Bedienung zu, dass er ebenfalls Kaffee wünsche.
„Ich fand heute Ihre Karte wieder, und...", Nora Rahner stockte, „... Und da hab ich Sie angerufen. Ich kenne doch hier niemanden. Irgendetwas ist sehr merkwürdig."
Nervös nestelte sie erneut eine Zigarette aus der Schachtel und Berger reichte ihr Feuer. Ein tiefer Rauchstoß schwoll ihm entgegen.
„Ja?" fragend sah er sie an.
„Als ich heute aufstand, sah ich, nein ich bemerkte es eigentlich mehr zufällig, dass ein kleiner Bilderrahmen leer war. Er stand in einem Regal, neben vielen Büchern, die mein Vater gesammelt hatte. Ich weiß genau, dass er nicht leer war, schließlich stand er lange Zeit dort... doch jetzt ist er es?"
„Und? Das Foto ist weg?"
„Kein Foto, das ist es ja eben. Eine Art Gedicht war darin."
„Ein Gedicht?"
„Ja, vielleicht ist es auch so eine Art Sinnspruch. Ich habe ihn oft genug gesehen, um ihn auswendig zu können, aber, er kann sich doch nicht in Luft aufgelöst haben."
Wieder drückte sie die halb gerauchte Zigarette in dem bereits übervollen Aschenbecher aus.
„Was für ein Gedicht?"
Berger wurde neugierig.
„Also da stand:
  *Der Gral ist die 81 das Kreuz,*
  *im Asyl des Lächelns ruht es,*

*geborgen in der Höhle des Grabes,*
*auf den Rücken der Nase.*
Dumm, nicht?"

„Ja, merkwürdig. Eigentlich unverständlich."

Berger zuckte hochinteressiert. Wieder die 81 und als ob es Zufall wäre, tauchte der Gral auf, jener Kelch um den sich die Ausstellung drehte, auf der Regionalminister Rossmann erschossen wurde, verbunden mit dem mysteriösen Tod der Gerda Rahner.

„Entschuldigen Sie, also die 81 dieses Spruches meine ich… Sie tragen einen Ring mit der eingravierten Zahl..."

Nora Rahner fiel ihm ins Wort.

„Richtig, der Ring, er ist auch verschwunden. Ich trage in der Nacht keinen Schmuck und ich habe ihn gestern, am Abend, auf die Konsole gelegt und auch er ist verschwunden. Ich habe überall gesucht, aber ... Nichts!"

„Hat der Ring irgendetwas mit dem Spruch zu tun?"

Sie hob die Schultern nichtssagend an.

„Es ist nur ein Erbstück. Gerda und ich tragen ihn als Andenken an unserer Eltern. Beide sind tot. Vater...", sie stockte, „...Vater kam in Mai bei einem Schiffsunglück um. Erst drei Wochen später fand man ihn ertrunken am Strand von Whitehaven. Die Flut hatte ihn angespült."

Berger blickte auf. Jetzt wusste er, woher er den Namen Rahner kannte. Ein kurzer Bericht über ein Schiffsunglück füllte, neben anderen Nachrichten, im Frühsommer eine kleine Spalte mit verschiedenen Meldungen.

„Das ist an der Westküste Englands, am Ufer der Irischen See?"

Die Frage war mehr eine Feststellung.

„Richtig."

Sie nickte und nippte an ihrem Kaffee.

„Auch das ist merkwürdig. Gerda und mein Vater waren dort an der Küste in England. Vater wollte zur Isle of Man, und sie blieb an der Küste, weil sie den Fuß verknackst hatte. Die Zeitungen schrieben von hoher See, aber Gerda erzählte mir, dass es herrlicher Sonnenschein war und das Wasser glatt wie ein Spiegel ruhte."

„Was wollt ihr Vater denn auf der Insel? Die Motorradrennen waren es doch nicht, oder?"

Sie schüttelte den Kopf.

„Keine Motorradrennen. Das hatte einen anderen Grund. Er suchte dort etwas."

„Und was, wenn ich so direkt fragen darf?"

Nora Rahner lächelte leicht.

„Halten Sie mich bitte nicht für verrückt, aber mein Vater suchte dort den Gral."

Berger zog die Augenbrauen zusammen.

„Den Gral? Auf der Isle of Man?"

Skeptisch lehnte er sich zurück.

„Was hatte ihr Vater mit dem Gral zu tun. War er Historiker, Archäologe oder so etwas Ähnliches?"

„Nein, nein. Er war Ingenieur für Maschinenbau. Da hatte er einige kleinere Erfindungen gemacht und lebte von dem Geld, welches die Patente einbrachten, aber er steckte alles in seine Forschungen, wie er sagte. Vor kurzem hat er hier ein Haus gekauft, um diese Forschungen in Ruhe voranzutreiben. Er suchte den Gral."

„Den Gral suchen viele Menschen", warf Berger ein. „Hat er ihnen je erklärt, was die 81 bedeutet?"

„Nicht richtig. Er sagte immer nur ihr werdet schon sehen, die 81 führt zum Gral. Was heißt das?"

„Ich weiß es nicht. Haben Sie nie nachgefragt?"

„Nein, er war sehr verschlossen. Er saß immer über seinen Notizen und Büchern, oder reiste durch die halbe Welt. Oft begleiteten ihn meine Schwester und ich. Hierdurch haben wir viel gesehen."

„Was war der Gral für ihn?"

Berger spürte, wie die Frau durch das Gespräch ruhiger wurde.

„Gerda und ich meinten immer, es sei eine fixe Idee von ihm, aber was soll's, er ging darin ziemlich auf. In seinem Arbeitszimmer kann man sich kaum bewegen, so voll gepackt ist das. Das sollten Sie mal sehen."

„Ist das eine Einladung?"

Berger lachte auffordernd und Nora Rahner zögerte etwas.

„Es bedrückt mich schon, dass mit dem Ring und dem Spruch, meine ich. Ich lebe jetzt allein in dem Haus. Aber wenn es Ihnen nichts ausmacht und Sie möchten ...?"
Sie standen auf und Berger warf einen Euroschein auf den Tisch.
Sein Wagen brachte sie an den Rand der Stadt zu einem älteren Haus, vor dem ein verwilderter Garten lag. Beide bemerkten nicht, dass ihnen ein Wagen gefolgt war.

## 6

Die Räume waren hoch und dicke Teppiche dämmten die Schritte, als Nora Rahner die Treppe vor Berger hoch stieg und die Tür zu einem Raum öffnete, der einer Art Rumpelkammer glich.
„Das Arbeitszimmer", sagte sie kurz und Berger schaute sich um.
Bücherregale bis unter die Decke, Beistelltische voll gestapelter Manuskripte, an der Wand eine billige Kopie der Mona Lisa und auf dem Boden eine Karte Europas, mit wirren Linien durchzogen, die Teile des Siegel Salomons, aber auch Druidenfüße zeigten, fünf und sechszackige Sterne. In einer Ecke stand eine Schaufensterpuppe, bekleidet mit einem Waffenrock, dessen Brust das Templerkreuz zierte.
„Schrecklich, nicht? Aber Vater verbot uns stets aufzuräumen."
Berger ging einige Schritte durch den Raum.
„Hier stand der Spruch."
Die Frau trat zu einem Regal und nahm einen schmucklosen Rahmen in die Hand.
„Leer", bemerkte Berger kurz in überflüssiger Weise, während im gleichen Augenblick der Türgong schlug.
„Entschuldigen Sie bitte."
Frau Rahner eilte die Treppe hinab und der Journalist beugte sich über die auf dem Boden liegende Karte, auf der in der oberen Ecke mit Kugelschreiber ein Kreuz gezeichnet war, deren Mittelpunkt die Zahl 81 bildete. Aus dem Hausflur drangen Stimmen herauf.

„Hausdurchsuchung!" hörte er und dann etwas, was wie ‚Richterliche Anordnung' klang. Er ging zur Tür und sah am Treppenaufgang zwei Männer stehen, die mit Nora Rahner sprachen, während ein Dritter etwas abseits stand und ebenso wie Berger die Szenerie beobachtete: Inspektor Dorfmann.

„Was soll das?"

Berger kam langsam die Treppe hinunter.

„Ach, der Schmierfink ist auch da. Immer am Ball, was?"

Der begrüßende Satz des Inspektors sprach die Abneigung aus, die beide füreinander empfanden.

„Was soll das?" wiederholte Berger.

„Amtsgeheimnis! Du wolltest doch sicherlich gerade gehen, nicht wahr...!"

Dorfmann grinste.

„Oder möchtest Du, Du Schmierfink, eine kleine Festnahme Deinerseits erleben, wegen Behinderung im Amt oder so?"

„Arschloch!"

„Na, na. Das höre ich aber gar nicht gerne. Beleidigung eines Beamten im Dienst, das gibt eine schöne Anzeige."

Genüsslich zog Dorfmann ein kleines Notebook hervor.

„Ihr beiden seid Zeugen", fuhr er dann fort und warf den, ihn begleitenden Polizisten vielsagende Blicke zu, die sie mit einem diensteifrigen Nicken bestätigten, bevor sie mit Frau Rahner die Treppe hochstiegen.

„So, jetzt aber raus, Du ... Du Journalist."

Berger drückte sich dicht an dem Inspektor vorbei und setzte, wie zufällig, den Absatz seines Schuhes auf Dorfmanns, Fuß, der puterrot anlief.

„Das wird dir noch leidtun!"

Dorfmann fauchte wütend hinter Berger her, der das Haus verließ, um sich im Garten auf eine kleine Steinbank zu setzen, wobei er das Gesicht mit den Händen stütze und einen katzengleichen Buckel machte.

„81", sagte er leise zu sich selbst: „...Was ist mit der 81?"

Aus dem Haus drangen Geräusche. Möbel wurden gerückt und Berger hörte das Klirren von Glas. Stimmen, dann wieder rückende Möbel und letztendlich nach einer Weile, das Zuschlagen der Haustür. Berger stand auf und sah das Abfahren der unauffälligen Limousine der Kriminalpolizei, auf dessen Rücksitz ein weiterer Mann saß. Hager und mit einem grauen Anzug gekleidet.

Nora Rahner stand am Eingang ihres Hauses.

„Was wollten die eigentlich?" fragte Berger neugierig.

„Ich weiß es nicht. Sie schoben allerlei hin und her und warfen einige Sachen um. Ermittlungen nannte das der Inspektor."

Die Frau schnaubte wütend.

„Kommen Sie", sagte Berger, „wenn es Ihnen nichts ausmacht, fahren wir zu mir."

Sie nickte und folgte dem Journalisten zu dessen Wagen, der mit vier zerstochenen Reifen in einer Parkbucht stand.

„Scheiße!" fluchte er und trat vor die Reifen, bevor er mit dem Handy ein Taxi rief.

## 7

„Setzen Sie sich bitte."

Berger hob einen Stapel Zeitungen aus einem Sessel heraus und ging dann in die Küche, um geräuschvoll Geschirr beiseite schiebend, Kaffee zu kochen.

„Erzählen Sie mir etwas über ihren Vater", bat er anschließend, als er etwas ungeschickt die Tassen füllte.

„Was soll ich sagen?"

Wieder schien Nora Rahner nervös zu werden. Gleichzeitig summte das Handy an Bergers Gürteltasche. Am Ende der Verbindung war Spargel.

„Bist Du das Wolf?" seine Stimme klang aufgeregt.

„Bei mir ist eingebrochen worden. Alle Negative sind weg und ... und es sieht aus wie ... wie im Schweinestall."

„Sieht das bei Dir nicht immer so aus? Los, komm vorbei, aber ich habe Besuch."

Was war das? Was entwickelte sich hier?

Berger stand etwas ratlos herum, bevor er sich wieder setzte.

„Mein Vater", begann Frau Rahner erneut, „war von dem Gedanken besessen, den Gral zu finden. Seit ich denken kann, hat er danach gesucht. Als meine Mutter noch lebte, das ist schon einige Jahre her, half sie ihm dabei, so gut sie es konnte. Gerda und ich sahen darin eigentlich einen Spleen, aber durch diese fixe Idee haben wir viel von Europa gesehen... zwar nicht die Strände, wohin meine Schwester und ich immer wollten, aber doch so Einiges. Im letzten Sommer waren wir noch in Südfrankreich. Ganz unten im Süden, nahe an den Pyrenäen, am Montségur. Schön war es da."

„Die Gralsburg?"

Berger kramte in seinem Gedächtnis nach seinem Studienwissen und ordnete seine Geschichtskenntnisse.

....Der Montségur, der heilige Berg der Katharer, die durch den Kreuzzug vernichtet worden waren. Die Ketzerburg. Der Montségur, der als *Muntsalvasch* Einzug in die Parzivalsage des Wolfram von Eschenbach nahm. Wieder der Gral,- aber blieb das bei einem Mann der Gralsforscher war, aus? ...Was hatte dies alles mit dem Heute, mit dem Jetzt, zu tun?

Es schellte und Spargel stand vor der Tür. Ohne eine Begrüßung abzuwarten sprudelte er los:

„Schweine! ...Alles ist weg! Auch die Negative der Pflanzenbilder für den Fotoband. Der war schon fast fertig. Alles..."

Spargel stockte, als er die Frau bemerkte.

„Sie...?...Sie...?"

„Sie ist die Schwester Gerda Rahners", erklärte Berger knapp.

„Zwillingsschwester", korrigierte ihn die Frau.

Spargel schüttelte unverständig den Kopf.

„Setz Dich erst einmal hin, Peter", forderte Berger den Fotografen auf, der sich danach auf das etwas zerschlissene Sofa fallen ließ.

„Mensch, Berger, den Saustall hättest Du sehen müssen… Es sind nicht nur die Negative weg, nein, alle Bilder… Einfach alles ist weg. Futsch! … Aber jede Kamera ist noch da. Nur Speichermedien und Filme wurden geklaut.. Was sind das nur für Diebe?"

Berger beugte sich vor.

„Ich sage doch, irgendetwas ist da sehr komisch."

Dann berichtete er von der Hausdurchsuchung, dem verschwundenen Ring und dem seltsamen Spruch, der aus Nora Rahners Haus verschwunden war.

 Fragend sahen sich die drei an, schweigend, ratlos und die Glut ihrer Zigaretten betrachtend.

„Es muss mit dem Tod meiner Schwester zu tun haben", unterbrach Nora Rahner die Stille und schlug ob der gewissen Vertrautheit des gemeinsam erlebten das „Du" vor.

„Sie…äh Du…Du hast Recht", nickte Spargel und griff in die Jackettasche, aus der er einige zerknitterte Fotos zog.

„Die hier hab' ich noch. Die waren nichts für den geplanten Zeitungsartikel. Hier, schaut Euch das doch einmal an."

Er reichte die Bilder zu Nora und Berger und sie sahen jeweils die Hand Gerda Rahners, einmal mit dem Ring und einmal ohne diesen. Ein drittes Foto, jenes, welches der Fotograf unbewusst ausgelöst hatte, als der Regionalminister erschossen wurde, kannte Berger noch nicht. Viel war darauf nicht zu sehen,  nur die beiden Leibwächter, wie sie Rossmann reflexartig schützten und das Gesicht des Ministers mit einem dunklen Fleck auf der Stirn.

„Schaut euch das Bild mal genauer an."

Spargel deutete mit dem Finger auf den rechts von Rossmann stehenden Leibwächter.

„Und?"

Fragend schaute Berger auf

„Siehst du das nicht? Mensch,  der Kerl grinst! Hier sieh doch, der andere schaut zum Minister runter, ganz in seinem Job,  aber der da, der grinst … Irgendwie triumphierend finde ich. Ist das logisch?"

„Sicher nicht, aber vielleicht war es kein guter Chef. Wenn ich so an Krammer denke…"

„Hör auf!"
„Sicher, Du hast Recht."
Berger schob Nora das Bild zu. Sie wurde blass und lehnte sich tief
in den Sessel.
„Das ist ein Leibwächter? Den Mann kenne ich! Wir trafen ihn im
letzten Jahr am Montségur. Er wäre da im Urlaub, das sagte er je-
denfalls. Erst versuchte er mit mir anzubandeln, dann aber mit
Gerda, die sich auch darauf einließ."
Berger drängte:
„Wie heißt er?"
„Kolbe, Alex Kolbe. So hatte er sich jedenfalls vorgestellt.
„Er behauptete, etwas mit Archäologie zu tun zu haben, an der Uni
in Münster. Der sieht aber gar nicht so archäologisch aus, oder was
meint ihr?"
„Vielleicht sollten wir uns einmal mit ihm unterhalten", sagte Spar-
gel: „Kommt, wir fahren nach Münster, oder wisst ihr etwas Besse-
res?"
„Nee, eigentlich nicht. Und wann fahren wir?"
Nora schenkte sich den Rest Kaffee ein, der inzwischen schon kalt
war.
„Jetzt," bestimmte Spargel.
„Jetzt?"
Nora und Berger klangen synchron.
„Jetzt!"


# 8


*Kalt war es, saukalt für diese Jahreszeit.*
*Jaques de Molay, Großmeister des Templerordens zog den pelzverbrämten*
*Mantel eng um seine Schultern und wandte sich dem Kamin zu, der trotz*
*des Sommers den Raum erwärmen musste. Seine Gedanken sprangen hin*
*und her und er war angespannt. Mit dem Stab, auf den er sich stützte,*
*wenn die Gicht ihn peinigte, klopfte er nervös auf dem Steinboden, taktlos,*
*tock - tock.*

Jean de Galbain, der zweiundzwanzigjährige Jährige Novize lehnte am Fenster und schaute auf die Stadt, in der die Templerburg mit ihren sieben Türmen stand.

Paris, Donnerstag der 12. Oktober 1307.

„ Wo bleibt nur Hugno?" fragte der Großmeister mehr sich selbst als den jungen Ritter.

Hugno de Patraud war der Visitator des Ordens, der zweite Mann hinter de Molay und in dieser Eigenschaft verhandelte er mit Papst Clemens über die Belange des Ordens.

Seit geraumer Zeit schon gab es Zwietracht zwischen dem Orden der Templer, der Kirche und mit Phillip, dem König von Frankreich. Der Papst und mit ihm die Kirche neideten den Templern ihren Besitz und ihren Reichtum, der sich in Komtureien über ganz Europa verteilte hatte, ihre Macht, ihre Handelsbeziehungen und den Einfluss, den sie überall hatten. König Phillip seinerseits neidete den Templern die Festungen, die er als Staat im Staate sah, ihren Einfluss, ihren Reichtum, ihre Handelsverbindungen und ihre Verbindungen zu den Höfen der Mächtigen.

In ihrem Neid glichen sich Papst und König wie zwei Eier und doch neideten sie einander ihre gegenseitige Macht und jeder hatte Angst, die Templer würden Hilfe von der jeweils anderen Seite bekommen,   Phillip fürchtete den Papst und misstraute ihm und der Papst misstraute dem König und fürchtete ihn.

... Welch grandiosen Aufstieg hatten die Templer doch genommen, als sich während der Kreuzzüge ihr Orden 1118 gegründet hatte und 1128 anerkannt wurde. Neun Ritter waren es, die mit Hugo de Payens geschworen hatten, in Armut zu leben, dem Nächsten zu dienen und dann die Aufgabe übernahmen, die Straßen des Heiligen Landes zu sichern.

Wahrlich, die Ritter selbst waren arm, denn alles gehörte dem Orden... , neun Ritter, die Wohnung bekamen von König Balduin II., dem König des christlichen Königreiches von Jerusalem, direkt in der Stadt,  dort wo einst der Palast Salomons gestanden haben sollte.

In der ersten Zeit verließen sie das Gebäude kaum und man tuschelte, sie würden in den darunter liegenden unzähligen Gängen und Höhlen etwas suchen oder nach irgendetwas graben,   doch Genaueres darüber hörte man *nie. Nur ab und zu sah man Eselskarren, die Erde geladen hatten und diese aus einem dem Stadttore fuhren.*

*Neun Ritter… Nun zählten sie über Zehntausend, nicht gerechnet die Diener und Knechte....*

*Jaques de Molay lächelte trotz seiner Erregung leicht: ER wusste, was die Ritter dort gesucht hatten und ER wusste, dass sie ES gefunden hatten... und er wusste auch, dass es DIES war, was der König und der Papst haben wollten. Die vorgeschobenen Vorwürfe wegen angeblicher Gotteslästerung und Häresie waren nur das Mittel zum Zweck, um an das zu kommen, was sie wirklich wollten, obwohl sie gar nicht wussten, was es war:*

*Der Gral.*

*Sicher, de Molay hatte nie etwas dazu gesagt, wenn die Rede auf den Gral kam, aber sobald man meinte, es sei die Schale, mit der das Blut Christi aufgefangen worden sei, hatte er nur gelächelt, ein Lächeln, welches man als Wissen deutete.*

*Die Epen Eschenbachs und Kyots über Parzival, den Hüter des Grals und über Lohengrin, den letzten der Gralskönige, halfen mit, diesen Mythos weiter zu nähren und de Molay hatte nichts dagegen, denn je mehr die Menschen sich in Illusionen verstiegen und an der Wirklichkeit vorbeisahen - einer zugegeben unglaublichen Wirklichkeit - umso sicherer war der wahre Gral.*

*Sollte er ihnen sagen, dass der Gral nicht die Schale war, an die sie glaubten?*

*Sollte er Ihnen sagen, dass Christus nicht am Kreuz gestorben war? Würde dies wirklich jemand glauben?*

*Würden sie ihm glauben, dass Jesus nach Südfrankreich geflohen war…?*

*Gewiss, König und Papst wollten das Gold der Templer die edlen Steine und die festen Burgen, das Land und die Handelsbeziehungen, eine willkommene Nebengabe, aber in Wahrheit wollten sie den Gral, wollten ein kleines Stück von Gott in den Händen halten …!*

*Pferdehufe schlugen hart durch die hohl klingenden Gassen. Jean de Galbain sah einen Kurier, schweißnass über den Pferdehals gebeugt in die Stadtburg, dem Tempel, hineinjagen.*

*De Molay deutete auf die Tür und Jean de Galbain eilte hinaus, um den Boten zu empfangen, der erschöpft von seinem Pferd glitt, das nass von*

28

*Schweiß und mit Schaumflocken bedeckt war. Schwer atmend übergab er dem jungen Ritter, dem jüngsten Spross des Hauses de Galbain aus dem Languedoc, ein gerolltes Schriftstück, mit dem dieser zu dem Großmeister des Ordens zurücklief.*

*Das Siegel zerbrach und kleine Wachskrümel fielen zu Boden. Schweigend las de Molay und schüttelte den Kopf.*

*„ Ich glaube es nicht... nein! Das wagen sie nicht!"*

*Wütend schlug er mit seinem stützenden Stab auf den Boden und geriet dabei ins Straucheln. Der junge Ritter stützte den alten Mann und half ihm auf einen gepolsterten Lehnstuhl. Die Hand des Großmeisters verkrampfte sich zitternd um das Pergament und es schien, als hätten alle Geräusche der Welt für einen Moment inne gehalten. Adernd traten schwarzblau auf dem Handrücken hervor, wulstig, unter einer grauen Haut wie vergilbtes Pergament.*

*„Sie werden uns verhaften, Jean,... alle!"*

*Der Ordensmeister atmete tief aus:*

*„Der Papst gab sein Einverständnis dazu."*

*„Aber Herr ..."*

*„Ruhig Jean, vielleicht wagen sie es auch nicht…Vielleicht sind es alles nur Worte."*

*Es schien, als wollte er damit dem jungen Ritter Mut machen und er bemühte sich um eine aufrechte Haltung in dem Lehnstuhl.*

*„Trotzdem... wir müssen handeln. Jean! Jean de Galbain, auf Dir ruht die Zukunft des Ordens. Rette den Orden, rette den Gral! Reite Jean, reite sofort zum Montségur. Geh direkt zu Lons de Roncal und sage ihm, dass wir verraten wurden und Du den Gral bergen sollst. Hier, gib ihm diesen Ring und er wird wissen, dass Du direkt von mir kommst. Er weiß was zu tun ist."*

*Der Großmeister zog von seinem kleinen Finger einen Goldring ab, auf dessen kleiner polierten Platte eine schlichte Gravur zu sehen war. Die Zahl 81.*

*Am nächsten Morgen, am Freitag des 13. Oktober 1307, wurde Jaques de Molay verhaftet und mit ihm alle Templer, deren man habhaft werden konnte.*

## 9

„Kolbe, Alexander Kolbe? Ja, der hat hier gearbeitet", sagte der Dekan der Wilhelms Universität, zu dem die drei Zutritt erhielten,
nachdem eine Reportage über die Universität in Aussicht gestellt
wurde.
„Warum fragen Sie nach ihm? Anfang des Jahres ging er von uns,
im Streit, wenn ich das bemerken darf. Dabei war er eigentlich sehr
tüchtig. Ich hatte eigentlich wenig mit ihm zu tun. Fragen Sie Professor Glaubert. Er leitet den Fachbereich für Archäologie."
Der Dekan räusperte sich.
„Und was wollen Sie über die Universität schreiben? Gibt es auch
Fotos?"
Er streckte sich etwas.
„Natürlich gibt es auch Fotos. Ein Portrait von Ihnen natürlich auch,
doch dazu kommen wir später", erwiderte Berger, „aber erst einmal
brauchen wir einige Informationen über Herr Kolbe,... es ist eine pri-
vate Sache."
„Wegen meiner Schwester", warf Nora ein und ein trauriger Zug
veränderte ihr Gesicht.
„Also dann, bis später. Sie finden mich hier."
Der Dekan griff arbeitseifrig nach einer Akte und wies zur Tür.

Am Ende eines langen Ganges fanden sie die beschriebene Eichentür, hinter der das Archiv der Archäologie der Universität verwaltet
wurde. Der Arbeitsraum von Professor Glaubert.
Die drei wunderten sich. Sie hatten eine Art alten, zerstreuten Professor erwartet, doch Glaubert war das absolute Gegenteil. In kurzen
Shorts und einem bunten Hawaiihemd stand er auf einer Leiter und
suchte nach irgendeinem Buch, während überlaute Rockmusik
durch den Raum dröhnte. Erst bemerkte er die Besucher nicht, doch
als Spargel das Stromkabel der Anlage herauszog, drehte er sich um.
„Bitte?"
„Herr Professor?" begann Berger fragend, „Wir suchen Alex Kolbe."

„Ist nicht hier", war die lapidare Antwort und wieder griff Glaubert nach einem Buch und blätterte darin herum.

„Und wo ist er? Wo können wir ihn finden?" fragte nun Nora, die als Antwort nur ein Schulterzucken erhielt.

„Ist er das?"

Berger hielt das Foto des Attentats hoch und der Professor stieg von der Leiter herunter.

„Einen Augenblick, bitte."

Der Professor betrachtete das Bild genauer.

„Ja, sicher. Aber was ist das?"

„Das ist ein Foto des Attentats auf Regionalminister Rossmann und die beiden Männer neben ihm sind seine Leibwächter gewesen."

„ Kolbe als Leibwächter ... ?"

Der Professor schien nicht zu verstehen.

„Was macht er da?"

„Ich sagte es doch, Leibwächter", wiederholte Berger.

„Woran hat Kolbe gearbeitet, als er bei Ihnen war?" wollte nun Spargel wissen.

„Nun, an allem Möglichen, aber er interessierte sich hauptsächlich für Quatsch. Er suchte den Gral und solchen Unfug. Ich habe ihm tausendmal gesagt, das die Archäologie eine exakte, messbare Wissenschaft ist, aber er ... naja."

Glaubert winkte ab.

„Wann war er zuletzt hier?"

Spargel setzte sich auf die Kante eines seitlich stehenden Tisches.

„Das ist schon länger her", erwiderte der Professor und wedelte mit der Hand, als fächere er sich Luft zu: „Das war so etwa am Anfang des Jahres. Seitdem habe ich nichts mehr von ihm gehört."

„Keinerlei Hinweise?"

Nora reckte sich etwas und drückte ihren Busen dem ihn bedeckenden dünnen Pullover entgegen, was die Blicke Glauberts auf sich zog.

„Nein, nichts. Aber warum suchen Sie ihn eigentlich?"

„Er,...er war mit meiner Schwester zusammen,...irgendwie. Sie ... sie ist tot und ... sie hatte auch irgendwie mit dem Attentat zu tun."

‚Irgendwie ist gut,' dachte Berger bei sich, doch ein leises „Hm" des Professors ließ ihn diesen Gedankenfluß abbrechen.

Glaubert zog die Schublade eines Blechcontainers auf

„Hier sind noch einige Sachen von Kolbe. Vielleicht hilft Ihnen das ja weiter."

Aus der Schublade entnahm er einen großen Papierumschlag und schüttete den Inhalt auf eine freie Ecke seines Schreibtisches, nachdem er dort zuvor mit einer Armbewegung Platz geschaffen hatte.

Viel war es nicht, was da ausgebreitet lag. Ein kleiner Schlüssel, eine Bahnkarte, einige Fotos und eine Postkarte mit dem Portrait der Mona Lisa, auf der mit Kugelschreiber einige Linien gekritzelt waren, die Pupillen verbanden sich mit der Nasenspitze zu einem exakten Dreieck.

Berger pfiff leise durch die Zähne, als er dies sah und wippte mit der Karte in der Hand. Spontan fiel ihm die Kopie des Gemäldes ein, das im Arbeitszimmer von Noras totem Vater hing.

„Brauchen Sie die Sachen noch?"

Berger strahlte Glaubert an.

„Aber natürlich, sie gehören Kolbe. Ich kann sie doch nicht einfach so herausgeben."

Glaubert entrüstete sich.

„Sicher, Sie haben recht", beschwichtigte ihn Berger sofort und Spargel fiel ein:

„Aber einige Fotos? ... Dürfen wir die machen?"

Unentschlossen hob der Professor die Schultern, was der Fotograf sogleich als Zustimmung deutete und eine kleine Kamera aus der Hosentasche zog. Klackend durchzuckte ein dutzend schneller Blitze den Raum, mal von naher, dann seitlicher und auch aus etwas weiterer Entfernung.

„Fahren Sie doch einmal zu seinem Vater", riet Glaubert unversehens, als Spargel den Apparat wieder einsteckte, „Vielleicht weiß der etwas. Er wohnt irgendwo im Ruhrgebiet, ...Recklinghausen glaube ich. Aber eine Adresse habe ich nicht."

Dann beugte er sich vor und füllte den Papierbeutel mit der geringen Habe Kolbes.

„Und,... falls Sie ihn dort treffen, grüßen Sie ihn von mir und er soll sich mal melden und seinen Krempel holen. Ansonsten ... ich habe noch zu arbeiten."

Glaubert bückte sich nach dem Stromkabel und nach dessen Energiekontakt durchdröhnte augenblicklich der harte Beat erneut den Raum. Ohne Gruß stieg er erneut die Leiter hinauf und widmete sich den dort stehenden Büchern, sodass er gar nicht mehr sah, wie die drei den Raum verließen.

„Kommt, wir suchen ein Café. Wartet dann dort auf mich", sagte Spargel, „ich suche ein Quick Labor und entwickle dort den Film."

Schweigend verließen sie das Universitätsgebäude und überquerten den davor liegenden großen Parkplatz. Noch einmal schauten sie kurz zu dem ehemaligen bischöflichen Schloss zurück, in dem die Bildungsstätte heute ihre Räumlichkeiten hatte. Nach wenigen Minuten waren sie in der Innenstadt und ließen sich auf die billigen Plastikstühle vor einer Eisdiele, nahe am historischen Rathaus, fallen.

„Bis gleich."

Spargel hob kurz grüßend die Hand und verschwand dann in der Menge der Touristen und Kauflustigen, die sich auf den Gehwegen kreuz und quer vorwärts schoben.

„Die Mona Lisa", sagte Berger, „die Mona Lisa."

„Genau wie in Vaters Zimmer," vollendete Nora den Satz.

„Und die Linien darauf. Was soll das?"

Nora lehnte sich in dem Plastikstuhl zurück und nestelte eine Zigarette aus der zerknüllten Schachtel.

„Die Bahnkarte war aus Frankreich, das habe ich gesehen", unterbrach Berger die einsetzende Stille, die mit dem aufsteigenden Zigarettenrauch entstand.

„Hm", Nora kniff die Lippen zusammen, „...aber die Mona Lisa?"

„Da muss es eine Verbindung geben."

Wieder schwiegen beide und der bestellte Eiskaffee zerschmolz zu einem hellbraunen Etwas.

Das Rücken eines Plastikstuhles riss sie aus ihren Gedanken.

„Voila, die Fotos."

Einem aufgefächerten Kartenspiel gleich, legte Spargel die Bilder auf den Tisch.

„Hier, da sind sie, obwohl ich wesentlich besser entwickle", setzte er noch hinzu.

Die drei rückten die Stühle zusammen und sahen auf die Bilder, die Spargel vor sie hingelegt hatte. Klar und deutlich war die Mona Lisa zu erkennen und auch das eingezeichnete Dreieck.

„Da, schaut `mal, Frankreich."

Nora grinste, als sie den Zeigefinger auf das Foto mit der Bahnkarte legte. Das Datum war abgerissen, ebenso der Abfahrtsort, doch der Zielbahnhof „Foix" war gut zu lesen.

„Dort war ich schon", fügte sie hinzu. „In Foix haben wir Alex Kolbe kennengelernt."

Die abgebildeten Fotographien gaben nichts Besonderes her, ein Stapel aufeinandergetürmt, dessen oberste Ablichtung Alex Kolbe zeigte, wie er nach Indianerart auf einen Speer gestützt dastand und lachend auf einen Berghang zeigte, der verwaschen und schlecht belichtet im Hintergrund zu sehen war.

„Und der Schlüssel hier auf dem Foto?"

Berger schob das Foto über den Tisch.

„Schlüsseldienst!" entfuhr es Spargel und Nora fast gleichzeitig.

Sie standen auf und nach kurzer Suche fanden sie den gesuchten Schnelldienst in einem nahen Kaufhaus.


„Das sieht aus wie ein Briefkastenschlüssel, ein Schließfach oder vielleicht auch eine Geldkassette," bemerkte der Mann etwas unwirsch, der trotz drei vor ihm stehender Kunden nur um eine Auskunft gebeten wurde und fügte dann hinzu:, „Es kann aber auch ein Koffer sein."

Wortlos drehte er sich um.

„Kann man den Schlüssel nachmachen?" fragte Nora und setzte sich auf einen der vor dem Tresen stehenden hohen Hocker.

Künstlich räuspernd drehte sich der Mann um und zog die Augenbrauen hoch.

„Wie bitte ... ?"

Die von ihm vermutete unehrliche Absicht schien ihm nicht zu gefallen.

„So etwas mache ich nicht... außerdem geht das sehr schlecht, das ist sehr viel Arbeit. Außerdem ist die genaue Größe nicht erkennbar."

Den plötzlich auf der Theke liegenden einhundert Euro Schein übersah er geflissentlich, unauffällig ignorierend, doch trotzdem streiften seine Augen durch die Umgebung seines kleinen Betriebes. Als danach noch ein weiterer Schein dazu gelegt wurde, abgedeckt von drei Körpern, war das Geld plötzlich wie von Geisterhand verschwunden.

„Geben sie mir das Bild und kommen sie in einer halben Stunde wieder, aber ich garantiere für nichts."

Die drei schlenderten unauffällig davon und hörten nur noch das metallische Klappern des Schlüsselmannes bei der Suche in seinen Rohlingen.

Die Wartezeit verbrachten sie mit einem Spaziergang in dem Kaufhaus, Herumgewühle in der Damenboutique und dem flüchtigen Registrieren einer Ausstellung böhmischen Glases.

Als sie zu dem Schlüsselmann zurückkamen, war der Auftrag wunschgemäß erledigt und Berger steckte ihn wortlos ein.

„Und nun?"

Nora gähnte leicht.

„Recklinghausen!" bestimmte Berger.

„Ich nicht", entgegnete Spargel, „ich fahre zurück und entwickle erst einmal einige bessere Fotos, sofern das in dem Chaos bei mir noch möglich ist. Fahrt mit dem Zug, die Verbindungen von hier sind nicht schlecht."

„So?"

„Sicher, ich weiß das, denn mein Vater war bei der Bahn", lachte Spargel und ließ die beiden stehen.

# 10

*Das Pferd war schweißnass.*
*Von Komturei zu Komturei und von Burg zu Burg war Jean de Galbain geritten. Er wechselte Pferde und nur die kleinen Pausen des Umsattelns gönnte er sich, um einen Bissen harter Wurst oder etwas Wasser zu sich zu nehmen.*
*Müde war er und seine Augen brannten vom Staub der Wege. Die Beine waren steif und seine gefühllos gewordenen Hände umklammerten wie von selbst die Lederzügel.*
*Seit einigen Tagen regnete es. Das Wasser goss wie aus Eimern und durchnässte ihn bis auf die Haut. Er spürte das aufkommende Zittern und das beginnende Glühen seiner Stirn.*
*, Nur kein Fieber', dachte er, ,nur ja kein Fieber' und er war froh, dass das Wasser den Schlamm aus seinem Gesicht wusch.*
*Schweratmend stieg das Pferd den Bergpfad hinauf, sich selber mehr hochschleppend; aus den Nüstern blies es heißen Atem.*
*Der Novize hing mehr über dem Hals des Pferdes, als das er ritt. Über zehn Tage war er ohne Rast unterwegs und die einzige Erholung brachte ihm ein kurzer Dämmerschlaf auf den ihn tragenden Pferden. Sein Magen begann sich zu verkrampfen.*
*„Durchhalten Jean! Du musst durchhalten", murmelte er.*
*Wie Hammerschläge pochten diese Gedanken hinter seinen Schläfen.*
*,Rette den Orden ... Rette den Gral' hatte der Großmeister zu ihm gesagt, - zu ihm den Novizen der Templer*
*„Ich rette ihn!" schrie er. Nein, es war ein Röcheln durch die geschwollene Zunge und die Atemnot der eingetretenen Erkältung tat ein Übriges.*
*... Ein Wiehern... ein Schlag!*
*Hart schlug Jean de Galbain auf dem felsigen Boden auf und nur durch eine schnelle Drehung rollte er sich von den wild zuckenden Beinen des Pferdes weg, das , laut wiehernd und sich überschlagend einen Abhang hinabfiel.*
*Er bemühte sich aufzustehen und zog sich am Ast eines verkrüppelten Baumes hoch. Die Beine zitterten und die Bäume und Felsen um ihn wankten. Es war, als würde er blind, alles vor ihm wurde schwarz und dunkel wie die Nacht. Er taumelte, schlug auf einen vorspringenden Felsen und brach zusammen.*

„He!"

Irgendjemand schüttelte ihn. Schwach, sehr schwach sah er in der Tagesdämmerung in ein schmutziges Gesicht, das von Pockennarben entstellt war. Der aufdringliche Gestank der Lumpenkleidung riss ihn in die Wirklichkeit zurück.

„He, Herr! Lebt Ihr?"

Schlechter Atem schlug ihm entgegen, als er die Augen öffnete und schwach nickte.

„Er lebt!" brüllte der Vernarbte laut. Schemenhaft erkannte de Galbain zwei Ritter in angerosteten Rüstungen auf sich zukommen, die ihn hochhoben und auf eine Karre mit nassem Stroh legten. Das harte Rumpeln der Wagenräder schlug durch die Bohlen des Wagenbodens und er hörte den dumpfen Hall des Überfahrens einer Holzbrücke. Wenig später stand der Karren und einige Fackel erleuchteten die anbrechende Nacht Jean starrte zum Himmel und sah seitlich dunkle Mauern zu den Sternen hinaufwachsen.

„Er ist wach, Herr", sagte jemand und ein älterer Mann in grüner Seide über einem Kettenhemd beugte sich über ihn.

„Wer bist Du und was willst Du hier?"

Jean krächzte und räusperte sich.

„Ich bin Jean de Galbain und suche Lons de Roncal …Im Namen des Großmeisters der Templer, Jaques de Molay …

Aber er sagte es nicht, er bildete es sich nur ein. Nur undeutliches Zischen und Stöhnen entfuhr im.

Der Grüne schüttelte ihn an der Schulter.

„Wer bist Du... und was willst Du auf Montségur?"


# 11


Spargel hatte Recht. Die Zugverbindung nach Recklinghausen war regelmäßig. Fast jede halbe Stunde verband ein Zug die beiden Städte.

Schweigend, die Landschaft betrachtend, saßen Wolf Berger und Nora Rahner in dem mäßig gefüllten Zug, wobei es nur zu einem kurzen Gespräch kam, wie man die Adresse des Vaters von Alex Kolbe finden würde, was auf Grund eines Telefonbucheintrages wohl nicht so schwierig sein dürfte.

Berger dachte über Leonardo da Vincis *Mona Lisa* nach und Nora versuchte ihre Gedanken zu ordnen, die seit dem Tod ihrer Schwester immer noch unklar waren.

Der heruntergekommene Bahnhof der Stadt machte keinen einladenden Eindruck. Es war einer jener Bahnhöfe, die mehr dazu einluden zu verreisen als anzukommen. In der schmutzigen Eingangshalle standen einige Menschen mit Koffern herum und in einer Ecke schlief ein angetrunkener Mann, der gerade von der Polizei geweckt wurde.

Nachdem sie zuerst einige Telefonzellen absuchten - die es immer noch gab - fanden sie letztendlich in einem der ramponierten Glashäuschen ein angebranntes Telefonbuch. Seit der Einführung des Euros als Währung und des Wegfall der Grenzen war es Pflicht geworden, sich dort eingetragen zu sein, mit vollem Namen, der vollständigen Anschrift und auch der Berufsbezeichnung. Berger grinste, denn er selbst stand nicht darin.

Noras Finger rutschte auf den fleckigen Seiten die Spalten hinab. „Hier steht's. Kolbe. Horst. Professor der Mathematik, Holzweg 17", sie lachte kurz auf „ Ha, ha, Holzweg ...".

"Na, wenn das mal keiner ist."

Auch Berger lächelte ob der Anschrift.

Ein mürrischer Taxifahrer in einem muffigen Fahrzeug brachte sie in die genannte Straße, nahe dem Festspielhaus, in welchem die Europäische Einheitsgewerkschaft jährlich am ersten Mai ihre Jubelfeiern abhielt.

Ein holperiger, mit Unkraut durchsetzter Kiesweg führte in leichtem Bogen auf ein Fertighaus der frühen neunziger Jahre des letzten Jahrtausends zu, weiß getüncht mit einer Kunststoffhaustür auf der ein billiges Prägeschild klebte.

‚Horst Kolbe'.

Nach dem Druck auf den Knopf der Türklingel öffnete sich rasch die Tür, eigentlich sehr rasch und ein in schwarz gekleideter Herr stand vor ihnen.

„Kommen Sie, hier entlang bitte.“

Ohne eine Begrüßung abzuwarten wandte er sich ab. Danach lief er etwas schleppend vor Nora und Berger her und deutete in ein einfaches, aber sauberes Wohnzimmer, in dem ein Mann saß, der seinen Kopf mit den Händen stützte und vor dessen Füßen einige zerknüllte Papiertaschentücher lagen.

Schwerfällig erhob sich der Mann und streckte die Hände aus.

„Waren sie Freunde meines Sohnes?“

Seine Hand zitterte leicht, als Nora und Berger sie schüttelten.

„Irgendwie schon“, wich Berger der Frage aus und war durch die Szenerie etwas irritiert.

„Setzen Sie sich doch bitte“.

Der Mann wies auf die Sessel und sank dann wieder zu den Papiertaschentüchern des Sofas.

„Er war doch noch so jung...“.

Es war mehr ein Flüstern als ein laut gesprochener Satz. „... So jung...“.

„Entschuldigen Sie, Herr Kolbe?“

„Ja?... Ich weiß, ich sollte mich zusammenreißen..., aber ich habe ihm doch immer gesagt, dass er sich im Wagen anschnallen solle..., gerade bei einem offenen Wagen..., aber das ein Reifen platzt..., wer rechnet denn damit ... ?“

Nora begriff und stand auf und setzte sich neben den trauernden Mann, wobei sie tröstend die Hand auf seine Schulter legte.

„Mein tiefstes Beileid.“

Auch Berger nickte schweigend und schaute zu Boden.

„Woher kannten Sie Alex?“

Horst Kolbe setzte sich etwas auf.

„Ich ... wir..., also eigentlich kannte ich ihn kaum... Meine Schwester, sie... sie kannte Ihren Sohn besser. Die beiden hatten sich in Frankreich kennengelernt... Meine Schwester ist ebenfalls tot.“

„Sie Ärmste.“

Nun sprach Horst Kolbe sein Beileid aus.

„Wissen Sie, es ist schwer, den einzigen Sohn zu verlieren,... so plötzlich. Jetzt ist er fort und nur eine Urne in einer Wandnische bleibt. Ich komme gerade von dort, ...Ich..."

Mühsam schluckte er und brach ab.

Berger stand auf. Er spürte, dass sie jetzt nichts erfahren würden, was Klarheit in die Sache bringen könnte.

„Wir gehen, ruhen Sie sich bitte aus, wir kommen in einigen Tagen wieder."

Horst Kolbe nickte und kurze Zeit später brachte ein Taxi die beiden zurück zum Bahnhof, wo sie den nächsten Zug bestiegen und nach Köln fuhren, um Spargel zu treffen.

## 12

*Jean de Galbain schlug die Augen auf.*

*Eine helle Sonne strahlte in den Raum hinein und blendete ihn leicht. Er spürte die Weichheit eines, mit Laken bezogenen, Strohlagers unter sich und richtete sich mühsam auf. In der geräumigen Kammer, welche außer dem Bett nur einen Schemel und einen kleinen Tisch enthielt, prangte an der Wand das Fresko eines großen Templerkreuzes. Durch einem Blick aus dem schmalen Fenster sah er über einige Baumspitzen hinweg.*

*Mit zittrigen Knien stand er auf und schlurfte dorthin. Tief atmend stützte er sich an der Wand mit den Armen ab.*

*Es klopfte und die schwere Tür öffnete sich. Der Grüngekleidete, an den sich der Novize schwach erinnern konnte, kam herein, nun aber mit dem weißen Mantel der Templer angetan.*

*„Ihr seid schon auf? Ah, das ist gut. Ich bin Lons de Roncal, der Komtur von Montségur. Und Ihr? Ihr seid ...?"*

*„Gott sei Dank", entfuhr es dem jungen Ritter und er stellte sich mit schwacher Stimme vor.*

„Dieses gab mir der Großmeister", fuhr er fort und nestelte den engen Ring vom Finger. Er reichte ihn dem Komtur, der ihn, ohne ihn zu betrachten nahm.

„Ich weiß, welchen Ring Ihr trugt, de Galbain, denn sonst wäret Ihr kaum in diesem Raum. Was ist Euer Auftrag?"

Lons de Roncal reckte den Körper und obwohl er der Komtur war, spürte man, dass er Ehrerbietung vor dem Ring und auch vor dem jungen Ritter hatte, der anscheinend in wichtiger Mission zu kommen schien. Er machte einige Schritte zurück und schloss die bogenförmige Eichentür.

„Komtur", Jean de Galbain verneigte sich leicht, „ich habe den Auftrag den Gral zu retten. Der Großmeister sagte, Ihr wüsstet, was zu tun ist."

Der Komtur riss die Augen auf und setzte sich dann auf die Kante des Bettes. Er nickte schweigend. Kopfschüttelnd saß er da und atmete tief aus, ehe er sprach:

„Haben sie es wohl doch gewagt... Ich wusste, dass ihnen nicht zu trauen war."

Wieder schwieg er.

„Nun gut, so soll es denn sein!"

Lons de Roncal stand auf und trat nah an den Boten des Großmeisters heran um ihn die Hand auf die Schulter zu legen.

„Es ist nicht leicht. Ihr wisst, was der Gral ist?"

Jean de Galbain schüttelte den Kopf.

„Nein, Herr."

„Könnt ihr gehen?"

„Sicher Komtur, etwas mühsam zwar, aber es wird schon gehen."

„Das sollte es auch, denn ihr habt vier Tage geschlafen. Folgt mir."

Jean de Galbains Magen begann laut zu knurren und Lons de Roncal lächelte.

„Nachher werdet Ihr Speisen bekommen."


Sie verließen die Kammer und der Novize folgte dem Burgherrn einige Gänge entlang, bis sie vor einer schmalen Tür standen, die er mit einem Schlüssel öffnete.

Der Raum war leer.

*Als sie den Raum betreten hatten verschloss der Komtur die Tür von innen*
*sorgfältig und drückte dann auf einen Stein in der Mauer, der knirschend*
*eine Nische freigab, in welcher eine schmucklose kleine Truhe stand.*
*„Das ist der Gral".*
*„Das? In dieser Kiste?*
*Der Komtur nickte und lächelte.*
*„Kommt zum Fenster. Wenn Euch der Gral schon anvertraut wird, dann*
*sollt Ihr ihn auch sehen... Soweit es möglich ist."*
*Der Komtur nahm die Truhe aus der Wandvertiefung, schob den einfachen*
*Riegel beiseite und öffnete die ellenlange Holztruhe mit den schmucklosen*
*Eisenbeschlägen und schlug ein gegerbtes Rehfell auseinander, nachdem er*
*sie auf den Fenstersims gestellt hatte.*
*Jean de Galbain schaute hinein und sah den Burgherren fragend und zwei-*
*felnd an:*
*„Das ist der Gral?"*

## 13

Spargel bat Nora und Berger in die Küche. Auf dem Tisch lagen ei-
nige vergrößerte Fotos.
„Wie war es in Recklinghausen?" fragte er und Berger schilderte
kurz das zuvor Erlebte, das man von dem Tod Alex Kolbes erfahren
habe und nochmals in die Stadt zu Kolbes Vater wolle.
„Was ist mit den Fotos?"
Nora lehnte sich an den Küchenschrank.
„Seht es euch an."
Spargel wies auf die vergrößerten Fotos.
„Hier", er nahm die Vergrößerung des Schlüssels in die Hand, den
sie in Münster hatten anfertigen lassen.
Berger kniff die Augen zusammen.
, Eisbär', las er.
„Eisbär?" wiederholte er laut, „Das ist ein Kühlschrankschlüssel ...?
Wir besaßen früher einen Eisbär. Ich weiß noch ganz genau, dass er
manchmal leckte. Damals ging ich noch zur Schule. Er war immer

abgeschlossen, weil ich sonst wohl immer an der Marmelade genascht hätte."

Nora schüttelte den Kopf.

„Wir haben einen Kühlschrankschlüssel? ... Was soll das?"

Ein kurzer Blick auf die Aufnahme der Bahnkarte bestätigte, dass es der Zielbahnhof Foix war, wie man schon in dem Eiscafé in Münster festgestellt hatte.

„Was ist mit dem Bild der Mona Lisa?"

Berger zündete sich eine Zigarette an.

„Hier. Ein absolutes Dreieck, von Pupillenmitte zu Pupillenmitte und dann bis zur Nasenspitze."

„He, die Nase!"

Nora stieß sich von dem Küchenschrank ab.

„Auf dem Spruch, Ihr wisst schon, der Spruch der verschwunden ist. Darin war auch von der Nase die Rede!"

„Sicher, aber von dem Rücken der Nase", verbesserte Spargel.

Berger nahm das Foto und zog einen Kugelschreiber aus der Jackentasche, mit dem er drei Linien in das Dreieck zeichnete, von der halben Länge jeder der drei Linien ausgehend, genau im rechten Winkel auf die gegenüberliegende Spitze der geometrischen Figur hin. Ein sechsstrahliger Stern entstand, dessen Mittelpunkt genau auf dem Rücken der Nase der Mona Lisa lag.

„Voila! Der Nasenrücken."

Triumphierend hielt er das Foto hoch. „Wie in dem Spruch."

Nora trat auf Berger zu.

„Gut, aber was sagt uns das? Eigentlich doch gar nichts."

„Doch!"

Berger begann in der Küche auf und ab zu laufen.

„Es sagt uns, dass die Mona Lisa irgendetwas mit der Sache zu tun hat."

„Und was soll das sein?"

Spargel hielt den Journalisten am Arm fest.

„Keine Ahnung."

Berger atmete tief aus.

„Überlegen wir doch einmal, was wir überhaupt wissen. Also, da ist zuerst einmal ein Attentat. Dann eine plötzlich verstorbene Attentäterin. Dazu der bescheuerte Dorfmann mit seiner Hausdurchsuchung und die Sache mit den Fotos sowie der Tod von diesem Alex Kolbe."

„Und der Tod meines Vaters", fügte Nora hinzu.

„Du meinst ...?" Berger ließ die Frage im Raum stehen.

„Sicher! Irgendwie hat das alles miteinander zu tun."

„Der Gral!" schrie Spargel laut auf.

„Alles hat irgendwie mit dem Gral zu tun. Noras Vater suchte ihn, Alex Kolbe anscheinend auch und das Attentat fand in einer Ausstellung zum Gral statt. Außerdem bleibt noch eine Frage übrig: Warum erschoss Gerda Rahner den Regionalminister?"

Berger nickte.

"Und wo setzen wir an?"

„Wir können ja überall Kühlschränke suchen", scherzte Spargel.

„Gar nicht mal so dumm, du Fotograf."

Berger legte die Hand auf Spargels Schulter.

„Die Frage ist dann auch, was in dem Kühlschrank ist, denn ohne Grund bewahrte Kolbe den Schlüssel wohl nicht auf. Zudem bleibt auch noch zu klären, wo dieser Kühlschrank ist?"

„Vielleicht weiß Herr Kolbe es."

Nora griff nach dem Foto des Schlüssels.

„Außerdem sollten wir uns auch einmal genauer in dem Arbeitszimmer meines Vaters umsehen. Vielleicht ist auch da ein Hinweis zu finden, zumal auch dort eine Kopie der Mona Lisa hängt."

„Also?" fragte Spargel.

„Zuerst zu mir," bestimmte Nora.


## 14


„Aha, wieder im Lande?"

Inspektor Dorfmann saß auf den Stufen der Eingangstreppe des Rahnerschen Hauses und warf einen Kieselstein von Hand zu Hand.

„Lassen Sie ruhig den Schlüssel stecken, Frau Rahner", verzog er den Mund, „es ist bereits geöffnet."

„Was willst Du hier?"

Berger baute sich bedrohlich vor dem immer noch sitzenden Inspektor auf.

„Mit Verlaub, Herr Journalist…. Das geht Dich einen Scheißdreck an!"

Dorfmann stand auf und zog ein gefaltetes Blatt aus der Innentasche seiner Jacke und reichte es Nora.

„Bitte schön, das ist für Sie."

Nora entfaltete das Blatt und überflog es kurz. Missmutig ließ sie die Hand mit dem Schreiben sinken.

„Was soll das?"

„Ganz einfach, gnädige Frau: Das Haus wird versiegelt. Holen Sie sich einige Sachen zum persönlichen Gebrauch, aber fix, wenn ich höflichst darum bitten dürfte."

„Und wenn Sie mich jetzt nicht getroffen hätten?" fragte sie Dorfmann.

„Tja, dann hätten Sie ein Problem gehabt, aber in den Geschäften gibt es genügend Dinge für den täglichen Bedarf."

Nora schaute den Polizisten wütend an und stampfte mit dem Fuß auf, bevor sie in das Haus trat und noch aus den Augenwinkeln sah, wie Berger nah an Dorfmann herantrat, ihn mit der vollen Wucht seines Körpers an die Hauswand drückte und mit einer Hand zwischen dessen Beine griff. Die Hand quetschte langsam Dorfmanns Hoden zusammen.

Spargel stellte sich als eine Art Sichtschutz davor und summte ein leises Liedchen, während aus dem Haus wieder das Herumrücken von Möbeln zu hören war.

„So, Du kleine Ratte, ich will jetzt wissen, was hier gespielt wird", zischte Berger dicht am Ohr des Beamten, der nach Luft schnappte und langsam rot anlief.

„Klare Antworten … und schön leise, aber deutlich!"

„Ich sage gar nichts."

Dorfmann presste die Worte hervor und drückte sich etwas an der Wand hoch.

Berger verstärkte den Druck seiner Hand.

„So? Wirklich?"

Langsam setzte er die Hacke seines Schuhes auf den Wildlederstiefel des Polizisten, dessen Hände nun halt suchend die Hauswand entlang glitten.

„Ich... Ich habe meine Anweisungen. ...Ich..."

„Ja? Ich verstehe so schlecht. Noch einmal, aber schön deutlich bitte!"

Tränen quollen aus Dorfmanns vor Schmerz zusammengekniffenen, Augen.

„Der Minister... Sie haben gesagt, dass ich sie finden muss, die Aufzeichnungen".

„Welche Aufzeichnungen?"

„Die zum Gral führen".

Die Stimme Dorfmanns glich inzwischen mehr einem weinerlichen Winseln. Seine ständig gespielte Autorität war völlig verschwunden.

„Mach Dich doch nicht lächerlich. Wer hat das gesagt?"

„Die Leute..., die... Kahlert... ."

„Wer ist das?"

„Der..., der mir den Auftrag gab..., lass los. Bitte..."

Dorfmanns Stimme ging in ein Schluchzen über.

„Wo finde ich ihn?"

„Ich weiß es nichts ... Aah! ... Im Hotel... Hotel Imperial... Am Dom."

Einem Häufchen Elend gleich atmete Dorfmann nur noch stoßweise. Berger löste den haltenden Griff und der Inspektor krümmte sich stöhnend zusammen.

„Das bereust Du! Ich mach Dich fertig, Du Schwein", wimmerte er leise und setzte sich auf den Boden.

Berger schaute sich um, aber in der Umgebung war es ruhig und nichts war zu sehen, auch nicht der Mann im grauen Anzug, der durch dichtes Gebüsch verdeckt die Szene beobachtet hatte und nun ein leises Telefonat führte. Gerard de Galbain, der sich jetzt Kahlert nannte.

„Was ist mit ihm?"
Nora kam mit einem prall gefüllten Koffer aus der Haustür heraus und deutete auf Dorfmann der immer noch jammernd und stöhnend auf der Erde saß.
„Magenschmerzen", sagte Spargel beiläufig und Berger nickte lächelnd.
„Ihre Leute sollen auf die Sachen achtgeben, Herr Inspektor", sagte sie dann zu dem unten sitzenden, „zwei Vasen sind schon zerbrochen. Was suchen Sie eigentlich in meiner Unterwäsche?"
Dorfmann antwortete nicht. Leise stöhnte er vor sich hin, den Kopf zwischen den Knien verborgen.
Aus dem Haus drangen immer noch Geräusche rückender Möbel und dann das Zuschlagen eines Fensters.
Als die drei zu ihrem Wagen gingen bemerkten sie nicht das leise Rascheln der Zweige, in die sich Kahlert hineindrückte.

In Bergers Wohnung angekommen ließen sie sich auf das Sofa fallen, nebeneinander sitzend, wie Vögel auf einem Drahtseil.
„Wer ist Kahlert?" fragte Nora, nachdem ihr während der Fahrt erzählt wurde, was Dorfmann gesagt, nein, mehr geflüstert hatte.
„Wir sollten es herausfinden."
Spargel stand auf und griff zum Telefon.
„Ich rufe einmal die Auskunft an."
„... Und ich koche Kaffee."
Berger stand auf und ging in die Küche.
Als er zurückkam, legte Spargel gerade den Hörer in die Gabel des alten Telefons.
„Also, in der Region Deutschland gibt es diesen Namen genau siebenhundertsechsundvierzigmal."
„Na, das ist ja wunderbar", erwiderte Berger und stellte einige Kaffeetassen auf den Tisch.

„Und die wohnen bestimmt schön verteilt..., von den Alpen bis zur Nordsee..."

„Sicher. Das hilft uns also auch nicht besonders weiter."

Nora stand auf und holte den Kaffee aus der Küche.

„Es wäre vielleicht gut, Kolbes Vater noch einmal zu besuchen, vielleicht geht es ihm jetzt schon besser", dachte Berger laut.

„Oder hiermit."

Nora öffnete ihren mitgebrachten Koffer und zog eine zerfledderte Kladde heraus, sowie einen Plastikbeutel, in dem sich einige Dutzend Dias befanden.

„Das war noch in dem Koffer. Das ist noch von damals, als wir in Frankreich waren. Vielleicht ist hier etwas Brauchbares dabei. Außerdem, schaut einmal her, was ich hier habe…"

Nora zog aus der gespannten Innentasche des Koffers noch etwas heraus. In den Fingern hielt sie einen kleinen Schlüssel, auf dem das Wort ‚Eisbär' stand.

„He, das ist ja der gleiche Schlüssel!" entfuhr es Berger und Spargel fast gleichzeitig.

„Sicher, genau wie der Schlüssel auf dem Foto, den wir nachfertigen ließen."

„Wieso hatten Kolbe und dein Vater den gleichen Schlüssel?"

Spargel nippte an dem Kaffee, während Berger vergeblich versuchte ein Feuerzeug zu entzünden.

„Das ist doch eigentlich klar!"

Triumphierend deutete Nora mit dem Zeigefinger in die Luft.

„Es gibt zwei Möglichkeiten. Entweder hatten mein Vater und Kolbe etwas miteinander zu tun, enger als man es sich dachte. Oder einer von den beiden hatte ein Duplikat. Wenn ich aber daran denke, wie oft mein Vater sich mit Kolbe unterhalten hatte, richtig ausführlich, ohne das Gerda oder ich dabei waren, so neige ich zu der ersten Annahme. Vielleicht kannten sie sich wirklich näher."

„Also, wir sollten den Kühlschrank suchen", bemerkte Berger und wollte nach dem Beutel mit den Dias greifen.

„Finger weg, ich bin der Fotograf."

Spargel nahm die Dias aus dem Beutel und hielt sie gegen das Licht.

„Die sind ganz schön verschwommen und verwackelt, dazu brauchen wir einen Projektor."

„Gut, also besorgen wir einen Projektor. Schaut einmal her, was ich hier habe", sagte Berger und zog aus der Hosentasche ein verknittertes Streichholzbriefchen.

„Was ist das andere?"

Nora öffnete die Kladde, wobei einige Blätter zu Boden fielen. Ein grober Überblick zeigte eng beschriebene Seiten, gefüllt mit Skizzen, Zeichnungen, Sternen, Zahlen, Kreisen und Spiralen, die für sie keinen Sinn ergaben, aber doch irgendwie zusammen gehören mussten.

„He, schaut mal, ein schönes Bild."

Nora hielt die Kopie eines Holzschnittes in die Höhe, welches einen Ritter zeigte, der allein vor einem runden Tisch saß und worunter in verschnörkelter Schrift stand „Artus vor der Tafelrunde".

Die Perspektive der Tischfläche war völlig falsch abgebildet und kreisrund dargestellt, so wie es ein naiver Maler oder Kinder zeichnen würden. Dies war jedoch nicht das Wesentliche, denn mit sauberen Druckbuchstaben stand dort etwas.

Nora las:

"Uther Pendragon ist Uther Pentagram ist Other Pentagram, das andere Pentagramm."

Darunter war ein fünfzackiger Stern gezeichnet, ein Pentagramm und dann erneut das Wort ‚Other' und ‚Stern'.

„...Der andere Stern ... ?"

Berger beugte sich vor.

„Der andere Stern ... ?"

Dieser kurze Satz hatte etwas Rätselhaftes an sich.

„Hm..".

Berger stockte kurz, und kratzte sich nachdenklich hinter dem Ohr.

„Artus suchte den Gral und Artus war der Sohn Uther Pendragons, wenn man den Mythen glauben durfte. Artus, der Gründer der Tafelrunde, der das Schwert Excalibur aus dem Stein gezogen hat. Ach ja, da gab es ja noch Merlin den Zauberer."

Er hielt kurz inne.

„Hat Dein Vater an Märchen und Mythen geglaubt, Nora?"

Nora zuckte statt einer Antwort mit den Schultern und sagte dann: „Anscheinend nahm er viele Dinge wörtlich, aber auch Schliemann entdeckte das wahrscheinliche Troja, weil er die Illias wörtlich nahm."

Spargel kramte weiter in den Blättern und zog ein Pergament heraus.

„Seht einmal hier!"

Er legte das Blatt auf den Tisch. Eine Spirale war dort gezeichnet, die sich immer weiter von der Mitte entfernte. In einer Art geschlossenem Kreis waren fortlaufend die Zahlen von eins bis einundachtzig angeordnet, wobei jeweils vierundzwanzig einen vollen Kreis bildeten. Über dem Ganzen war mit Bleistift ein Kreuz durch die Primzahlen gezogen worden, welches dem Templerkreuz glich.

„Was ist das?"

„Ich würde sagen, da versuchte jemand eine Verbindung zwischen den Zahlen herzustellen. Das müsste ein Mathematiker vielleicht enträtseln können. Der Vater von Kolbe vielleicht? Er ist doch Professor der Mathematik."

Das Telefon klingelt. Ächzend stand Berger auf und hob den Hörer von dem alten Apparat ab und es  war eine gedämpfte Stimme zu hören

„Herr Berger, in einer Stunde im Dom vor dem Schrein der Heiligen drei Könige. Kommen Sie allein!"

Sofort brach die Verbindung ab.

Nachdenklich hielt Berger den Hörer noch etwas in der Hand.

„Ich soll in einer Stunde im Dom sein. Allein. Ein komischer Anruf."

„Von wem?" fragte Nora, ordnete die Blätter und legte sie in die Kladde zurück.

„Ich habe keine Ahnung, aber ich gehe hin."

„Sollen wir nicht mitkommen?"

„Nein, lasst ruhig. Besorgt doch in der Zwischenzeit den Diaprojektor."

# 15

*Jean de Galbain sah den Komtur fragend an. Außer der aufgeschlagenen Rehhaut war nicht viel zu sehen, nur dass sie etwas verhüllte, das in einer weiteren Haut eingewickelt war und mit drei Siegeln verschlossen gehalten wurde.*

*„Verzeiht, Herr, aber Ihr wolltet mir den Gral zeigen."*

*Lons de Roncal nickte.*

*„Sicher, aber ich glaube dies genügt. Auch ich habe nie mehr von ihm gesehen, als das, was Ihr gerade seht. Ich weiß nur, das in ihm die Kraft und die Macht des Ordens liegt. Er ist der wahre Schatz der Templer."*

*„Aber Herr, ein Schatz ist Gold, Gewürze, Silber..."*

*„Ja…Und Edle Steine, "sprach der Komtur weiter, „Ich weiß, das ist das, was viele unter einem Schatz verstehen. Vielleicht ist es ja auch in der versiegelten Haut ... vielleicht aber auch nicht. Wer weiß das schon? Ich glaube es nicht, denn ich habe Gold gesehen und Schätze, die würden diesen Raum mehr als ausfüllen. Das ist Reichtum, nur Reichtum, aber nicht der Schatz."*

*Der Komtur schlug das Rehfell übereinander und verschloss die Truhe wieder, die er dann an den Platz zurückstellte, aus der er sie genommen hatte.*

*„Ruht euch aus, Ritter, ich bereite alles vor. Zieht in ein oder zwei Tagen los, denn Ihr müsst Euch eilen. Kleidet Euch als Mönch und nehmt ein Maultier für die Last. Wichtiger noch als Schnelligkeit ist die Sicherheit. Ich gebe Euch einige Reliquien mit, die Ihr unterwegs verkaufen könnt."*

*Dann zog er einen faustgroßen Beutel hervor:*

*„Hier sind Münzen, kleine Münzen wie sie das Volk hat. Ihr dürft auf keinen Fall auffallen. Nachher scheren wir Euch noch die Tonsur."*

*Jean de Galbain nickte. Sein schulterlanges, lockiges Haar war ihm viel wert, doch jetzt, in dieser Situation…*

*„Und wohin bringe ich den Gral, Herr?"*

*„Ihr bringt ihn in die Höhle, ins sichere Asyl. Gleich nach Eurer Ankunft ist ein Kurier losgeritten, um alles vorzubereiten."*

*Mit beiden Händen umfasste de Roncal den jungen Ritter.*

*„Außerdem hoffe ich, dass ihr nicht seekrank werdet, denn im Hafen von Port Vandres liegt ein Boot für euch bereit. Vertrauenswerte Männer werden mit Euch segeln, Templer wie wir."*

*Jean de Galbain wandte sich dem Fenster zu und sah wieder über das sich verfärbende Grün der Bäume in der hügeligen Landschaft des Herbstes. Würde er der Aufgabe gewachsen sein? Würde er es sein, der den Gral in Sicherheit bringen kann?*

*In Paris setzte man Jaques de Molay gerade die Daumenschrauben an.*

## 16

An den Touristenströmen vorbei drängte sich Berger durch den Dom.

Ab und zu blieb er kurz stehen und schaute sich suchend um, doch außer einigen Kindern, die trotz dieses Ortes hier Fangen spielten sah er nichts, was ihm verdächtig vorkam.

Geduldig stellte er sich in die Reihe der Schaulustigen, welche die vermeintlichen Gebeine der heiligen Könige sehen wollten, die seit dem Mittelalter im Dom ruhten, als sie bei einem kaiserlichen Feldzug aus Norditalien geraubt worden waren. Das eigentlich Sehenswerte aber war die Goldschmiedekunst des Schreins. Doch Berger hatte keinen Blick für die Schönheit des Filigranen. Immer wieder suchten seine Augen die Gesichter der Umstehenden ab, aber niemand kam ihm bekannt vor und niemand schenkte ihm Beachtung, von einer ordinär wirkenden Frau abgesehen, die ihn des Öfteren auffordernd anlachte. Früher? Na ja, da hätte er diese, sich anbietende Gelegenheit für einen raschen Hormonabbau genutzt, doch nun beschäftigte ihn etwas anderes.

Wer wollte ihn hier treffen?

Schleppend zogen die Besucher an dem Schrein vorbei, mehr getragen von dem Ich-war-da-Gefühl als von dem wirklichen Bedürfnis, *Heiligkeit* zu sehen.

Berger war der Letzte in der Reihe und als er den engen Raum verlassen wollte, sah er schattengleich eine Hand, die ihn beiseite zog.

Zugleich spürte er den rüden Druck einer Waffe in der Nierengegend. Er gab dem Zug nach und hörte, wie der Fremdenführer die Tür verschloss und die Notbeleuchtung einschaltete.

Berger wurde aus der Wandnische herausgedrückt. Vor ihm stand ein Mann, den er schon einmal gesehen hatte, es war der Hagere, der ihm beim Attentat aufgefallen und dann so rasch verschwunden war.

„Guten Tag, Herr Berger.“

Der Druck der Waffe ließ nach und der Mann ließ sie in der Tasche der Anzugjacke verschwinden.

„Die brauchen wir doch bei unserer Unterhaltung sicherlich nicht. Es ist nur eine Vorsichtsmaßnahme. Gestatten Sie, dass ich mich vorstelle, mein Name ist Kahlert. Bernhard Kahlert.“

Der Hagere deutete eine leichte Verbeugung an und fuhr dann fort: „Nein, fragen Sie nicht. Dieser Name ist sowieso falsch.“

Mit einem Lächeln versuchte er Freundlichkeit zu zeigen.

„Was soll das alles?“

Berger war etwas ratlos.

„Ich erkläre es Ihnen. Setzen wir uns doch.“

Kahlert wies auf den seitlich stehenden steinernen Sarkophag irgendeines toten Bischofs.

„Also, Herr Berger, sollten wir nicht zusammenarbeiten? Wir wären einander nützlich.“

„Nützlich? Wozu? Ich merke nur, dass der Idiot Dorfmann uns nachspioniert und das es einige Tote gegeben hat.“

Kahlert legte seine Hand beschwichtigend auf Bergers Knie.

„An denen wir, äh... ich nicht Schuld bin. Aber kurz der Reihe nach. Der Idiot, wie Sie es sagen, Dorfmann, ist nur eine Art Handlanger, dessen ich mich bediene. Aber in dieser Sache brauche ich Helfer. Allein geht es nicht. Um es klar zu sagen: Ich suche den Gral.“

„Ach ja?... Und dafür müssen Menschen sterben“, erwiderte Berger zynisch und rückte etwas von Kahlert ab.

„Ich sagte bereits, ich bin nicht schuld, im Gegenteil, ich bin auf Ihrer Seite, wenn man das einmal so ausdrücken will. Ottmar Rahner arbeitete für mich.“

Das saß.

War es nur eine dreiste Behauptung oder Lüge oder stimmte es vielleicht wirklich. Bergers Gedanken rasten.

„Sagen Sie nichts, lassen Sie mich bitte ausreden. Zuerst einmal zu ihrer Beruhigung: Weder Gerda Rahner noch Alex Kolbe sind tot."

„Aber, aber ich..." stammelte Berger.

„Ich weiß, Sie waren bei der Beerdigung und auch Kolbes Vater erwähnte gewiss die Urne seines Sohnes, ein guter Schauspieler, nicht wahr...? Aber beide wären tot, wenn Jene sie bekommen hätten."

„Wer sind Jene, was meinen Sie?"

„Die andere Seite... Jing und Jang... Gut und Böse... Schwarz und Weiß... Es ist gleich, wie Sie es nennen. Sie, Herr Berger - und auch Ihre Freunde - sind in ein Spiel geraten, in ein verdammt ernstes Spiel. Sie wissen gar nicht, in welchem Spiel Sie sich jetzt befinden. Es ist in etwa so, als spielten Sie Halma, aber in Wirklichkeit rutschen Sie auf einem Schachbrett hin und her und wissen es nicht. Nur, in dieses ‚Spiel' geht um den Gral."

„Scheißspiel!" fluchte Berger.

„Na, na, an diesem heiligen Ort... Die einzigen Toten die es gibt, sind Minister Rossmann und Ottmar Rahner, zwei sagen wir einmal Läufer in diesem ‚Schachspiel'."

„Sie sind ein Sarkast, Herr Kahlert."

Berger stand auf und durchwanderte den Raum.

„Was bin ich dann oder auch Sie?"

„Sie, Herr Berger, sind in diesem Spiel gar nicht vorgesehen, genauso wenig wir Ihre Freunde. Sie sind eine Art zusätzlicher Bauer, der nicht in das Spiel hineingehört."

„Und Sie? Was oder wer zum Teufel sind Sie?"

„Ich stehe nicht auf dem Brett, ich bin nur der Arm, der die Figuren bewegt und - wenn es Sie das beruhigt - auf der weißen Seite."

„Ein Scheißspiel!" wiederholte Berger fluchend:

„Das ist ein verdammtes Scheißspiel!"

„Gewiss. Ich stimme Ihnen absolut zu. Aber, die ganze Weltgeschichte ist ein Scheißspiel. Jetzt stehen Sie aber nun mal auf dem

Spielfeld und entweder Sie spielen mit, oder irgendein Springer oder ein Bauer schlägt Sie beim nächsten Zug."

„Jetzt hören Sie aber auf. Ich will endlich wissen, was los ist!"
Berger griff Kahlert am Jackenkragen, doch eine blitzartige Bewegung des älteren Mannes genügte und Berger lag auf dem Boden.

„Lassen Sie das. Bitte! Sie sehen, ich benötige keine Waffe. Ich bitte Sie, mit mir zusammenzuarbeiten."

„Ich will endlich wissen, was los ist!"
Berger stand vom Boden auf und wurde immer lauter. Kahlert versuchte ihn mit den Händen zu beschwichtigten.

„Pst! Leiser. Ich versuche es Ihnen zu erklären. Ottmar Rahner suchte in meinem Auftrag den Gral. Dieser Auftrag und die Bitte, es zu tun waren nicht so schwierig durchzusetzen, da er ihn selber finden wollte. Ich unterstützte ihn, wo immer ich es konnte und deshalb sucht der Trottel Dorfmann auch nach einigen Unterlagen... Polizeiaktionen sehen immer so schön offiziell aus. Außerdem bekommt er auch schon Druck von ‚oben'. Der Polizeipräsident ist ein guter Freund von mir, doch man soll nicht nur auf eine Karte setzen und so traf ich vor einiger Zeit durch meinen Freund Glaubert jenen Alex Kolbe".

„Hier Freund, da Freund,...pah." Berger maulte.

„Unterbrechen Sie mich bitte nicht dauernd. Also, Alex Kolbe - ein recht auffassungsfähiger Mann übrigens - forschte in der gleichen Richtung. Außerdem war er so eine Art ‚nachgesandter Schutzengel' für Ottmar Rahner. Dass er und Gerda Rahner sich verliebten, war eine Art positiver Nebeneffekt an der ganzen Sache. Ich weiß, das Ottmar Rahner nahe daran war, den Gral zu finden, mit dem er mich überraschen wollte, als er - um es einmal klar zu sagen - ermordet wurde. Kolbe forschte nach und wir vermittelten ihn in die Kreise um Rossmann."

Kahlert fuhr ohne Unterbrechung fort, doch Berger hatte dieses kleine Wörtchen ‚wir' in dem Satz sehr wohl herausgehört.

„Rossmann war ein gut situierter, honoriger Mann. Außerdem Minister. Durch Zufall bekam er ein Telefonat mit, bei dem es um das Wetter in der Irischen See ging welches nicht mit dem tatsächlichen

Wetter übereinstimmte. Der einzige Tag aber, der wettermäßig unklar war, war eben jener Todestag von Ottmar Rahner. Da Kolbe bei der Euroarmee als Einzelkämpfer gedient hatte und somit alle Voraussetzungen für einen Leibwächter mitbrachte, stellte Rossmann ihn auf Empfehlung ein. Die nötigen Papiere bekam er von mir. Außerdem waren wir immer über die Schritte Rossmanns informiert, nicht nur, weil Kolbe da war."

„Wir?"

„Äh... Nun gut, ich bin nicht allein... Also, mit der Zeit erfuhren wir, dass er, um beim Beispiel des Schachs zu bleiben, die ‚schwarzen Figuren' schob, ebenfalls mit dem Ziel, das Spiel um den Gral zu gewinnen."

„Verdammt noch mal! Was ist denn der Gral?"

Berger wurde unruhig und stampfte trotzig wie ein Kind mit dem Fuß auf.

„Der Gral ist vieles. Vor allem aber ist er kein Kelch oder so etwas, obwohl er oft als solcher beschrieben wurde. Doch dazu später, erst der Reihe nach."

Kahlert stand auf und zog seinen Anzug gerade.

„Rossmann erfuhr, das Ottmar Rahner sehr nahe daran war, den Gral zu finden, ja vielleicht sogar schon wusste, wo er war, doch Rossmann machte einen taktischen Fehler. Er ließ Rahner umbringen, ohne ihn zuerst den Gral bergen zu lassen. Wenn Sie so wollen, war das Attentat auf Rossmann eine Art Hinrichtung, das Bezahlen einer Schuld. Danach brachten wir Gerda Rahner in Sicherheit und etwas später auch Kolbe. Die beiden sind jetzt im Übrigen zusammen. Plastische Chirurgie vermag sehr viel..."

„Aber der Gral ?"

„Ja, ja, sicher. Also, von dem, was ich von Ottmar Rahner erfuhr, ist es die Quelle... die absolute Quelle..."

„Eine Wasserquelle ...?" spottete Berger und schüttelte den Kopf.

„Ach was! Die Basis. Der Ursprung und es gibt eine Verbindung mit der Zahl 81, mit einem Stein und auch die Lanze des Longinus spielt dabei eine Rolle."

„Kolbe hatte...,“ Berger brach ab und dachte an das schlechte Foto, welches Kolbe mit einem Speer, der auch eine Lanze sein konnte, zeigte.

„Ach ... ! Hatte er sie ...?“

Kahlert lächelte und Berger stutzte, denn wenn Kolbe für ihn arbeite, musste er dieses wissen.

„Die Lanze des Longinus ist ein wesentlicher Teil des Grals. Longinus war der Römer, der Jesus damit angeblich in die Seite stach und wenn man dem apokryphischen Evangelium des Marconi glauben kann, war es ein Germane in Diensten Roms. Den Mythen nach kam er mit Joseph von Arimathia, welcher der Sage nach in dem Gral das Blut Jesu auffing nach Südfrankreich. Hier sehen Sie die Verbindung zwischen der Lanze und dem Gral. Lesen Sie ruhig einmal die Apokryphen, oder haben Sie? Sie studierten doch einmal Geschichte, nicht wahr, Herr Berger...?“

Der Journalist sah den Hageren mit verkniffenen Augen an, der mit der Hand beschwichtigend abwinkte.

„Ich bin über Sie informiert, Herr Berger.“

Wieder lächelte er leicht, doch trotz der dargestellten Freundlichkeit hatte Berger ein komisches Gefühl im Magen. Er schwieg und hörte weiter zu, was Kahlert sagte:

„Sicherlich wissen Sie ja auch, dass die Lanze früher ein Teil der Reichsinsignien war, ebenso wie Krone, Mantel und Zepter. Die mächtigsten Herrscher ihrer Zeit hatten die Lanze in ihrem Besitz. Attila... Aethelstan von England... Friedrich Barbarossa, der mit ihr in den Kreuzzug nach Palästina zog... Deutsche Kaiser und Könige... Herrscher bis hin zur Neuzeit. Napoleon wollte sie haben und auch Hitler wollte sie in die Wewelsburg bringen... Lachen Sie nicht, aber er hatte Furcht vor der Lanze. Er wollte sie nicht rauben,  die Lanze war,  ob Sie es nun glauben oder nicht, der eigentliche Grund der Annexion Österreichs gewesen, denn die Lanze stand in der Wiener Hofburg.“

„Stand?“ fragte Berger. „Soviel ich weiß, steht sie immer noch dort.“

Berger schaute den Hageren an.

„Ja? Erinnern Sie sich an den Brand vor zwei Jahren...? Eine kleine Austauschaktion, die diesmal geklappt hatte, denn der fingierte Brand von 1993 - Ja, schon gut, das ist lange her - hatte das gleiche Ziel, doch das tut jetzt nichts zur Sache. Fakt ist, das die Lanze ein Teil des Grals ist, jener Stein, der auch als Smaragd oder Kristall beschrieben wird, den Luzifer vom Himmel auf die Erde brachte."
Berger lachte laut auf.
„Diesen ganzen Unfug den Sie mir hier erzählen, soll ich glauben? Hören sie endlich auf, mich zu verarschen!"
Kahlerts Gesicht wurde ernst.
„Ich, wie Sie sagen, verarsche Sie nicht! Nur weil man manche Dinge nicht begreift, heißt das noch lange nicht, das sie nicht existieren!"
Kahlert drehte sich ein wenig zur Seite.
„Etwas anderes, Herr Berger: Glauben Sie die Artussage? Halten Sie die Geschichte für wahr? Haben Sie jemals den Urtext gelesen? ... Nein, nicht wahr? In den Urtexten steht nichts von einen Schwert Excalibur, denn das wäre auch kaum möglich gewesen, denn das Eisen der Kelten war so weich, dass sie es im Kampf über den Knien geradebiegen mussten. Bereits Julius Cäsar sprach davon. Die Waffen, auch der edlen Leute waren aus Bronze. Würden Sie mir glauben, wenn ich Ihnen sage, das der Speer des Longinus, oder Teile davon, in dem Stein steckten und Artus diesen herauszog?"
Berger musste an das Artusbild denken, welches er zuvor gesehen hatte. Der König vor einer leeren Tafelrunde. Uther Pendragon stand dort, der andere Stern.... Berger schwieg.
Kahlert fuhr fort:
„Auch die Templer kannten das Geheimnis des Grals und Ottmar Rahner sagte mir, dass eine Unmenge Schriften zu ihm gehörten. Der Schatz der Templer war Wissen."
„Ja, und wegen Ketzerei wurden sie verbrannt", ergänzte Berger unwirsch.
„Haben Sie je wirklich über die Templer nachgedacht? Sie verehrten eine Figur namens Baphomet. Ich gehe davon aus, dass ihre Latein-

kenntnisse ausreichen um zu wissen, dass dieses ‚Weisheit' bedeutet. Im Übrigen wurde es ‚1Baphomet' geschrieben. Sagen Sie, kennen Sie die Kabbala?"

„Gewiss! Mystischer Hokuspokus!"

„Nur Hokuspokus? In der Kabbala steht für jeden Buchstaben zugleich auch eine Zahl. Für die Zahl 1 steht der Buchstabe A, für die Zahl 2 der Buchstabe B und so weiter. Wenn Sie so die Buchstaben des namens Baphomet zusammenrechnen erhalten Sie die Zahl 80, da der Name aber 1 Baphomet geschrieben wurde, wird daraus 81. Die 1 symbolisiert übrigens das Göttliche."

„Wissen Sie, was die Zahl 81 bedeutet?"

Berger dachte an den Ring und er sah das Zögern Kahlerts.

„Nein, aber er hängt eng, ganz eng mit dem Gral zusammen. Nun Herr Berger, jetzt erzählen Sie mir, was SIE wissen."

Berger schüttelte den Kopf

„Solange ich keinen Beweis für ihre Behauptungen habe, dass Gerda Rahner lebt, sage ich gar nichts."

„Gut, ich komme Ihnen entgegen. Wir treffen uns übermorgen erneut hier, zur gleichen Zeit und Sie überlegen sich, wie ich Ihnen beweisen kann das Gerda Rahner noch lebt.."

Die Notbeleuchtung schaltete sich aus und Helligkeit durchflutete erneut den Raum. Ein Schlüssel wurde in dem Schloss gedreht und Kahlert zog Berger kurz in die Nische um dann anschließend mit dem Touristenstrom den Dom zu verlassen.


## 17

*Jean de Galbain hing, mehr als das er stand, über der Reling des Schiffes, das nahe der spanischen Küste segelte.*

*In der Morgensonne sah man einen schmalen Landstreifen steuerbords und kreischende Möwen begleiteten das dahingleitende Schiff auf seiner Fahrt nach Süden.*

Die etwa zwei Dutzend Männer der Besatzung segelten so, wie sie es tagein, tagaus taten, besaßen die Templer doch die größte Flotte ihrer Zeit. Das Schiff machte von außen einen heruntergekommenen Eindruck, halbmorsche Planken passten zu den löchrigen Segeln. Nur wenn man nah genug herankäme, konnte man sehen, das die morschen Bretter auf die Eichenbalken des Schiffsrumpfes genagelt und die Löcher in den Segeln mit hauchdünner Seide geschlossen waren. Wahrlich kein Schiff, das vom Ufer aus gesehen, die Gelüste der sarazenischen oder iberischen Piraten angelockt hätte.

Das Schaukeln des Schiffes verursachte dem jungen Ritter Magenkrämpfe und er bedachte die tiefe Lage des Schiffes im Wasser, denn oft schlug Wasser herein und schwappte über seine nassen Stiefel. Ebenso, wie alle anderen Männer an Bord trug, er unter den abgerissenen Kleidern sein Kettenhemd mit dem kleinen, roten Kreuz der Templer auf der Brust und sein Schwert.

Der Kapitän - Ramon de Ibanez - ein wettergegerbter Mann beugte sich zu dem jungen Ritter.

„Na, wieder einmal beim Füttern der Fische?"

Die unrasierten Bartstoppeln unterstrichen sein düsteres Aussehen. Er glich eher einem Strandpiraten auf der Fahrt nach Beute, als dem, was er war: Komtur auf einer der Baleareninseln.

„In zwei Tagen fahren wir am Felsen von Tarik* vorbei und dann wird es lustig. Dies hier ist doch nur das Plätschern eines Dorfteiches."

Statt einer Antwort übergab sich Jean de Galbain erneut.

‚Oh Gott..., wenn das hier eine ruhige See sein sollte'... Er fühlte sich elend.

„Ja, das richtige Meer ist etwas anderes. Wartet erst einmal ab, bis Ihr einmal hoch ins Deutsche Meer*2 kommt, aber ganz so weit geht es ja nicht. Bei der Bretagne segeln wir steil nach Backbord, da kommt dann zumeist auch noch ordentlich Wasser von oben. Ihr glaubt gar nicht, wie lustig das ist, auf einer zehn Klafter hohen Welle zu reiten und dann hui, wieder hinab… Manchmal auch auf oder mitten durch die Seeberge hindurch."

Ibanez lachte laut und ließ Jean de Galbain an der Reling allein, der Stoßgebet um Stoßgebet losschickte und die Augen schloss.

Seine kleine Truhe war unter Deck festgebunden worden und zwei Ritter saßen Tag und Nacht neben ihr.

*Jeans Magen würgte nur noch bittere Galle hervor und er setzte sich auf den nassen Boden des Schiffes, mit dem Rücken an einem Halte Pfosten gelehnt, wobei er den Ring betrachtete, den Lons de Roncal ihm zurückgegeben hatte.*
*Es war die Losung für die Insel.*
*81 las er auf der polierten Fläche.*
*81…*

*Gibraltar  *2 Nordsee


# 18

Ein strahlendes, leicht flackerndes Licht, von einem Surren begleitet, empfing Berger beim Betreten der Wohnung. Er hörte das Klicken eines Diaprojektors und wie Nora mit Spargel redete.
„Hallo Wolf", begrüßte ihn der Fotograf.
„Na, hast du den großen Unbekannten getroffen?"
Nora schaltete den Bildwerfer aus und die Deckenlampe ein.
Berger ließ sich einfach auf das Sofa fallen.
„Puh ", atmete er schwer aus, „das war vielleicht etwas."
Nachdem er sich eine Zigarette angezündet hatte, berichtete er von dem Erlebten.
„Reichlich merkwürdig und mysteriös ist das alles", sagte Nora, „glaubst Du daran?"
Berger zuckte mit den Schultern.
„Vielleicht... Ach, ich weiß es nicht. Aber da ist noch etwas; dieser Kahlert sagt, dass Gerda lebt."
Nora zuckte zusammen und ihr Mund öffnete sich leicht.
„Lebt? Wieso..., ich … .“
„Er sagte, dass ich mir etwas überlegen solle, wie er es beweisen könne."
„Unfug. Ich war doch bei der Beerdigung..."
„Aber der Sarg war geschlossen", gab Berger zu bedenken.

Nora zögerte.

„Gut. Er soll sie herbringen!"

Die Nachricht hatte Nora aus der Fassung gerissen.

„Das macht er bestimmt nicht, wenn das so ist, wie Wolf sagt", antwortete Spargel und schaltete den Projektor erneut ein.

„Dann..., dann", stammelte Nora, „dann soll er es beweisen. Er soll etwas sagen, was nur Gerda wissen kann."

„Und was wäre das?"

„Hm".

Nora überlegte, „welche Haarfarbe hatte Susi? Ja, er soll sagen welche Haarfarbe Susi hatte."

„Susi?"

„Ja, Susi. Susi war ihre Puppe und ich hatte ihr als Kind die Haare mit Tinte blau eingefärbt."

Berger nickte und deutete dann auf den Diaprojektor.

„Etwas entdeckt?"

„Alles Mögliche. Soweit wir das erkennen konnten, zeigen die Bilder zum Großteil das, was auch auf den Blättern der Kladde ist, so eine Art Foto Archiv. Aber da ist noch etwas anderes. Schau her."

Nora verdunkelte den Raum und ein weit flutender Lichtstrahl warf das Bild der Mona Lisa auf die weiße Wand, an der zuvor einige Kunstdrucke hingen.

Das Bild des Gemäldes war klar und deutlich und der Hintergrund, welcher eine Felsenlandschaft zeigt, war mit einem dünnen Kreis versehen, nein eigentlich nur einer der Felsen, jener etwas höhere, alleinstehende auf der Augenhöhe links von dem Gesicht.

„Und was ist mit dem Felsen? Habt ihr schon etwas herausbekommen?" fragte Berger.

„Hier, jetzt pass einmal auf. Nun wird es interessant!"

Spargel drückte mehrfach auf die Fernbedienung und ein Dia der Externsteine wurde auf die Wand projiziert.

„Sieh Dir das einmal an."

„Was? Was meinst Du?"

Fragend sah Berger in die Gesichter der Beiden.

„Ha! Hier nicht..., aber jetzt!"

Ein weiteres Klicken brachte ein neues Bild auf die Projektionsfläche, der gleiche Felsen, aber eine andere, leicht schiefe Richtung.
„Mensch, Spargel!" entfuhr es Berger, „wie kommen die Externsteine auf die Mona Lisa?"
„Das fragen wir uns auch. Jedenfalls sollten wir uns die Steine einmal genauer ansehen. Wie wäre es mit morgen? Auf der Rückfahrt sehen wir dann bei Professor Kolbe vorbei."
Berger stand auf und reckte sich.
„Gut. Außerdem möchte ich vor einem neuen Treffen mit Kahlert wissen, ob die Trauer des Professors wirklich gespielt war."


## 19

Die Fahrt nach Ostwestfalen, Zielort: Horn - Bad Meinberg, in dessen Nähe die Externsteine standen, war von Regen begleitet. Hin und wieder schob sich der Scheibenwischer leicht quietschend über die Frontscheibe des Wagens.
Auch als sie kurz vor Mittag auf dem, etwas von dem Naturdenkmal entfernten Waldparkplatz ankamen, nieselte es und ein leichter Wind bewegte die Bäume am Rand des ausgetretenen und schlaglöchrigen Weges.

Nora zahlte den obligatorischen Eintrittsobulus und Berger griff sich ein Informationsheft über die Felsengruppe.
Etwas unschlüssig standen sie auf der feuchten Wiese und Berger blätterte in dem Heftchen und las laut etwas über die Geschichte vor:
*„Germanisches Heiligtum..., die alte Salzstraße, der Hellweg, führte direkt mitten durch die Schlucht zwischen den Steinen..., Umwidmung der heidnischen Steinritzungen in christliche Symbole..., Nachbildung der Grabeskirche von Jerusalem in einer Grotte..., Sonnenloch, durch das die Jahreszeitenwechsel genau angekündigt werden und ähnliches".*
Profanes, aber keine Antwort auf die Frage, wie diese Felsengruppe auf das Bild des Leonardo da Vinci kam.

Spargel deutete auf die Steine hoch und nahm Berger das Heftchen aus der Hand und wedelte dann damit herum.

„Da ist der Wackelstein!"

„Wackelstein?"

Noras Augen folgten der zeigenden Hand.

„Ja sicher. Hier steht, dass er bei der Wiederkehr der Götter herunterfallen werde."

„Aha."

Berger grinste breit: „Göttervater Odin wirft mit Kieselsteinen oder was?"

„Da vorne ist er."

„Wer? Odin?"

„Bleibe doch einmal ernst, Wolf", stupste Spargel den Freund an.

Nora wandte sich von dem Wackelstein ab und deutete mit ihrem ausgestreckten Arm auf jenen Felsen, den Spargel in dem Prospekt als jenen entdeckte, der das Sonnenloch enthielt und mit Hilfe einer steilen Steintreppe ersteigbar war.

Spargel gab Berger das Infoblättchen zurück und zog aus der Jackentasche einen Fotoabzug des Dias heraus, das den Felsen so zeigte, wie er auf der Mona Lisa zu sehen war.

Einer Gänseschar gleich, folgten Berger und Nora dem Fotografen, der abwechselnd auf das Foto und dann wieder zu dem Felsen schaute, wobei er zick-zack-artig durch das nasse Gras am Fuße der Steine lief.

„Nee", meinte er dann schließlich, als er mit den Füßen kurz in den kleinen See getreten war, der sich unterhalb der Externsteine ausbreitete.

„Von hier ist das schwer erkennbar oder einzuschätzen. Wir müssen auf die andere Uferseite."

„Sicher, aber wenn wir schon einmal hier sind, schauen wir uns alles in Ruhe an", sagte Nora und lief los.

„Ich will da jetzt hinauf."

Forsch lief sie auf die Steintreppe zu, die ob des Regens etwas rutschig war und nach kurzer Zeit überquerte sie die hölzerne Brücke, die zu der Stelle führte, die der Prospekt als ‚Altar' bezeichnete, eben jene Stelle, in der das Loch in den Felsen geschlagen worden war, um beim Jahreszeitenwechsel die Sonnenstrahlen genau auf den als Altar bezeichneten Stein scheinen zu lassen.

Nora bemerkte die fast exakte halbrunde Auswölbung um das Loch herum und staunte über die Präzession dieser Arbeit.

Auf einen Felsabsatz gestützt, beugte sie sich über die Felskante und winkte zu Berger und Spargel ein kindliches ‚huhu'! hinab, welches die beiden winkend erwiderten, um dann auch zu dem Aufgang zu gehen, doch schließlich ersparten sie sich den Weg hinauf.

Während Berger in die Höhle des Felsens hineinschaute und die Wirklichkeit mit den Angaben des Infoheftchens verglich, schlenderte Spargel herum und schoss einige Fotos. Der Regen hatte aufgehört und eine wärmende Sonne ließ das Wasser der Pfützen sanft nebelig verdampfen.

Berger fuhr mit den Fingern über die Gravuren in den Steinen und entdeckte ein, in den Felsen geschlagenes, Gesicht, welches den Eindruck erweckte, als fräße es jemanden. Aus dem Mund schaute jemand heraus, während auf der Stirn ein Zeichen zu sehen war, das den früheren Kastenzeichen in Indien ähnelte. Berger schüttelte den Kopf.

Nora war von dem Felsen herabgeklettert und auch Spargel stand wieder neben ihm.

„So", sagte der Fotograf, „zwei Filme sind voll. Es sind einige schöne Motive dabei."

„Du machst das schon", drängte Berger, denn der Himmel hatte sich erneut tiefdunkel eingefärbt und drohte mit erneutem Regen.

Eilig umrundeten sie den kleinen See und suchten die Stelle, die der Sicht des Leonardo da Vinci auf dem Gemälde der Mona Lisa glich.

„Hier ungefähr", sagte Spargel und formte Zeigefinger samt Daumen beider Hände zu einem Quadrat, durch das er durchschaute.

Berger zog mit der Schuhspitze ein tiefes Kreuz in den weichen Uferboden, während sich Nora auf einen umgestürzten Baumstamm setzte und mit einem abgebrochenen Ast im Sand herumkritzelte. „Na gut, jetzt haben wir die Stelle, doch was hilft uns das?" sagte sie und wischte die Kritzeleien mit dem Fuß wieder glatt.

Wieder standen sie ratlos beieinander.

„Aber irgendetwas wollte der alte Leonardo doch wohl damit sagen, zumal der Felsen ist völlig falscher Richtung steht. Er war doch sonst so akkurat in seinen Werken."

„Richtig, Spargel."

Berger nahm einen flachen Kieselstein auf und warf ihn in das trübe Wasser. Dann schlug er sich vor die Stirn.

„Die Richtung, das ist es! Der alte Pinselquäler wollte eine Richtung anzeigen! Hat einer von euch zufällig einen Kompass dabei? Natürlich nicht... weiß noch einer von euch, wie das mit der Uhr und dem Stundenzeiger zur Richtungsbestimmung geht? Na, bei dem trüben Wetter hilft das ja auch nicht."

„Pass auf, Wolf", sagte Spargel und nestelte an seiner Fototasche herum, „ich mache noch einige Aufnahmen und Du besorgst in dem Ort einen Kompass. Den bekommst Du in jedem Fotoladen".

„Ich komme mit", bestimmte Nora, „ich habe Hunger. Sollen wir Dir etwas mitbringen?"

„Nee, nee, lasst das mal, ich habe etwas dabei", antwortete Spargel und zog eine Saftflasche aus der Kameratasche heraus und stellte sie auf den Boden. Sogleich begann er erneut zu fotografieren während Nora und Wolf den Weg zum Auto zurückschlenderten, wobei sich unabsichtlich ihre Handrücken berührten, was ihnen jedoch nicht unangenehm erschien.

Ein freundliches Lächeln vervollständigte diese unabsichtliche Intimität, doch mehr wurde es nicht.


Im einzigen Fotogeschäft des Ortes erstanden sie einen einfachen Kompass mit Gradeinteilung, mit dem Nora während der Rückfahrt herumspielte und die anzeigende Richtungsnadel ständig kreisen ließ. Das Jagdfieber hatte sie gepackt und an ihren Hunger dachte sie nicht mehr.

Am kleinen See angekommen war von Spargel nichts zu sehen, nur die Saftflasche stand ungeöffnet dort neben dem Kreuz, welches Berger mit dem Fuß in den Boden gezogen hatte.

„Spargel! He, Spargel, wo bist Du?"

Berger rief laut, aber es kam keine Antwort.

Nora fummelte weiter mit dem Kompass herum und bestimmte die Position.

„32° Grad aus der Flucht", bemerkte sie und Berger notierte die Angabe rasch auf dem Rand des Infoheftchens, während Nora ein Stück an dem Seeufer entlang ging.

„ … Und genau 16° Grad von dort, wo man den Felsen als Fläche sieht, " fügte sie ergänzend hinzu.

Berger notierte auch dies.

„Spargel!"

Erneut rief Berger laut den Namen seines Freundes, „Spargel!" aber er bekam keine Antwort.

„He Wolf, schau hier!"

Nora bückte sich zu einem höheren Grasbüschel und hob etwas auf.

Spargels Kamera!

Berger lief los.

„Spargel", schrie er, immer wieder: „Spargel!"

Seine geliebte Kamera hätte der Fotograf nie auf den feuchten Boden fallen lassen. Gras klebte auf dem Objektiv.

„Dort!"

Nora deutete auf eine angedeutete Spur umgeknickter Halme, als wäre etwas Schweres gezogen worden.

Berger rannte los.

„Spargel!"

Nach einigen Metern erreichte er ein kleines Haselstrauchgebüsch.

„Spargel!"

Er sank auf die Knie und seine Hose saugte sich mit der Nässe des Mooses voll. Auf dem Boden lag ein Papiertaschentuch, zerknüllt

neben einigen abgeknickten Zweigen und mit roten Sprenkeln be-
fleckt.

Blut!

Der Journalist nahm es mit spitzen Fingern in die Hand, es war
wirklich Blut, doch von seinem Freund war nichts zu sehen.

„Spargel!" rief er wieder laut in den Wald hinein und auch Nora, die
ihm gefolgt war schrie laut.

„Spargel!"

Der Fotograf blieb verschwunden.

Immer wieder den Namen rufend gingen sie dann zu ihrem Wagen
zurück und warteten noch einige Zeit, liefen dann erneut zu den
Externsteinen, doch auch nach einigen Stunden, war der Gesuchte
weder gefunden, noch selber aufgetaucht.

Spargel blieb verschwunden.

## 20

*Ramon de Ibanez hatte nicht gelogen, nein, die Wahrheit war noch unter-*
*trieben, denn das, was er als, lustig bezeichnet hatte, wurde für Jean de*
*Galbain ein klatschnasser Albtraum.*

*Wellen, hoch wie Türme waren über das Schiff gebrochen und hatten es*
*herumwirbeln lassen, wie ein Blatt im Wintersturm.*

*Er hatte sich mit einem Tau am Mast des Schiffes festgebunden. Der Kapi-*
*tän stand lachend neben ihm und hielt sich dem Wetter zum Trotz nur mit*
*einer Hand an einem Tampen fest und sang, nein, er schrie ein Lied in den*
*Sturm sodass man meinen konnte, die Wellen seien ihm noch nicht hoch*
*genug*

*Jean de Galbain schloss die Augen und betete, dass seine Mission nicht auf*
*dem Meeresgrund enden würde.*

*Die Seeleute der Templer zogen die Taue an, sicherten die herabgeholten*
*Segel und schienen die gleiche Freude zu empfinden, wie ihr Kapitän, der*
*Komtur von den Balearen.*

*Das Ende der Welt schien im Golf von Biskaya zu beginnen. Der junge*
*Ritter sah vor seinen Augen all die Fabelwesen aus dem Wasser auftauchen,*

von denen er bisher nur Geschichten gehört hatte und das Sturmgeheul glich dem Gebrüll mehrköpfiger Seedrachen, die das Schiff verschlingen wollten. Wieder schloss er die Augen, in deren Lidern sich das Salzwasser festgebissen hatte und höllisch brannten, doch durch die geschlossenen Augen schien er die Ungeheuer noch deutlicher zu sehen.

„Gott hilf mir!" schrie er, doch der Sturm und das Wasser rissen die Worte ungehört davon.

So plötzlich, wie das Unwetter begonnen hatte, endete es auch. Jean de Galbain sah am Horizont eine ferne Küste aus dem Wellenmeer auftauchen.

„Na, das war doch lustig!"

Der Kapitän schwankte etwas und deutete auf den Landstrich:

„Das ist die Küste von Quessant. Dort gehen wir kurz vor Anker und reparieren die leichten Schäden am Schiff. Dann fahren wir nach Norden, hin zu den Inseln von Scilly. Schade, da ist das Meer immer so ruhig."

Er brüllte ein kräftiges Lachen und mit einem Messer schnitt er Jeans Taue durch, die ihn immer noch an den Mastbaum gebunden hielten. Erschöpft sank der Ritter auf die Planken und übergab sich erneut. Er schien wirklich nicht für die Seefahrt geeignet zu sein.

# 21

Berger und Nora beschlossen, das Warten aufzugeben und Kolbes Vater aufzusuchen. Vielleicht würde sich Spargel ja telefonisch bei ihnen melden. Schweigend fuhren sie nach Recklinghausen, wo sie ein ernster Professor Kolbe empfing und in das Wohnzimmer bat.

„Was wird hier gespielt? Erzählen Sie uns jetzt keine Geschichten. Wir hörten, dass Ihr Sohn leben solle."

Berger hielt sich nicht mit einer langen Vorrede auf und der ältere Mann schaute die Besucher verdutzt an und räusperte sich verlegen.

„Sie wissen, wie es mit Alex steht?"

Professor Kolbe beugte sich vor und senkte etwas die Stimme.

„Ich brauche Ihnen dann ja nichts mehr vorzumachen. Kahlert rief mich gestern an und sagte mir, dass Sie gewiss vorbeikommen würden und er sagte mir auch, dass sie wüssten, dass Alex lebe."

„Ach?"
Giftig sah Nora den Professor an:
„Sie arbeiten mit dem... Kerl zusammen?"
„Ich nicht, mein Sohn tut es. Ich kenne Kahlert nur sehr, sehr flüchtig. Aber er hat meinem Sohn geholfen, denn der wäre jetzt sicherlich wirklich tot."
„So wie jetzt vielleicht Spargel."
Berger schilderte seine Vermutung, dass er den Tod seines Freundes befürchte, der vor wenigen Stunden verschwunden war.
Professor Kolbe hörte dem Erzählten zu und bot dann seinen Gästen etwas zu trinken an, was die beiden jedoch ablehnten.
„Ich weiß nicht genau, in was mein Sohn sich da eingelassen hat", sagte er dann, „aber ich weiß, das getötet wird... Und ich weiß, dass es nicht nur Einzelne sind. Auch Kahlert ist nicht allein. Wenn ich das richtig deute, was ich von Alex so in Halbsätzen erfuhr, scheint es zwei Gruppen zu geben, die sich bekämpfen und die beide den Gral haben wollen, auf den es Hinweise zu geben scheint."
„Wissen Sie, was der Gral ist? Oder wo er vielleicht sein könnte?"
Nora trat an das Fenster und sah auf eine frisch gemähte Gartenwiese.
, Vielleicht stimmt es doch, das Gerda und Kolbe leben', dachte sie, denn welcher Mensch, der in tiefer Trauer um seinen einzigen Sohn ist, mäht seine Gartenwiese...?'
Herrn Kolbes Antwort riss sie aus ihren Gedanken.
„Nein, das heißt, ich kenne natürlich die Mythen mit der Schale von Christi Blut und so, aber mehr weiß ich auch nicht."
„Hat Ihr Sohn jemals die Zahl 81 erwähnt? ... Sie sind doch Mathematiker?"
Nora wandte sich wieder in den Raum und lehnte an der Fensterbank
„Hm, nein, " sagte Professor Kolbe nach kurzer Pause, „81 sagen Sie? Das ist eine ganz normale Zahl. Sollte er sie erwähnt haben?"
Der Professor schloss die Augen und dachte kurz nach.

„Das Einzige, was mir bei dieser Zahl einfällt ist, dass sie eine Primzahl ist und dass es 81 stabile natürliche Elemente gibt. Na ja, eigentlich sind es ja 83, aber Promethium und Technetium gibt es in der Natur nicht und sie zerfallen sofort wieder, wenn sie künstlich gebildet werden. Aber die Zahl der natürlichen Elemente, das sind 81."
Kolbe setzte sich und lehnte sich an, wobei er Berger und Nora ebenfalls andeutete, sich zu setzen.
„Wissen Sie, ich bin Mathematiker, kein Physiker, obwohl die Gebiete ein wenig ineinander greifen. Oberhalb der Ordnungszahlen sind weitere Elemente gelistet, aber der Kern sind eigentlich diese 81. Wie gesagt, der Ansprechpartner in dieser Sache wäre richtigerweise ein Physiker, vielleicht auch ein Chemiker."
Berger bat um ein Blatt Papier, welches der Professor aus einem Schrank holte und der Journalist zeichnete eine Spirale darauf, die er anschließend mit Zahlen versah, jeweils 24 im Kreis. Dann verband er diese mit einer Art Kreuz, wie es die Templer verwendeten.
„Können Sie sich darunter etwas vorstellen?"
Professor Kolbe beugte sich über die Skizze.
„Das sieht aus wie das Primzahlkreuz. Vor Jahren hat ein Mathematiker namens Plichta dieses Kreuz entdeckt. Sehen Sie hier", er deutete mit dem Finger auf die Zeichnung, „so wie Sie es gezeichnet haben, treffen Ihre Linien jeweils die Primzahlen und zwischen jeder Umrundung - Plichta nennt es Schalen - besteht eine Differenz von 24. Wenn ich nun so im Geist herumkrame, fällt mir ein, das auch Shakespeare in seinen Stücken nur 24 Buchstaben verwendete, je 19 Konsonanten und je 5 Vokale, aber das tut hier nichts zur Sache."
„Ja, was nutzt dieses Wissen..."
Berger war ratlos. Sie schwiegen.
„Wissen sie, wo Ihr Sohn jetzt ist?"
Nora unterbrach die Stille und brachte die Frage absichtlich an, denn sie hoffte etwas von ihrer vermeintlich lebenden Schwester zu erfahren.
„Soweit ich es weiß, liegt er irgendwo unter einem dicken Verband und heilt die Gesichtsoperation aus. Den Ort hat Kahlert mir aber nicht genannt."

„Warum ist das eigentlich alles nötig?"

Berger stand auf.

Sein Freund war verschwunden und er befürchtete das Schlimmste. Ein Attentat war geschehen, Noras Vater war tot, der merkwürdige Kahlert und dann noch dieser Idiot Dorfmann. Zwar hatten sie herausbekommen, dass das alles irgendwie mit dem Gral zu tun hatte, aber etwas Greifbares besaßen sie nicht, nicht einmal eine konkrete Spur.

„Herr Kolbe, wissen Sie etwas von einem Eisbär-Kühlschrank?"

Berger schaute sich nach einem Aschenbecher um, entdeckte jedoch keinen.

„Was soll das denn jetzt? Ja, wir besaßen früher einmal einen ‚Eisbären'. Alex hatte ihn zuletzt als eine Art Schrank genutzt. Drin lag allerlei Krempel herum."

„Und wo ist der Kühlschrank? Könnten wir ihn einmal sehen?"

„Ich weiß nicht, wo Alex ihn hingebracht hat. Früher stand er im Keller..., warten Sie, ich glaube vor einigen Wochen hat er ihn weggefahren. Er besitzt so eine kleine Waldhütte. Vielleicht steht er jetzt dort, aber er kann ihn auch auf den Müll gebracht haben. Ich weiß es nicht so genau."

„Wo ist diese Hütte?"

„Gar nicht so weit. Richtung Münster. Ich zeige es ihnen einmal auf der Karte, aber warum interessieren Sie sich auf einmal für den alten Kühlschrank?"

Kolbe zog aus einem Regal eine alte Straßenkarte hervor und deutete nach dem entfalten auf einen grünen Fleck.

„Da ist es."

Er sah Berger immer noch fragend an.

„Wir haben einen Eisbärschlüssel..., gefunden", sagte Berger, in der Hoffnung nicht zu viel zu sagen.

„Wir danken Ihnen, Herr Kolbe", sagte Nora und folgte Berger aus dem Haus. Obwohl sie zueinander nichts sagten, war ihnen jedoch klar, dass sie nun in Richtung Münster, zu der Hütte fahren würden. Hinter ihnen fuhr ein unauffälliger Wagen, dessen Fahrer man wegen der herabgeklappten Sonnenblende nicht erkennen konnte.

## 22

*Das Schiff hatte nur geringfügigen Schaden genommen.*
*Ramon de Ibanez ließ einige Bohlen neu vernageln und die Segel am felsi-*
*gen Strand von Quessant zum Trocknen ausbreiten. Nach zwei Tagen Rast*
*stachen sie wieder in See und kreuzten bei der Fahrt nach Norden die Scilly*
*Inseln, um danach bei ruhiger See und gleichmäßigem Wind die Irische See*
*zu erreichen, wo Kapitan Ibanez weiter nach Norden segeln ließ.*
*Auch hier schwieg der Komtur über das eigentliche Ziel der Reise und Jean*
*de Galbain hatte das Gefühl, schon die halbe Welt über das Meer bereist zu*
*haben. Wie konnte es nur so viel Wasser geben und was täte er für einen*
*saftigen Braten, denn seitdem er den Boden des Schiffes betreten hatte, gab*
*es Fisch,    nur Fisch. Ein begnadeter Koch war niemand von ihnen und*
*wenn sie die Netze des Fanges einholten, war es sicher, dass es wieder nur*
*gekochten oder gebratenen Fisch geben würde, der so manches Mal auch*
*noch kohlig verbrannt war.*
*‚Land', dachte der Ritter, ‚endlich wieder Land' und schaute über das Was-*
*ser zum Horizont.*


## 23

Nach kurzer Fahrt bog Berger, bei Nottuln, von der Autobahn ab
und fand bereits nach wenigen Minuten den, von der Zufahrtsstraße
abgehenden, Waldweg in der Nähe einer Kirche. Genauso, wie es
der Professor beschrieben hatte.
Auf einer Weide, an der sie vorbeifuhren, standen einige Kühe, die
ihnen nachschauten.
Dann bog der Weg in den Wald hinein und endete nach einigen
Wegwindungen direkt vor einem kleinen, grün gestrichenen Wo-
chenendhäuschen, dessen Eingangstür sperrangelweit offen stand.
Auf der Terrasse lagen die verschiedensten Dinge verstreut.
Berger stieg vorsichtig aus dem Wagen und schaute sich um. Als er
nichts entdecken konnte, winkte er Nora, die ebenfalls ausstieg und
sich genauso vorsichtig umschaute wie er.

Langsam, sich immer wieder umschauend, betraten sie die zweistufige Treppe zu der Terrasse und traten dann in die Hütte ein. Es sah aus, als hätte ein Wirbelsturm gewütet. Alles, aber auch wirklich alles lag verstreut auf dem Boden. Irgendjemand hatte etwas gesucht und es blieb die Frage:
Hatte er es gefunden?

Draußen bremste ein Wagen.
Nora und Berger verließen das Chaos des Raumes. Vor ihnen standen zwei Männer, die jeder eine Pistole in der Hand hielten. Die Gesichter waren mit Karnevalsmasken verdeckt, die Kanzler Bauer darstellten. Ihre Anzüge verrieten einen gewissen Geschmack und schienen nicht billig gewesen zu sein. Die Nummernschilder des Wagens waren abmontiert.
„Guten Tag", sagte der etwas Größere der beiden, aus dessen Maske eine rote Haarsträhne hervorlugte", bleiben Sie bitte ruhig und machen sie bitte keinen Ärger!"
Berger glaubte einen leichten Akzent aus der Stimme herauszuhören.
„Was suchen Sie hier, Herr Berger?"
„Das geht euch einen Scheißdreck an!"
Berger fluchte wütend.
„Warum habt ihr meinen Freund getötet?"
Hasserfüllt schleuderte er dies den Männern entgegen.
„Ich sagte doch,  keine Panik."
Der Mann kam etwas näher.
„Aber, aber, Herr Berger. Wir haben ihren Freund nicht getötet." Er senkte die Waffe etwas.
„Wir haben uns nur mit ihm unterhalten. Außerdem wollte er nicht..., wie sagt man… kooperieren. Sie kooperieren doch mit uns, nicht wahr?"
„Arschloch!"
Berger war wütend, denn seine Vermutung, ins Blaue gesagt, schien richtig gewesen zu sein. Nora trat mit dem Fuß vor das Schienbein

74

des Mannes, der direkt vor ihr stand und nun laut aufstöhnte. Seine freie Hand griff massierend an die getroffene Stelle.

„Nun gut, dann eben auf die harte Tour!"

Ruckartig holte der Mann aus und schlug die Pistole quer über Bergers Gesicht. Er taumelte und fiel, um sich schlagend, zu Boden und riss, sich Halt suchend, Nora zu sich herab.

„So, liegen bleiben", wies der etwas Größere sie an.

„Sie sagen uns jetzt genau, was Sie wissen und außerdem spielen wir jetzt erst einmal Taschenkontrolle. Auspacken, aber alles, verstanden. Und die Taschenfutter drehen sie nach außen!"

Ein Tritt in Bergers Seite unterstrich die Aufforderung und er griff trotz des Schmerzes in seine Taschen und legte den Inhalt neben sich, während Noras Handtasche achtlos auf den Boden geleert wurde.

Berger musste daran denken, dass dieses hier doch eigentlich sehr unsinnig war, denn ihn zu Hause aufzusuchen wäre gewiss sinnvoller gewesen, zumal er gar nicht wusste, was die Maskierten von ihm wollten. Das einzige, was er bei sich trug, war der Schlüssel zu dem Kühlschrank, den der Größere kurz betrachtete und dann einsteckte, bevor er sagte:

„So, nun möchte ich eine schöne Geschichte höre, vor allem, wo der Gral ist und wo Kolbe die Lanze versteckt hat!"

„Ich weiß nicht", erwiderte Berger wahrheitsgemäß.

, Die Lanze, ' dachte er, ,die Lanze'…

„Wie Sie wollen, Herr Berger, dann schauen wir uns einfach mal bei Ihnen zu Hause um."

Berger ahnte unter der Maske ein Grinsen.

Der andere, der bisher nichts gesagt hatte, bückte sich und brach aus dem hölzernen Treppengeländer der Terrasse eine Latte heraus. Hart und schnell traf er damit Nora und Berger, die augenblicklich die Besinnung verloren.

Das entweichende Zischen der Luft aus den Reifen ihres Wagens- nach dem Einstechen mit einem Schraubenzieher - hörten sie ebenso wenig, wie das Davonfahren der beiden Maskierten.

Als Berger zu sich kam, sah er Nora gerade aufstehen, wobei sie sich den Kopf hielt. Eine große, bunte Beule zierte ihre Stirn.

Berger kniff die Augen zusammen, schüttelte den Kopf und versuchte Klarheit in seine Gedanken zu bekommen. Schwer atmete er aus und schwankte, es Nora gleichtuend, über die Wiese vor der Hütte. Über einen angetrockneten Rhododendronbusch stolperte er und schlug erneut hin, wobei er fallend versuchte, sich an dem Busch festzuhalten und dabei den Wurzelballen aus der Erde riss.

„He!"

Trotz der Kopfschmerzen stutzte er. Der Busch war nicht festgewachsen und kippte leicht zur Seite. Mühsam stand er erneut auf und winkte Nora herbei. Obwohl sie sich schwindelig fühlten, zogen sie gemeinsam das Gewächs aus dem Pflanzloch heraus und sahen auf einen Teil der Türfläche eines Kühlschrankes. Eisbär war auf dem rostgesprenkelten Schriftzug zu lesen: Eisbär!

Grabend, wie Hunde, vergrößerten sie das Loch und legten in der lockeren Erde rasch die gesamte Tür des Eisbären frei.

„Der Typ hat den Schlüssel mitgenommen", sagte Nora und massierte sich selbst den Nacken.

„Egal. Vielleicht finde ich ein Brecheisen oder etwas Ähnliches."

Berger taumelte zu dem Häuschen und kam kurz darauf mit einem rostigen Spaten zurück, den er in die Dichtungsleiste des Kühlschrankes eintrieb. Das Zersplittern des Stieles und das Aufspringen der Tür waren eins. Berger fasste nach und schlug die Tür des Eisbären, der jetzt eher wie eine Truhe wirkte, ganz auf.

Der Kühlschrank war leer, nein, in einer großen, klaren Plastiktüte, mit Klebestreifen umwickelt, waren zwei Metallstücke zu sehen. Es waren zwei Eisenstücke, eines gut einen halben Meter lang, in dem man die Spitze einer Lanze erkennen konnte und ein zweites Stück, etwas länger als die Spanne einer großen Hand, zusätzlich in Frischhaltefolie eingewickelt. Daneben befand sich dort ein sehr kleiner Beutel, in dem brüchiger, patinierter Kupferdraht erkennbar war.

„Ich glaube, ich weiß, was das ist", sagte Berger, riss die Plastikhülle auseinander und fügte die beiden Teile zusammen.

„Das ist die Lanze des Longinus."

Der kleinere, dornartige Stift, welcher der Legende nach aus einem Nagel der Kreuzigung Christi geschmiedet worden sein sollte, passte genau in die lange Öffnung der Lanze. Die leichten Rillenspuren zeigten an, dass der oxydierte Draht die Verbindung zwischen beiden Teilen gehalten hatte, die bei der Einpassung des Nagels gebrochen waren. Den Schaft nahm eine dünne, matt golden glänzende Manschette auf, auf der schwach die eingeritzte Inschrift ET CLAWIS DOMINI * zu lesen war.

Berger steckte den Nagel des Speeres in seine Jacke und Nora verstaute das größere Metall, die eigentliche Lanzenspitze, in ihrem großen Krambeutel, den sie Handtasche nannte.

Den kleinen Ort verließen Berger und Nora mit dem Zug, nachdem sie zuvor einen fast einstündigen Fußmarsch zum Bahnhof absolvieren mussten. Sie fuhren, ohne Fahrgeld zu zahlen, schwarz, denn die Maskierten hatten ihre gesamte Barschaft mitgenommen.

Sie sprachen noch einige Male über die Ankündigung der beiden Maskierten, sich in Bergers Wohnung umzuschauen und suchten dann in Recklinghausen Professor Kolbe auf, der ihnen mit etwas Geld aushalf, woraufhin sie sich für die Nacht ein Hotel suchten.

Gegen morgen klopfte Berger an Noras Zimmertür und als ob sie ihn erwartet hätte, lüpfte sie die Schlafdecke und ließ den Journalisten hineinrutschen.

Die Kopfschmerzen der beiden verhinderte jedoch das Gewollte und Berger umklammerte die Spitze der Lanze.

*(Lanze und Nagel des Herrn).*


## 24

*„So, jetzt reicht es mir auch!"*
*Jean de Galbain schwankte auf den Schiffsplanken. Er war erkennbar froh, als er am Mittag des Tages endlich wieder Land unter den Füßen spürte.*

*Am Strand der Insel warteten zwei Männer mit einem Maultier auf ihn. Auch sie waren Templer wie er, doch sie glichen eher armen Mönchen, deren Kleidung sie trugen.*

*Mit einer leichten Verbeugung begrüßten sie Jean und gemeinsam befestigten sie die kleine Truhe auf dem Tragetier, bevor sie den Weg zum Hügel hinaufgingen.*

*Als die Dämmerung hereinbrach, hatten sie die Höhle erreicht, deren Weg ins Innere sie mit zwei Fackeln beleuchteten, einer von Menschen geschaffenen Höhle, die einige dutzend Meter windungsreich in das Herz der Erde zu gehen schien.*

*Am Ende des Ganges stand eine Art steinerner Sarg und Jean de Galbain wusste sofort, dass dies hier das Behältnis für den Gral war.*

*Vorsichtig öffnete er die Truhe und nahm den immer noch in das Rehfell gewickelten Gegenstand heraus. Behutsam legte er ihn in die steinerne Öffnung, wobei er fühlte, dass das Eingepackte rund zu sein schien, fast wie eine Scheibe oder ein Teller. Danach verschlossen seine beiden Begleiter die Öffnung mit einer grob behauenen Steinplatte.*

*Der Gral hatte sein Ziel erreicht. Das Heiligste war im Asyl.*

## 25

Zurück in Köln angekommen, beauftragte Berger telefonisch ein Abschleppunternehmen mit der Bergung seines Wagens und lief mit Nora zu seiner Wohnung, mehr ahnend als wissend, was er dort antreffen würde.

Ähnlich der Hütte südlich von Münster, war auch hier alles durcheinander geworfen, ja selbst die geringen Lebensmittelvorräte waren über den Boden verstreut und bei seinem dicken Winteranorak war das Futter aufgeschlitzt.

Der Projektor stand noch immer auf dem Hocker und warf einen weißen Lichtstrahl auf die Wand, jedoch die Dias waren verschwunden, ebenso die Kladde mit den Aufzeichnungen Ottmar Rahners.

Schlecht gelaunt schob Berger mit dem Fuß einige Sachen beiseite und stand fluchend in der Mitte des Raumes.

„Sollten wir nicht die Polizei benachrichtigen?"
Nora sah ihn fragend an.

„Wozu? ... Damit der Trottel Dorfmann hier auftaucht und dusselige Fragen stellt? Außerdem, wenn es so ist, wie dieser Kahlert sagte, dann hängt er auch irgendwie in diesem blöden Spiel."

„Dann lass uns gehen", Nora zupfte Berger am Ärmel, „hier fühle ich mich nicht besonders wohl."

Er nickte und ein Taxi brachte sie zur Domplatte, wo sie Inline Skate fahrenden Jugendlichen zuschauten und einige Busfüllungen angekarrter Touristen beobachteten.

Sie sagten nicht viel, denn zu sehr beschäftigte sie immer noch das Verschwinden Spargels und Nora brachte mit einigen kurzen Sätzen nochmals das mögliche Leben ihrer Schwester zur Sprache.

Zur vereinbarten Zeit, die mit Kahlert abgesprochen worden war, schlenderte Berger erneut in den Dom, Nora dicht hinter sich spürend. Sie ließen sich mit dem Besucherstrom treiben und passierten dann in einer Gruppe die enge Pforte, welche zu dem Schrein führte und hörten den Ausführungen des Fremdenführers zu. Kahlert war nicht zu sehen und auch als die Besichtigung in der Gruft beendet war, spürte Berger kein Ziehen oder den Druck einer Waffe, die ihn beiseite zog.

Niemand war gekommen.

Sie schauten sich noch einmal im Dom um, aber auch hier war nichts zu entdecken und als sie kurz vor dem Hauptportal stehen blieben kam ein junger Rollschuhfahrer herangerollt, bremste kurz und warf einen Zettel vor sie auf den Boden und jagte dann armrudernd wieder davon.

„He! Warte!"

Berger winkte dem Jungen mit der Hand hinterher, der in der Menschenmenge verschwand und Nora bückte sich um das Blatt aufzuheben.

Es stand lediglich eine Telefonnummer darauf, sowie die Zeitangabe von 21:00 Uhr.

„Ich komme mir vor wie bei einer Schnitzeljagd", sagte Berger und Nora hängte sich bei ihm ein, als sie einen Schnellimbiss aufsuchten, um die Zeit bis zum Abend zu überbrücken.

„Glaubst du, dass da eine Verbindung ist, so wie es der Professor gesagt hat..., mit der 81 meine ich und so?"

Nora nippte an einem Plastikbecher mit lauwarmem Kaffee.

„Irgendetwas muss es da geben."

Berger schob denn Pappteller beiseite, von dem er eine Pizza gegessen hatte und Nora zündete sich eine Zigarette an.

„Lass uns doch einmal logisch überlegen, denn eigentlich sieht es doch so aus: Irgendjemand, Kahlert, oder die Leute hinter ihm beauftragten aus irgendeinem Grund meinen Vater mit der Suche nach dem Gral, wobei ihm seit einem Jahr irgendwie Alex Kolbe half. Eine andere Gruppe, zu der anscheinend auch Regionalminister Rossmann gehörte, scheint ebenfalls an dem Gral interessiert zu sein und tötete meinen Vater, worauf Gerda das Attentat auf Rossmann beging. Aber keine der beiden Gruppen scheint irgendetwas Konkretes zu haben und nun sucht man nach dem, was mein Vater und dieser Alex Kolbe herausfanden. Irgendwie..."

„Ziemlich viel von diesem *Irgendwie*, meinst Du nicht auch? Außerdem gibt es etwas Konkretes. Zuerst einmal die Beulen an unseren Köpfen und außerdem scheinen wir im Besitz der Lanze zu sein."

„Sicher...? Na jedenfalls sieht es so aus. Sofern das metallene Ding echt ist, "fügte er tiefatmend hinzu.

„Wir sollten auch einmal überlegen, was Dein Vater und Kolbe herausgefunden haben."

Berger bestellte sich noch eine Pizza.

„Anscheinend scheint an diesem ganzen Gral Gerede doch etwas dran zu sein und die Mona Lisa könnte so eine Art Schatzkarte sein, wie in den alten Piratenfilmen. Wenn ich daran denke, was Kahlert mir in Bezug auf Artus und Excalibur erzählt hatte, so hat auch die Lanze etwas damit zu tun. Vielleicht gehört das wirklich zusammen."

Wie zur Bestätigung klopfte er auf seine Jacke, in deren Innentasche das Herzstück des Speeres steckte.

„Du kannst ja Deine Pizza mit der Lanze schneiden", scherzte Nora und tat so, als wolle sie das Metall aus dem Krambeutel hervor holen und bestellte noch einen Becher Kaffee und sagte:

„Aber ich glaube, Du hast recht. Irgendwie scheint das wirklich zusammen zu gehören, die Lanze, der Gral, was immer das auch ist und wer weiß, was noch dazu gehört."

„Zumindest ist die Lanze archäologisch wertvoll. Aber was haben diese Zahlenspielereien mit der Zahl 81 zu tun?"

Bergers Zigarette verbrannte halb geraucht im Aschenbecher.

„Nehmen wir einmal an, dass das, was Professor Kolbe gesagt hat, stimmt. Ich meine das mit den Elementen und so. Und wenn ich dann bedenke, was Kahlert mir über diese Figur der Templer, diesen 1Baphomet, sagte, was Weisheit bedeute, so kann das doch eigentlich nur heißen, dass die Templer als angebliche Hüter des Grals wussten, was die 81 bedeutete, - nämlich die Anzahl der Elemente, aus denen das Leben an sich geschaffen ist..."

„...Und die auf Grund dieses fortschrittlichen Wissens im Gegensatz zur Kirche standen", ergänzte Nora.

„Richtig! Überlege doch einmal, in einer Zeit, als man sich die Erde als Scheibe dachte... Und glaubte, es gäbe nur die Elemente Feuer, Erde, Wasser und Luft... da...da war doch alles andere Häresie und Ketzerei!"

„Stimmt, denn 81 Elemente sind ein wenig mehr als nur Vier."

„Na klar. Denke doch auch doch auch einmal daran, was mit Querulanten im Mittelalter geschah..., Bruno..., Kepler..., Galilei; man könnte noch viele mehr nennen. Sie alle wichen von der vorgeschriebenen Meinung ab ..."

„ ... Und bekam reichlich Ärger", ergänzte Nora erneut.

„Wenn wir also einfach davon ausgehen, dass diese 81 das Symbol für irgendein Wissen ist, ist das heute noch genug Grund, so dahinter her zu sein? Dieses Wissen findet man doch in jedem Schulbuch."

„Also, wir stellen fest, es gibt noch etwas anderes und so sind wir wieder beim Gral."

„Er scheint zumindest für einige Leute so wichtig zu sein, dass sie dafür töten."

Berger stand auf

„Ich gehe telefonieren, der Akku vom Handy ist leer."

Ein Blick auf seine per Funk gesteuerte Armbanduhr zeigte die genaue Zeit an. Es war genau 21:00 Uhr, als er mit seinem Anruf einen eingeschalteten Anrufbeantworter mit synthetischer Stimme erreichte, der ihm nur eine lapidare Nachricht mitteilte:

„Archäologischer Park Xanten, vor dem Kaiser, Punkt Mitternacht."

Mehr nicht.

Berger ging zu Nora zurück, die gerade einen Zuckerwürfel zwischen den Fingern zerkrümelte und sagte ihr kurz, was er durch das Telefonat erfahren hatte.

„So, so, die Schnitzeljagd geht also weiter. Wie kommen wir jetzt nach Xanten?"

„Leider wohl nur mit dem Taxi."

„Die Schnitzeljagd wird allmählich teuer."

Berger legte einen Euroschein auf den Tisch und Nora winkte außerhalb des Imbisses bereits ein Taxi herbei, dessen Fahrer sich über die lange Tour freute, aber wohl aus schlechter Erfahrung einen Vorschuss verlangte, bevor er anweisungsgemäß zu der alten Römerstadt am Niederrhein fuhr und die beiden Fahrgäste am Rande des Freilichtmuseums aussteigen ließ.

„Und wo gibt es nun die Eintrittskarten?"

Nora drückte scherzhaft gegen das verschlossene Drehkreuz neben dem ebenfalls geschlossenen Kassenhäuschen.

„Nora, es ist Nacht. Was erwartest du denn? Einen Pförtner im Frack?"

Er deutete mit dem Zeigefinger nach oben, hoch zum dunklen Himmel. Es waren kaum Sterne zu sehen und dahintreibende Wolkenfetzen ließen erneut auf Regen schließen. Berger begann an dem Drehkreuz hoch zu klettern, dessen Flügel dabei ein klingendes Geräusch zu erzeugten, als es sich in sich selbst etwas bewegte. Rittlings sitzend streckte er Nora helfend den Arm hinab und half ihr über die eiserne Sperre.

Es war dunkel, sehr dunkel und die grauen Wolkenfetzen hatten sich in tiefschwarz verfärbt, als sie im Inneren der Ausgrabungsstätte angelangt waren. Es sah anders aus, als es Berger in Erinnerung hatte, der vor einigen Jahren einmal hier gewesen war, um einen Artikel darüber zu schreiben.

„Zu welchem Kaiser sollen wir hier?"

Nora stand dicht neben Berger und flüsterte, der sich dann auch schon in Bewegung setzte, links den Weg vom Eingang kommend.

„Hier gibt es nur einen Kaiser, soviel ich weiß. Unten am Amphitheater steht eine Skulptur von Cäsar Irgendwem. Lass' es uns dort versuchen."

Nach einigen Minuten Fußmarsches auf knirschender Asche und dem gelegentlichen hineinpatschen in kleinere Pfützen erreichten sie die auf einem Sockel stehende Figur, deren Erklärungsschild ob der Dunkelheit nicht lesbar war.

Es war still und sehr ruhig. Berger schaute auf die Leuchtziffern seiner Armbanduhr, die ihm anzeigte, dass es gleich Mitternacht sein werde. Suchend drehte er sich um und starrte in die Dunkelheit, doch er sah nur die Ruhe eines Museums bei Nacht.

Er hörte ein feines Knirschen und Kahlert trat aus der Schwärze einer Arkade.

„Guten Abend, ich bedanke mich für Ihre Pünktlichkeit."

Eine angedeutete Verbeugung schloss sich der Begrüßung an, wonach Kahlert seine Hände tief in die Taschen seiner dunklen Windjacke vergrub.

„Ich hoffe, es machte Ihnen keine Mühe, mich hier zu treffen, denn heute Nachmittag war ich leider verhindert. Fanden Sie den Weg nach hierhin gut?"

„Wo ist Gerda?" sprudelte Nora los: „Wolf sagte mir, dass sie lebt..."

„Sicher, sicher. Ich sagte Ihrem ... äh, Freund schon, dass Ihre Schwester lebt und ich gerne den Beweis dafür erbringen werde."

„Susi!" sagte Nora: „Sie sollen mir sagen, welche Haarfarbe Susi hatte. Das weiß nur Gerda."

Trotz der Nachtschwärze sah man Kahlerts weiße Zähne, die er beim Lächeln zeigte.

„Fragen Sie Ihre Schwester doch selbst."

Er schnipste mit den Fingern und aus dem dunklen Schatten, aus dem auch Kahlert getreten war, löste sich eine Gestalt.

„Susi war blond, bis zu dem Tag, als Du sie mit Tinte übergossen hast. Blaue Tinte."

Die Frau hatte nur eine sehr entfernte Ähnlichkeit mit Nora. Nicht nur die dunkel getönten Haare unterschieden sie von ihr, auch das Gesicht war wesentlich schmaler geschnitten und die Nase zeigte etwas nach oben. Die plastische Chirurgie schien wirklich gute Arbeit geleistet zu haben.

Skeptisch sah Nora die Frau an, die vorgab ihre Schwester zu sein, doch, sie wusste das mit der Puppe....

„Gerda?"

Fragend und etwas unsicher suchte Nora nach Bergers Hand.

„Gerda?" wiederholte sie und löste sich von dem Journalisten und machte einige Schritte auf die Frau zu, um sie dann stürmisch in die Arme zu schließen.

„Gerda!"

„Nora! Du siehst, ich lebe noch!"

Kahlert sprach dazwischen:

„Wir sollten in den Schatten gehen. Man sollte auch hier vorsichtig sein."

Berger folgte den anderen und sie standen in einer der dunklen Arkaden, die eine gute Umsicht über die Fläche des Museums bot, sie selbst aber unsichtbar machte.

„Glauben Sie mir jetzt?"

Kahlert stand nah bei Berger und er spürte dessen Atem.

„Vielleicht. Bisher sehe ich nur, dass Noras Schwester lebt. Oder anders gesagt, eine Frau, die etwas weiß, was nur die Schwester Noras wissen kann. Außerdem ist mein Freund verschwunden."

„Der Fotograf?"

Berger nickte und erzählte dem Hageren, was sich seit ihrem Treffen vor zwei Tagen ereignet hatte und verschwieg auch nicht die unliebsame Begegnung an der Waldhütte Kolbes, doch das sie die Lanze hatten, ja, sie jetzt in ihren Taschen aufbewahrt wurde, erwähnte er nicht.

Etwas entfernt von Berger und Kahlert unterhielten sich die beiden Schwestern flüsternd.

„Hm, das wird eng", sagte Kahlert mehr zu sich selbst, als zu Berger gewandt und fügte dann hinzu:

„Sie sehen, meine Geschichte von den zwei Gruppen, die den Gral suchen, ist wohl doch nicht so weit hergeholt. Waren es wichtige Dinge, die Sie in ihrer Wohnung aufbewahrten?"

„Och, so allerlei."

Trotz des Vertrauensbeweises des Zusammenbringens der beiden Schwestern blieb in Berger ein Rest von Misstrauen zurück. Er wusste nicht, warum dies so war, es war mehr ein unsicheres Gefühl, aber trotzdem war es da.

„Sie trauen mir immer noch nicht, Herr Berger."

Kahlert schien enttäuscht.

„Lassen Sie mich ihnen eine Geschichte erzählen, aber warum setzen wir uns nicht?"

Kahlert wies auf den Schatten zu einer kaum sichtbaren Bank an der Rückwand der Arkade.

„Es ist eine Geschichte, die Ihnen merkwürdig vorkommen wird, erfunden und erlogen, aber vor allem sehr unwahrscheinlich. Wie gesagt, es ist eine Geschichte und ob Sie diese glauben werden, liegt allein bei ihnen."

Sie setzten sich und Kahlert begann:

„Im Jahre 1891 renovierte im Süden Frankreichs der Pfarrer Berengar Saunier seine kleine Dorfkirche. Eine alte Kirche und sie bedurfte wirklich der Erneuerung, denn die Weihe fand schon im Jahr 1059 statt und sie trug den Namen der Maria Magdalena. Die Fundamente der Kirche waren jedoch noch älter, sie stammten aus der späten Zeit der Völkerwanderung, kurz vor Anfang des sechsten Jahrhunderts.

Bei den Bauarbeiten durch den Pfarrer, der so arm war, dass er die Arbeiten allein durchführen musste, entfernte er auch die Altarplatte, unter der er - in einer hohlen Säule - vier versiegelte Holzzylinder fand, die verschiedenste Pergamente enthielten, die um 1780 ein gewisser Antoine Bignon verfasst hatte, der zu dieser Zeit nicht nur Geistlicher des Ortes war, sondern auch dem Hauses Blanchefort nahestand, einem der Grundherren der dortigen Gegend. Zuerst meinte Saunier einige lateinische Texte und Teile des Neuen Testamentes zu lesen, aber dann bemerkte er, dass einige Wörter überflüssige Buchstaben enthielten und manche Wörter sehr merkwürdig formuliert waren. Außerdem gab es auf diesen Schriften einige eingezeichnete Kreuze, die er miteinander verband und sie wichen, geometrisch gesehen, grundsätzlich um 16° Grad und dann wieder um 32° Grad von der Blattkante ab."

Berger glaubte, es durchfahre ihn der Stich eines eisigen Dolches, als er diese Gradangaben hörte, die sie auch bei den Externsteinen ermittelt hatte. Er zwang sich ruhig zu atmen und Kahlert schien nichts von seiner Erregung zu spüren, denn er erzählte unvermindert fort:

„Um die Sache abzukürzen:

Also, der Pfarrer scheiterte an einigen Entschlüsselungen, andere aber konnte er entziffern. Auch höhere Stellen interessierten sich für diese Pergamente, denn der Pfarrer war zu stolz, diese Entdeckung für sich zu behalten. Eine der Entzifferungen war diese:

A DAGOBERT II ROI ET A SION EST LE TRESOR ET IL EST LA MORT, was übersetzt bedeutet: ,Dieser Schatz gehört König Dagobert II. und Zion und dort liegt er tot', aber auch bedeuten kann ,Für König Dagobert den Zweiten und für Zion ist der Schatz und er ist der Tod'. Suchen Sie sich etwas aus. Denken Sie später ein wenig darüber nach.

Bei weiteren Renovierungen fand man eine verborgene Krypta und weitere Grabstätten, die ähnliche Verschlüsselungen enthielten. Eines Tages besaß der kleine Landpfarrer plötzlich Geld, viel Geld, nein, das ist untertrieben, er ist zu Reichtum gekommen und als er 1917 starb, hatte er Millionen von Franc ausgegeben, teilweise auch für sinnvolle Dinge wie Wasserleitungen für die Dorfhäuser und Ähnliches. Außerdem hatte er Kontakte mit irgendwelchen Leuten in ganz Europa, denn für Porto gab er Unmengen aus. Die Herkunft des Geldes erklärte er nie.

Der Pfarrer starb am 17. Januar 1917 an einem Herzinfarkt. Merkwürdig daran ist nur, dass jemand, in seinem Namen, bereit fünf Tage zuvor einen Sarg bestellt hatte. Auch bekam er beim Tode keine Sterbesakramente, was für einen Priester ebenfalls mehr als merkwürdig ist."

Kahlert stand auf und machte einige Schritte vor der Bank, auf der Berger sitzen blieb. Auch die beiden Frauen hatten inzwischen der Geschichte zugehört.

„Schön, Herr Kahlert, was Sie da erzählen, doch was hat dies mit uns zu tun?" fragte Nora.

„Geduld bitte. Ich erzähle Ihnen eine Geschichte und stelle Ihnen zugleich das Spiel vor. Sie wissen doch, ähnlich wie Schach, schwarz..., weiß ..."

Berger unterbrach.

„Ach ja, Sie gehören ja zu den Weißen ..."

„Richtig, Herr Berger, ich gehöre zu den, wie Sie sagen ‚Weißen'. Doch nun zurück zu der kleinen Geschichte:

Es war also ungeklärt, woher der Pfarrer das riesige Vermögen hatte und es wurde auch nie geklärt. Vielleicht war es Gold aus der Völkerwanderung, denn dort unten war das Reich der Westgoten... Vielleicht war es auch ein Überbleibsel des Templerschatzes... Oder versteckte Reichtümer aus der Zeit des Sephardischen Königreiches, das es dort einmal gab... Wer weiß das schon...? Doch die Herkunft ist unwichtig. Wichtig ist etwas ganz anderes, nämlich das Pergament mit dem Hinweis auf König Dagobert den Zweiten sowie den darauf zu findenden Hinweis auf ein Gemälde, welches im Louvre hängt. Poussin malte es und es trägt den Titel ‚Die Hirten von Arkadien'. Es ist ein mystisches Bild, welches ein Grab darstellt, vor dem einige Hirten stehen, deren Schäferstab übrigens auch um 16 Grad geneigt zur Bildkante steht. Im Hintergrund sieht man eine Fantasielandschaft wie man zuerst meinte. Nur, diese Landschaft entsprang nicht dem Geist des Malers, sondern liegt eben bei dem kleinen Ort, wo der Pfarrer die Kirche renovierte.

Die Inschrift auf dem Gemälde lautet: ‚ET INARCADIA EGO' also in etwa ‚In Arkadien bin ich', aber wenn man dies Ganze als Anagramm betrachtet und sich auf das wichtige ARCADIA beschränkt, kann man es auch als ‚ARC A DIA' lesen: ‚Das Schiff des Tages'. Der Tageslauf also, oder besser noch als Schiff der Zeit deutbar. Eine weitere Umstellung deutet ‚I TERGO ARCANA DIE', was nichts anderes bedeutet als: ‚Scher Dich weg, ich halte die Geheimnisse Gottes verborgen'.

So, jetzt springen wir in der Geschichte ein wenig weiter.

Ich erwähnte vorhin Dagobert den Zweiten, auf den der Pfarrer ja einen Hinweis fand. Dagobert gehörte dem Geschlecht der Merowinger an und wurde 679 nach der Zeitwende ermordet. Die Kirche in Rom versuchte sogar den Mord zu rechtfertigen."

„Herr Kahlert, das ist ja alles schön und gut und außerdem ziemlich lange her, aber..."

Nora fiel in den Vortrag ein.

„... Sie wollen wissen, was das alles mit uns zu tun hat? Nun, auch dieses ist ein Teil des Spieles, eine frühere Partie vielleicht, aber es gehört dazu. Ich sagte anfangs, ich erzähle nur eine Geschichte  ob Sie sie glauben, liegt bei Ihnen."

„Okay,  erzählen Sie weiter."

„Danke schön."

Der leichte Sarkasmus in Kahlerts Tonfall war unüberhörbar, doch er fuhr fort:

„Man sollte vielleicht wissen, wer die Merowinger überhaupt waren und sind, denn sie waren ziemlich plötzlich da. Ja, sie sind noch da. Nicht so wie andere Völker oder Stämme. Nein, sie kamen wirklich fast über Nacht, wenn man das einmal so sagen will. Sie selbst gaben als ihren Stammvater Merowech an, eine Art Halbgott, den seine Mutter von einem Gott aus dem Meer empfangen hatte. Einem Halbgott aus dem Meer, der sich Merowech nannte und  der von seinem  Diener Joseph begleitet wurde.... Dieser Merowech besaß angeblich übernatürliche Kräfte und war mit Magie und Zauberei vertraut. Seine Kraft lag, wie bei dem Samson in der Bibel, in seien Haaren, die nie geschnitten wurden.

Die Merowinger, die sich auf diesen Merowech beziehen, waren keine einfachen Könige, sie waren mehr eine Art Priesterkönige, wie die Pharaonen, denn die Totenschädel der Merowingerkönige tragen die absolut gleichen rituellen Einschnitte, wie die der toten Lamas des frühen Buddhismus, Schnitte, aus denen die Seele in das Reich der Götter entfliegen konnte.

Unter den Merowingern, die später eine Verbindung mit den Sugambrern eingingen wurde im Jahr 448 erstmals ein geeintes Reich gebildet, Franken, beherrscht von den Merowingerkönigen."

Erneut zuckte Berger zusammen und spürte den Druck des Metalls vor seiner Brust.

Kahlert erzählte weiter:

„Das Merkwürdige war jedoch, dass die Söhne des Königs, wenn sie zehn Jahre alt waren, allein durch ihre Geburt auch Könige waren, - allein durch die Abstammung ihres Blutes. Sie waren Könige, die Könige zu sein hatten und sich nicht mit der Last des Regierens beschäftigen brauchten. Die Könige hielten, auch nach ihrem Übertritt zum Christentum an der Polygamie fest und hatten weiterhin ihren Harem. Chlodwig der Erste verglich sich mit der Kirche in Rom und der katholische Glauben fand den Weg nach Franken hinein. Man paktierte mit ihm, denn der Papst in Rom,- zu der Zeit eigentlich nur der Bischof von Rom,- saß ziemlich wackelig auf seinem Thron, denn es tobte der Kirchenstreit über die Ausrichtung des Glaubens. Katholiken, Arianer und Orthodoxe kämpften um die Macht... Und das nicht nur mit Worten.

Der Papst brauchte ein ‚Schwert' und Chlodwig wurde dieses Schwert, wofür er vom Papst nicht nur eine Art Kaisertitel bekam und der mächtigste Herrscher des Abendlandes wurde, sondern auch die Lanze des Longinus, die Attila voller Wut vor die Tore Roms geschleudert hatte, da er ihre Kraft nicht verstand und nutzen konnte. Ja, ohne Chlodwig hätte es die Kirche so nie gegeben, denn immer noch regten sich die Wirren der Völkerwanderung.

Die Merowinger wurden eine Art Armee des Papstes und im Jahr 507 vernichteten sie das Reich der Westgoten. Hierdurch fielen Aquitanien und Toulouse in ihre Hände und aus den übrigen Resten bildeten die überlebenden Goten ein neues Reich, dessen Hauptstadt Rennes le Chateau wurde."

Kahlert schwieg.

„Und, ich sehe immer noch keinen Sinn in der Geschichte."

Berger verstand immer noch nicht. War dies nun eine Art Geschichtsunterricht...?

„Ach, ich vergaß zu sagen, dass die Kirche des Landpfarrers in Rennes le Chateau stand..."

Kahlert schien sich der Wirkung seiner Worte sicher zu sein und machte eine kurze Pause und sprach dann einfach weiter, als wäre nichts Besonderes geschehen.

„Nach der Ermordung Dagobert des Ersten übernahmen die Verwaltungsbeamten, die Hausmeier, die Macht, aber König blieb immer ein Merowinger. Selbst Karl, den man den Großen nennt, war überrascht, dass man ihm die Krone aufsetzte, denn ihm fehlte etwas, von dem er wusste, dass er es nicht hatte: Das königliche Blut und er bat den Letzten, im Kloster eingesperrten, Merowingerkönig um den Segen."

„Herr Kahlert, ich bitte Sie, kommen Sie endlich auf den Punkt."

Berger wurde unwillig.

„Ich kürze es ab. Gut, aber um Wesentliches zu verstehen, benötigt man auch erst einmal das Grundwissen. Also, dieses Blut, von dem ich gerade sprach, lebt durch die Dynastien hinweg, denn bis heute gibt es Nachkommen der Merowinger, die in den verschiedensten Jahrhunderten um die Macht kämpften und auch Gottfried von Bouillion, der erste König von Jerusalem in den Kreuzzügen kam aus dieser Blutlinie. Er war Merowinger!"

„Ach?"

Dieses war neu für Berger.

„Was ist denn so besonderes an diesem Blut?" fragte Nora aus der Dunkelheit.

„Wissen Sie", antwortete Kahlert, „als in den vierziger Jahren des vorigen Jahrhunderts die Rollen von Qumram gefunden wurden, wissen wir, dass es Jesus dreimal gab."

„Herr Kahlert! Was soll das jetzt?"

Berger fand die Geschichte des Hageren immer verwirrender und schien mit ihren Problemen sehr wenig zu tun zu haben.

„...Dreimal gab, „ wiederholte er. „Zuerst einmal als Nachfolger Davids, dann als Rebellenführer der Essener und letztendlich als geistigen Führer. Es waren in Wahrheit drei Männer, die den Titel Josuha trugen, denn dieser bedeutet ‚Der, der Jahwe preist'. Einer dieser Josuha, oder Jesus, genannten Männer war mit Maria Magdalena, der Königstochter aus dem Hause Benjamin verheiratet. In den Wirren der römischen Besatzung flüchteten sie über das Meer und gingen im Süden des heutigen Frankreichs an Land, einer Gegend, in der später übrigens auch der wohl bekannte Pontius Pilatus lebte, der Mann, der selbst keinen rechtmäßigen Thronanwärter töten wollte. Sie verbanden sich dort mit den heimischen Stämmen und später mit den Merowingern.

Somit erklärt sich auch der Pakt der römischen Kirche mit ihnen, denn es war kein einfaches militärisches Bündnis, sondern ein Bündnis mit einem Herrscher, in dessen Adern das Blut Jesu floss, eine Art Pakt mit Gott direkt. ‚Sang real' das königliche Blut. Aus dieser Sicht betrachtet, waren die Kreuzzüge nichts anderes als eine Art Krieg zum Antritt des Erbes, denn Gottfried von Boullion war nicht einfach nur der erste christliche König von Jerusalem. Er trat förmlich das Erbe Jesu an."

Berger schüttelte den Kopf

„Ist das nicht etwas sehr weit hergeholt, Herr Kahlert? Das hört sich ja wie eine Märchengeschichte an."

„Sicherlich. Ich sagte Ihnen doch, es ist nur eine Geschichte. Aber die Ahnentafel jetzt noch lebender Menschen ist bis weit ins Mittelalter nachvollziehbar. Zu diesem, eben geschilderten Sachverhalt kommt noch etwas hinzu, nämlich der Orden der Brüder von Zion, die ‚Prieure de Sion' , dem viele Menschen angehörten, jener Orden,

den Wilhelm von Gisor gründete und dessen Großmeister er 1266 dann wurde. Auch Leonardo da Vinci gehörte zu diesem Orden."

Berger streckte sich.

„Da Vinci?"

„Ja, auch er. Warum fragen Sie?"

„Später. Reden Sie erst einmal zu Ende."

„Das Bestreben dieser Gruppen ist es, den rechtmäßigen König wieder auf den Thron zu setzen."

„Es gibt keine Könige mehr", stellte Nora fest, während Berger darüber stutzte, dass es das Bestreben dieser Gruppen ist.

„Ja? Ist ihnen noch nicht aufgefallen, dass Euroland sich in etwa mit den Grenzen deckt, die das Frankenreich und seine Vasallenstaaten bildeten?"

„Auch Skandinavien? Herr Kahlert, ich bitte Sie ...!"

„Sicher, ein Merowinger war Prinzgemahl der Königin in Dänemark, als es das Land noch gab und das Königshaus der Region Schwedens stammt aus Frankreich. Expansion nennt man das wohl richtigerweise."

Berger stutzte und Kahlert sagte:

„Muss man einen König wirklich immer auch König nennen, reicht es nicht, zu wissen, wer er ist?"

Berger dachte einen Augenblick nach. Zwar klang das alles sehr verworren, aber es entbehrte aber auch nicht einer gewissen Logik.

„Sprechen Sie weiter", forderte er Kahlert auf.

„Eigentlich wäre es das, was man in groben Zügen sagen kann. Um einen König zu krönen, bedarf es aber auch einer Insignie. Macht bedarf immer eines Zeichens. Nehmen Sie die französische Lilie, sie ist nichts anderes als die stilisierte Darstellung der Kriegsfackel der Merowinger. Das Zeichen des wahren Königs jedoch ist der Gral, verbunden mit der Lanze."

Wieder drückte Berger den Oberarm vor seine Brust und spürte erneut den harten Druck des Metalls. Noch immer sagte er dazu kein Wort.

„Und was wollen Sie, Herr Kahlert mit dem Gral?"

Nora trat zu Kahlert und in der Morgendämmerung sah sie dem Hageren direkt ins Gesicht.

„...Ich", er zögerte, „ich will nicht, das der Gral in die Hände kommt, die ihn nutzen wollen, um Schaden anzurichten."

„Wieso Schaden?" fragte Berger. „Was verheimlichen Sie uns?"

„Nichts. Aus dem, was ich erfuhr, ist zu schließen, dass der Gral eine Art Kraftquelle ist."

„Ein kleines Atomkraftwerk, was?" scherzte Berger zynisch.

„Doch, gesetzt den Fall, dass wir ihnen glauben...Ich möchte noch einen Beweis für ihre Lauterkeit, etwas ganz einfaches: Zeigen sie mir bitte Ihre Identitätskarte."

„Sie meinen ...?"

„Ja! Das Ding, welches früher Ausweis hieß."

Fordernd streckte Berger die Hand aus und Kahlert zog langsam aus der Innentasche seiner Jacke die übliche Karte mit dem computerlesbaren Strichcode. Etwas zögernd reichte er sie Berger, der sie in die blasse Morgensonne hielt und den Namen las:

Gerard de Galbain.


## 26

*Der erste Tag des Jahres 1503 war kalt.*

*Schneewolken zogen über den dunklen Himmel. Der Maler wärmte die Finger an dem qualmenden Kamin und zog den Pelz enger um die Schultern. Er hustete leicht, als er das Eis betrachtete, das sich in die Farbtöpfe gesetzt hatte. Einundfünfzig Jahre alt war er nun und hatte unzählige Bilder gemalt, gezeichnet, studiert, erfunden und geforscht, aber dieses Bild bereitete ihm Sorgen. Er wusste nicht, wie er es malen sollte, obwohl ihm viele Ideen im Kopf herumgingen. Es war ihm zu kalt und trotz des Feuerkorbes, welchen sein Diener neben die Staffelei gestellt hatte, wollte die Steifheit nicht aus seinen Fingern weichen.*

*Leonardo, der Maler aus dem Dorf Vinci, verzog das Gesicht, denn der vereiterte Zahn ließ die Wange dick anschwellen und die Gewürznelken halfen nur wenig.*

„*Alles nur Pfuscher, diese Ärzte!*" *fluchte er laut. Ja, mit dem Aderlassen, da waren sie schnell mit dem Messer zur Hand und auch ein brandiges Bein war rasch abgesägt, aber bei Zahnweh, da versagte ihre Kunst. Na ja, ausreißen, das konnten sie, aber wenn es sich danach entzündete, konnte man daran sterben. Zahnwurm nannten sie Leonardos Beschwerden. Unfug, dachte er, denn er wusste sehr genau, das seine Vorliebe für kandierte Fruchte an dem Übel schuld war.*

*Er nahm ein Stück dünner roter Kreide und stellte sich vor die Staffelei. Wilde Striche flogen über das aufgespannte Pergament.*

„*Verflixt*", *sprach er mit sich selber,* „*wie nur malt man eine Insel, die nur der Wissende erkennen kann?*"

*Seit Weihnachten quälte ihn dieser Gedanke, als Raimon de Galbain, Bote des Grals, ihn in seinem Atelier aufgesucht hatte.*

*, Man muss das Asyl auf einer Karte festhalten, ' hatte er gesagt, damit das Wissen nicht verloren geht, welches seit jenem Tag mündlich weitergetragen wurde, als Jaques de Molay, der Großmeister der Templer auf dem Scheiterhaufen verbrannt worden war.'*

*Eine Tasche voller Unterlagen hatte der Bote bei ihm gelassen, Skizzen, Berechnungen der Geographie und die wunderbare Zeichnung eines Felsens, den ein junger Deutscher mit Namen Dürer gezeichnet hatte.*

*Immer wieder betrachtete Leonardo das Bild, welches auch er nicht hätte besser zeichnen können. Präzise zeigte jeder Strich die Risse in dem Felsen und jede kleinste Spalte. Auch die gewünschten Drehungen von 16 und 32 Grad waren hineingezeichnet.*

*, Ja', 'sagte Leonardo zu sich selbst, das wird der Hintergrund des Bildes werden doch wie stelle ich die Insel dar, wie male und verberge ich das Asyl?'*

*Die Holzkohle begann den Raum zu erwärmen und seine Hände, die er über dem Feuer rieb, bekamen die Geschmeidigkeit, die er brauchte. Natürlich würde er der Bruderschaft helfen, sicher, gehörte er doch zu ihnen und selbstverständlich würde er ein Bild malen, das nur der erkennen konnte, der es zu lesen und erkennen verstand.*

*Er tauchte den Dachshaarpinsel in ein helles Ockergemisch und wandte sich der Eichentafel zu, die auf einem weiteren Gestell bereit stand und färbte das Brett farbig ein.*

*Wie hatte de Galbain die Insel genannt? Mona Isla .. ? Gut, so ähnlich sollte auch das Bild heißen, ein Gesicht, nicht Mann, nicht Frau, mit einem merkwürdigen Schnitt, dessen Proportionen denen der Karte entsprachen, die Leonardo an die Wand geheftet hatte und nicht den Proportionen eines menschlichen Gesichtes, und doch würde es fast niemand erkennen können. Er tauchte den Pinsel erneut ein und dachte weiter über den Namen des Bildes nach, dass zugleich ein Lob auf den ersten König von Jerusalem sein sollte, Gottfried von Boullion, der am 18. Julius des Jahres 1100 gestorben war.*

*Er legte den Pinsel beiseite und schrieb die Buchstaben der großen und kleinen Kabbala untereinander und berechnete das Datum des Todestages und setzte es in Buchstaben um und lächelte dann leicht, als er mit dem Ergebnis zufrieden war und den Pinsel in ein zartes Grün eintauchte. Sicher, jetzt wusste er, wie es malen würde, das Bild, das er Mona Lis del Gioconda nennen wurde und aus dem die Wissenden den Todestag des ersten Königs berechnen konnten, und das die Insel des Grals zeigte.*

## 27

„Gerard de Galbain?  Ich denke ...?"

„Schon gut. Nehmen Sie dies als Vertrauensbeweis, denn etwas Maskerade muss sein und in dieser Sache ist es nicht gut, wenn man meinen Namen kennt. Sie schweigen doch ...?"

„Versprochen."

Theatralisch legte Berger die Hand auf sein Herz und drückte vor das harte Metall.

„Aber sollten wir nicht allmählich gehen?" sagte Nora und umklammerte Bergers Hüfte.

„Jetzt bei hellerem Licht über das Tor klettern? Wir warten lieber, bis einige Besucher kommen und gehen dann ganz normal aus dem Tor."

„Ach was," sagte Kahlert, alias de Galbain, deutete auf eine Liguster-
terhecke auf die er zusteuerte und drücke die Zweige etwas beiseite,
sodass sich ein Durchgang öffnete und sie schlüpften hindurch und
gelangten auf einen Feldweg, wo dem eine große Limousine geparkt
stand, deren Scheiben von der Nachtfeuchte benetzt waren.
„Ich bitte einzusteigen."
Kahlert öffnete mit dem Infrarotgeber die Türen und der Dunst der
Feuchtigkeit in den Kleidern ließ augenblicklich die Scheiben von
innen beschlagen.
„Wohin fahren wir?"
Nora wickelte ein Bonbon aus, welches Gerda ihr angeboten hatte.
„Ich bringe sie in Sicherheit, denn die andere Seite ist ihnen gewiss
nah auf den Fersen, was ihr Erlebnis an Kolbes Hütte ja wohl be-
weist."
„Woher...? Verdammt noch mal, wer ist die andere Seite?"
Berger fluchte ungehalten.
Kahlert startete den Wagen und leicht schwankend fuhren sie los.
„Schon gut", beschwichtigte Kahlert, alias de Galbain, Berger.
„Sie nennen sich selber Brüder des Tempels. Nachäffende Templer,
Thuleorden... der Name ist nicht so wichtig."
Berger lachte laut auf und Nora fiel ein, während Gerda schweigend
über die Felder schaute.
„Wollen Sie uns allen Ernstes sagen, dass die Geschichte, die Sie uns
heute Nacht so theatralisch im Verborgenen erzählt haben, absolut
wahr ist? Und dass auf Grund dieser Story Menschen umgebracht
werden? Wir sollten lieber nach Spargel suchen!"
„Richtig!"
Nora schlug wütend mit der Faust auf die Kopfstütze des vor ihr
sitzenden Fahrers.
„Der kommt schon wieder", sagte de Galbain, alias Kahlert lapidar.
„Ja sicher,  aber als Leiche", giftete Berger.
Nora wandte sich ihrer Schwester zu.
„Was war mit dem Attentat?"

Während sie in der Nacht der erzählten Geschichte zugehört hatten, kam nun die Sprache auf das, was wohl der Auslöser der ganzen Sache war, in der sie sich jetzt befanden.

„Ja, was war da?"

Auch Berger brannte auf eine Antwort und drehte sich zu den beiden Frauen um.

„Eine böse Sache", schluckte Gerda Rahner, „aber ich ... ich musste es tun, denn Rossmann hat unseren Vater umbringen lassen."

Sie stockte einen Augenblick und erzählte dann von der Ungereimtheit der Todesmeldung und dem wirklichen Wetter an der Irischen See.

„Was wollte Vater eigentlich da oben auf der Insel", fragte Nora. „Hatte er Dir etwas gesagt?"

„Er hatte, so glaube ich, eine wirkliche Spur gefunden, nach dem, wonach er so lange gesucht hatte. Schon einige Tage vor seinem ... Tod, hat uns ein Mann verfolgt. Weißt Du noch, wie er einmal auf so einen Kerl zeigte, der immer mit einem Fernglas um den Hals in unserer Nähe herumlungerte?"

„Den Rothaarigen ? Sicher", nickte Nora zustimmend.

„Alex hatte ihn später noch einmal gesehen, wie er aus dem Ministerium von Rossmann kam, aber da war Vater schon tot.... und dann bekam Alex das Telefonat mit dem Wetterbericht mit.... ich dachte, ich drehe durch. Alex hatte einige Waffen und ich habe einfach eine genommen und bin zu der Eröffnung der Ausstellung gegangen. Ich wollte den Mann nur noch tot sehen. Dass Herr de Galbain auch dort war, wusste ich nicht. Mein Verschwinden war eigentlich nur durch seine zufällige Anwesenheit möglich. Ohne ihn säße ich jetzt sicher in einer Zelle. Aber gibt es wirklich Zufälle?"

De Galbain nickte.

„Von dem Anschlag wusste ich wirklich nichts, das war ihre eigene Idee."

Trotz dieser irgendwie logischen Erklärung spürte Berger ein leichtes Unwohlsein im Magen. Sicher, so konnte es gewesen sein, aber dieses ‚konnte' und auch dieses ‚irgendwie' störten ihn doch sehr.

„Alex ahnte wohl so etwas, aber er hatte bestimmt nicht geglaubt, dass ich zu so etwas fähig bin", ergänzte Gerda das zuvor Gesagte.

„Hm, doch eine Sache ist komisch", mischte sich Berger ein, „warum lächelte Kolbe bei dem Schuss?"

„Hat er das getan? Ich weiß es nicht."

„Was geschah danach?" wollte Nora wissen.

„In dem Durcheinander brachte de Galbain mich weg. Draußen stand ein Hubschrauber und ich wurde in eine Klinik geflogen. Komisch, an den Flug erinnere ich mich gar nicht mehr."

„Hubschrauber?"

Berger sah den Fahrer der Limousine an.

„Das leidige Problem mit den Parkplätzen", antwortete de Galbain leicht grinsend. „Nein, Spaß beiseite, ich hatte abends noch einen weiteren Termin, da geht es durch die Luft schneller."

Berger kniff die Augen zusammen und schwieg, denn die Antwort war zu glatt und etwas zu schnell gefallen.

„Sie war sehr müde."

De Galbain erhöhte nach dem Erreichen einer Schnellstraße die Geschwindigkeit: „Außerdem hatte sie gerade einen Menschen getötet. Das verkraftet die Psyche nicht so einfach."

Berger bemerkte den Unterton und das leichte Verhaspeln in der Stimme des Mannes, den er bis vor wenigen Stunden als Kahlert kannte.

„Ja, aber Doktor Jaffour hat ihr sehr geholfen."

„Ein plastischer Chirurg?"

„Chirurg und Psychiater", ergänzte Gerda.

„Ich weiß, eine merkwürdige Kombination, doch er ist sehr einfühlsam. Es täte manchen Chirurgen gut, auch die Psyche der Patienten zu kennen. Besonders die Trancebehandlungen haben mir geholfen, nicht nur den Verlust Vaters zu verarbeiten, sondern auch mit dem Attentat fertig zu werden."

Gerda neigte das Gesicht etwas nach vorn.

„Sieht man die Narben eigentlich deutlich?"

Zeigend wies sie auf ihre Wangenknochen und den Haaransatz hin.

„Nichts zu sehen, Gerda", beruhigte sie ihre Schwester, die mit dem Finger über die gezeigten Stellen fuhr, „fühlst Du Dich gut damit?" „Sicher. Das ist besser, als im Gefängnis zu sitzen. Außerdem rede ich noch des Öfteren mit Doktor Jaffour und die Tabletten, die ich bekomme, nehmen den leichten Schmerz."

Berger schaute wieder aus dem Fenster und sah auf eine bäuerliche Landschaft mit Wiesen und einzelnen Gehöften, zwischen den sich große Waldstücke ausbreiteten. Vergebens suchte er ein Ortsschild. Das einzige Auffällige war das Überqueren des Rheins gewesen, wohl über die neue Brücke, die vor wenigen Monaten an der ehemaligen Grenze zu den Niederlanden eröffnet worden war.

De Galbain sprach in sein uhrähnliches Armhandy.

„Wir kommen", sagte er kurz und sie fuhren weiter an morgendlichen Wiesen vorbei, bis sie nach einiger Zeit vor einer parkähnlichen Anlage anhielten, hinter deren Zaun meterhohe Dornenbüsche wuchsen. Lautlos öffnete sich ein Tor und ein halbes Dutzend Rottweiler jagten um den schrittfahrenden Wagen herum und bellten aufgeregt.

De Galbain fuhr in eine offenstehende Garage und automatisch versperrte die schließende Tür den Hunden den Weg.

„Ziemlich viele Hunde", bemerkte Berger, doch der Hagere antwortete nicht.

„Da sind wir."

Galant öffnete er die Wagentür und ließ die beiden Frauen aussteigen, während Berger sich aus einer Enge quetschen musste, da der Wagen sehr nahe an der Wand stand.

Eine kleine Treppe endete bei einer Stahltür, die de Galbain öffnete und führte sie einen Gang entlang in einen großen Raum, in dem Unmengen von Büchern lagen und an dessen Wänden verschiedene Landkarten hingen und wieder das wohl unvermeidliche Bild der Mona Lisa.

„He! Das sind die Sachen von meinem Vater!"

Nora zog überrascht und zornig an de Galbains Schulter.

„Lass nur, Nora", beschwichtigte Gerda.

„Ja, beruhigt Euch", hörten sie auch aus einem hohen Drehstuhl, auf dessen Lehnrücken sie schauten und der sich nun langsam um seine eigene Achse drehte. Mit überkreuzten Beinen und frech grinsend saß Spargel darin.

„Spargel!" Berger schrie erstaunt auf.

„Schon gut, Alter. Hast' mich vermisst, was?"

„Bist Du eigentlich bescheuert? Was ist los?"

De Galbain setzt sich auf eine Tischkante.

„Ich kann das erklären. Herr Sparg wollte erst nicht mit uns gehen."

„Mit Ihnen?" staunte Nora.

„Ja, wieso mit Ihnen? Wir waren an den Externsteinen…, "wunderte sich auch der Journalist.

„Richtig."

De Galbain griff nach einem belegten Brötchen, von denen einige auf einer Servierplatte lagen, die auf einem Beistelltischchen stand.

„Möchten Sie …?"

Er deutete darauf und fuhr kauend fort: „Glauben Sie, wir lassen euch alleine?"

Er griff nach einem weiteren Brötchen und schüttelte den Kopf.

„Aber…,was, …wie?"

Berger verstand nicht.

„Mensch Wolf, die haben mich wirklich k.o. geschlagen! Bumms, einfach so. Hier bin ich wach geworden", sagte Spargel und sein Arm zeigte rundend in den Raum. „Alles nur deshalb, weil ich nichts sagen wollte. Außerdem gab es Fotos, die bearbeitet werden sollten und dafür braucht man eben einen Spezialisten wie mich."

Spargel stand aus dem Drehstuhl auf und reckte stolz die Brust.

„Hätte man das nicht einfacher haben können?"

Böse funkelte Nora de Galbain, an der den Kopf schüttelte.

„Nicht, wenn jemand wildschreiend mit einem Knüppel auf Sie losgeht."

Spargel grinste.

„Sicher, aber jetzt ist ja alles in Ordnung und ihr seid ja jetzt auch hier. Mensch Wolf, ich hab' Dokumente gesehen, da flippst Du echt aus. Dieser Gral muss ein Superding sein."

„Natürlich. Besonders dann wenn man weiß, wo er ist", erwiderte Berger und griff nun ebenfalls zu dem Imbiss.

„Wo sind die Dokumente, von denen hier gesprochen wird? Außerdem würde mich interessieren, wo wir hier sind."

Nora zündete sich eine Zigarette an.

„Hier."

De Galbain deutete um sich.

„Bitte, all das, was Sie hier sehen."

„Es sind Vaters Sachen!" erregte sich Nora.

„Natürlich."

De Galbain sagte es wie eine Feststellung: „Warum sollte Dorfmann denn sonst die Sachen in Sicherheit gebracht haben, wenn nicht dorthin, wo sie wirklich sicher sind?" Die Frage nach der Örtlichkeit überging er rasch und wandte sich an Berger:

„Hier ist alles, fast alles, nur die Unterlagen, die Sie hatten, hat die andere Seite."

„Und wenn schon", entgegnete Berger und tippte auf seine Stirn, „die Sachen haben wir im Kopf."

„Ah, das ist gut", entgegnete de Galbain und verließ mit einem kurzen „Ich komme nachher zurück zu ihnen" den Raum und griff zu einem Telefon.

*Aus den Protokollen der Telefongesellschaft, die drei Jahre nach den hier beschriebenen Ereignissen in einem Tresor bei Straßburg gefunden wurden:*

> *Telefonat Nr.12324. TR516 77.*
> *Anruf d. G: " Oui, er ist da."*
> *Unbekannte, nicht registrierte Nummer, wahrscheinlich Lyon: „Bon."*
> *d. G. „K. Bauer ?"*
> *Unbekannt: „Oui".*
> *d. G. : „Wieviel Zeit ?"*
> *Unbekannt.: „K. Bauer !"*
> *d. G. „Oui !"*

# 28

Es vergingen einige Stunden, bis Nora und Berger sich einen Überblick über den Inhalt in dem Raum verschafft hatten. De Galbain
hatte sie nicht allein gelassen.

Spargel saß vor einem großen Karton voller Fotos und wühlte sum-
mend darin herum, als sich die Tür öffnete und de Galbain mit einer
Kanne Kaffee zurückkam und ihn in einige leere Tassen goss.

Gerda lag auf einer schmalen Liege und hielt sich, über Kopfschmerzen klagend, ihre Stirn.

„Doktor Jaffour kommt nachher", sagte der Hagere und setzte sich
zu ihr auf die Kante eines Hockers.

Berger zog aus einem Stapel Manuskripte ein beliebiges Blatt heraus. Es war jenes Blatt, welches er schon einmal in der Hand gehalten hatte:

Artus vor der leeren Tafelrunde, welches den Hinweis auf Uther
Pendragon enthalten hatte, nun jedoch ohne irgendwelche Beschrif-
tung auf der Fotokopie, doch statt dessen umrundeten die Namen
der vierundzwanzig Ritter der Tafelrunde die weiße Fläche.

‚ Vierundzwanzig', dachte Berger, ‚genau wie bei der Spirale mit
dem Templerkreuz'.

Er wandte sich unversehens zu de Galbain.

„Sagen Sie mal, sind Sie aus Frankreich?"

„Warum fragen Sie? Ach, Sie meinen wegen des Namens? Ja, ich
bin Franzose und vielleicht sollte ich Ihnen noch etwas zu meinem
Namen sagen."

Er setzte die Kaffeetasse ab und erzählte in groben Zügen die Geschichte seiner Familie, beginnend mit Jean de Galbain, dem vor lan-
ger Zeit verstorbenen Ahnen, der den Gral ins Asyl gebracht hatte
und er berichtete weiter, dass der jeweils älteste Sohn der Familie de
Galbain die Aufgabe übernahm, der Bote des Grals zu sein, ja, dass
sie allesamt eine Art Wächter seien und zwinkerte dabei, als sei er
erregt, mit dem Lidern seiner Augen.

„Wenn Sie so nah am Gral stehen, wie Sie behaupten", warf Nora
ein, „wieso wissen sie dann nicht, wo er sich befindet?"

De Galbain zögerte leicht.

„Wissen Sie, die letzten Kriege, vor allem der Krieg von 1914 bis 1918 hat sehr viel zerstört, was mit dem Gral zusammenhing. Das Haus, in dessen Kellern die Schriften aufbewahrt wurden, ist gesprengt worden und alles brannte aus. Es blieb nur sehr, sehr wenig brauchbares übrig. Das was ich weiß, erfuhr ich von meinem Vater und der wusste es wiederum von seinem Vater. Einige wenige Schriftfragmente konnte zwar gerettet werden, aber dies genügt nicht. Wir müssen den Gral finden, um ihn zu schützen."

„Wenn der Ort so unbekannt ist, genügt dies nicht als Schutz?"

Wieder spürte Berger das merkwürdige Gefühl in sich, welches er nicht beschreiben konnte.

Erneut zögerte der Franzose.

„Sicher, auf die einen Art stimme ich Ihnen zu, aber es ist besser, wenn ihn die... die weißen *Schachfiguren* finden und schützen, um bei dem schon einmal genannten Beispiel zu bleiben, als wenn ihn die *Dunklen* zufällig finden und dann missbrauchen. Aber ich glaube, wir sollten einmal zusammentragen, was Sie noch wissen, das, was hier nicht zu finden ist."

Berger legte die Fotokopie beiseite und Nora beugte sich über eine Karte Europas und stach eine Stecknadel dorthin, wo die Externsteine sich befanden. Sie schien mit de Galbain arbeiten zu wollen, der sie mit ihrer Schwester zusammen gebracht hatte und auch der Fotograf nickte. Berger schwieg.

„Da waren wir und der Felsen war 16° Grad und auch 32° Grad gedreht, wenn man das Bild zur Grundlage nimmt", sagte sie und deutete auf die Mona Lisa.

De Galbain hörte interessiert zu und reichte ihr ein Geometriedreieck, um welches sie ihn bat, um dann damit die so ermittelten Achsen auf die Landkarte zu übertragen und mit einem Bleistift die Linien bis zum Kartenrand zu verlängern.

Die eine Linie deutete nach Süden, über das Saarland hinweg, quer durch Frankreich über die Pyrenäen, durchzog die Ostküste Spaniens und endete über Marokko laufend im Atlantik.

„Ich glaube, der Norden braucht nicht beachtet zu werden", meinte de Galbain und wischte über die Karte, denn die Achse verlängerte sich über die dänischen Inseln hin nach Schweden und traf am Kartenrand auf Lappland, „denn der Gral ist keine skandinavische Sache."

„Und was ist hier?"

Spargel hatte die Fotokiste beiseite gestellt und beugte sich zu den anderen, während Gerda immer noch auf der Liege ruhte und zeigte nach Westen hin.

„Auch schwer zu sagen", erwiderte Nora und zog die abweichende 16° Gradachse nach, die über die Niederlande, über England und Irland ebenfalls im Atlantik endete.

„Wenn wir die Linie weiter verlängern, kommen wir nach Alaska", bemerkte sie, „und in der anderen Richtung geht es zum Kaspischen Meer."

„Sicher, da endet ja auch die Karte."

Berger schenkte sich erneut einen Kaffee ein.

„Also scheint erst einmal die Linie über Frankreich von Wichtigkeit zu sein und auch England sollten wir berücksichtigen", sinnierte de Galbain.

„Sicherlich", nickte Spargel.

Es klopfte an die Tür und ein Mann trat ein.

„Harold ist da", sagte er, ohne sich vorzustellen.

Gerda erhob sich und Berger sah kurz von den Linien der Karte auf und sah die roten Haare des Hereingetretenen.

Innerlich wurde ihm eiskalt.


„Entschuldigen sie, aber ich bin ganz schön müde", gähnte Berger und verwies auf den fehlenden Schlaf der vergangenen Nacht.

„Kann ich mich irgendwo etwas hinlegen?"

„Hinlegen?" echote de Galbain. „Aber selbstverständlich."

Er drehte sich zu Nora und sah sie fragend an, die einen unbemerkbaren leichten Stoß von Berger erhielt.

Gekünstelt gähnte sie etwas.

„Wenn es möglich ist, aber nur ein wenig", sagte sie und kreiste mit den Schultern, um dort Verspannungen herauszulockern.

„Ich bin topfit", warf Spargel dazwischen und griff erneut nach dem Karton mit den Fotos, um darin herumzukramen.

„Kommen Sie", wies der Franzose zur Tür und ging dann durch einen fensterlosen Gang voran, von dem einige Türen abgingen und der von Neonlicht erhellt wurde. Der Franzose brachte sie in ein Zimmer, in dem ein modernes Bett zur Ruhe einlud und abstrakte Malerei in einfachen Rahmen die Wände zierte. Vor dem Fenster stand eine dicht gepflanzte Tanne, sodass man das davor angebrachte Gitter kaum sah.

Berger legte den Finger auf Noras Lippen.

„Pst."

Nora stutzte und der Journalist redete absichtlich laut:

„Gut dass wir den Franzosen getroffen habe. Ein toller Mann und was er für Deine Schwester getan hat, ist echt prima!"

Verständnislos sah Nora ihn an und wieder legte er unauffällig den Finger erneut auf ihre Lippen und gähnte laut.

„Ich bin müde, komm Nora."

Nochmals gähnte er laut, setzte sich auf das Bett und zog die Frau an sich heran, wobei sein Mund ihr Ohr suchte und er flüsterte leise:

„Sei leise, ich traue dem Ganzen hier nicht. Hast du die Gitter am Fenster gesehen?"

Er hielt ihren Kopf fest und Noras Augen wanderten zu dem angegebenen Ort, während Berger leise weitersprach:

„Hast du den Mann vorhin gesehen..., er hatte rote Haare, wie der Typ an Kolbes Hütte..., und dann auch noch der Akzent."

Nora schüttelte den Kopf.

„Von wegen schwarz-weiß", flüsterte er, „nur schwarz! Außerdem..."

„Du meinst ...?"

Nora ließ die Frage im Raum stehen und Berger nickte.

„Sicher. Nur Schwarz. Irgendwie ist das ein blödes Spiel, in dem wir uns befinden."

„Aber was ist dann Weiß? Wer ist Weiß? Und was sollte der ganze Unfug... mit Xanten und so?"

„Ich hab' keinen Schimmer", erwiderte Berger ratlos und drehte sich auf der Liege etwas herum und gähnte erneut. Dann flüsterte er: „Irgendwie glaube ich auch nicht richtig, dass dieser Kolbe für ihn arbeitet, denn dann hätte Kolbe ihm die Lanze gegeben und nicht im Eisbären versteckt. Wir geben sie ihm jedenfalls nicht. Ich glaube, er weiß auch nicht, wo sie ist, sonst hätte er uns bestimmt durchsucht, oder uns direkt danach gefragt."

Berger ließ Nora etwas widerstrebend aus seinem Arm und seine Augen durchsuchten systematisch den Ruheraum, bis er einen winzigen, glänzenden Punkt, nicht viel größer als eine kleine Linse, in mitten des abstrakten Bildes entdeckte, auf das sie direkt schauten. Er drehte sich erneut zu Nora und flüsterte weiter:

„Im Bild ist irgendwas, ein Mikrophon oder eine Kamera, vielleicht beides."

„Wolf", Nora schlang ein Bein eng um seinen Körper, „wir müssen hier weg..." Sie atmete flach und fuhr fort: „Aber was ist mit Gerda und Spargel?"

„Pst", flüsterte er erneut und schweigend näherten sich seine Lippen den ihren und Sie ließ sich die Berührung gefallen. Die vermeintliche Kamera schien vergessen. Ihre Hände strichen über die Körper, während sie fast beiläufig die Kleider auszogen und sie dann unter die dünne Bettdecke schlüpften, wo sie die Einheit suchten und fanden, die jedoch nicht die Entspannung brachte, die sie gewünscht hatten, denn das Gefühl manipuliert zu werden war in ihrem Innersten zu groß.


## 29

Nach einigen Stunden in denen sie etwas vor sich hingedöst hatten, klopfte es an der Tür und der Franzose steckte den Kopf in das Zimmer.

„Ah, Sie sind wach", bemerkte er, als ihn die beiden ansahen.

„Ich dachte, Sie mögen vielleicht zu Mittag essen. Ich habe etwas zubereiten lassen."

„Danke, „ sagte Nora, „wir kommen sofort."

De Galbain schloss die Tür und er stand noch immer davor, als Berger und Nora angekleidet aus dem Raum traten und ging ihnen voran in ein mit Antiquitäten ausgestattetes Zimmer, in dem Spargel und Gerda bereits an einem gedeckten Tisch saßen. Sie setzten sich zu ihnen.

Aus einem Erker des Raumes trat ein dunkelhaariger Mann, der sich mit einer leichten Verbeugung vorstellte:

„Guten Tag, ich bin Doktor Jaffour."

Er wandte sich zu Nora.

„Ich helfe Ihrer Schwester ein wenig. Falls Sie medizinischen Rat brauchen…?"

„Danke. Ich werde mich dann an Sie wenden."

Nur schwer konnte Nora sich beherrschen, die auch hier das vergitterte Fenster bemerkte, während de Galbain, ganz Gastgeber, eine Vorsuppe auf die bereitstehenden Teller schöpfte, die Spargel sofort zu löffeln begann.

„Ich hoffe, Sie haben sich gut ausgeruht", sagte er zu Nora und Berger gewandt und setzte sich an die Kopfseite der Tafel.

„Ein prima Bett war es", antwortete Berger etwas flapsig und spielte ein Lächeln auf das Gesicht, das er auch noch dann beibehielt, als er ebenfalls die Gitter vor dem Fenster bemerkte.

„Sagen Sie, Herr de Galbain…, die Gitter…, überall?"

„Ach die? Nun, ich sagte doch, wir sind hier in Sicherheit. Außerdem ein guter Schutz gegen Einbrecher und sonstige Eindringlinge", erwiderte der Franzose etwas zu rasch und deutete dann auf die Speisen.

„Bitte greifen sie doch zu."

Berger blies über die dampfende Suppe.

‚Eindringlinge ist gut', dachte er bei sich, aber auch das Herauskommen ist schwer' und schaute den Gastgeber dann direkt an:

„Was ist eigentlich mit diesem Alex Kolbe?"

„Der liegt oben unter Bandagen verpackt", antwortete Doktor Jaffour und ergänzte: „Bei ihm mussten wir etwas mehr machen als bei Frau Rahner."

„Ja, wie geht es Alex?" fragte nun auch Nora.

„Gut", war die knappe Antwort.

Berger kniff die Augen zusammen.

„Ich würde ihn gerne sehen."

„Ich führe Sie nach dem Essen zu ihm."

De Galbain schaute nicht auf.

Das Essen war gut und die Unterhaltung plätscherte dahin. Unwesentliche Dinge kamen zur Sprache, Vermutungen, Ahnungen, Deutungen, doch weder Nora noch Berger erwähnten die Existenz der Lanze in diesem Raum. Nora drückte die Beine zusammen und spürte ihren Krambeutel, der auf dem Boden stand, dazwischen eingeklemmt.

Spargel berichtete von den unzähligen Fotos, die alles Mögliche zeigten:

Skulpturen der Griechen, Pyramiden, Gemälde verschiedenster Epochen, Menschen, Berge, einige Bilder von Lhasa, Buddhistische Mönche und immer wieder Zahlenkolonnen und Landkarten.

„Es ist wie ein Puzzle, nur mit sehr vielen Teilen und man weiß nicht, welches Bild man zusammensetzen soll", schloss er und der Franzose nickte.

„Wir sollten uns nachher einmal näher mit den Achsen beschäftigen, die Sie, Frau Rahner eingezeichnet haben. Aber sicherlich möchten Sie zuerst zu Herrn Kolbe?"

„Natürlich."

Gerda klagte erneut über Kopfschmerzen und legte sich auf die Ottomanen, welche nahe beim Fenster stand.

Berger stand auf und die anderen taten es ihm gleich. Sie folgten de Galbain in die obere Etage des Hauses zu einer Tür, vor welcher der Rothaarige saß und in einer Zeitung blätterte. Ohne anzuklopfen traten sie ein und Berger bemerkte auch hier sofort die Vergitterung des Fensters.

In einem Krankenbett, dessen Farbe etwas abgeschlagen war, lag jemand, dessen Hände festgeschnallt waren und dessen Gesicht mit einer dicken Bandage umwickelt war. Ein dünner Schlauch führte von seinem Mund zu einem Gestell, an dem eine Flasche mit milchiger Flüssigkeit hing, woran der im Bett liegende gerade saugte.

„Sie haben Besuch, Herr Kolbe", begrüßte de Galbain den Bandagierten und deutete auf seine Begleiter, die hinter ihm standen.

Ein Brummen war die Antwort und die nicht verbundenen Augen schienen panikartig hin und her zu fliegen.

„Es geht ihm schon besser", sagte Doktor Jaffour, der nun auch in den Raum getreten war.

„Wir mussten ihn anschnallen, weil er sonst nicht ruhig liegen und sich dauernd kratzen würde. Die Narben, die dadurch entstehen, wären nur schwer zu korrigieren."

Als hätte er es geahnt, nahm er Bergers Frage nach dem Anschnallen vorweg. Der Verbundene brummte wieder und starrte zu Nora. Ein klares Wort war nicht zu verstehen.

„Wann wird der Verband entfernt?"

Nora trat an das Gestell mit der Flüssigkeit.

„In zwei oder drei Tagen. Die Flüssigkeit ist übrigens eine vitaminreiche Nährlösung, das wollten Sie doch fragen, nicht?"

Der Arzt lächelte sie an.

„Das Essen von vorhin, hätte er schlecht zu sich nehmen können, denn wir haben auch an dem Kiefer etwas gemacht. Bei Ihrer Schwester war es einfacher."

Doktor Jaffour beugte sich zu einer Kommode, auf der einige Medikamente standen und zog eine Spritze auf, die er danach in den Hals des Mannes stach, der zusammenzuckte und die Augen schloss.

„Er schläft schon. Es ist nur ein Beruhigungsmittel."

Der Arzt legte die Spritze beiseite und de Galbain wies zur Tür.

Gerda lag immer noch auf der Schlafliege und hatte ein feuchtes Tuch über ihre Augen gelegt. Sie schien eingeschlafen zu sein und der Arzt strich ihr sanft über das Gesicht und setzte sich neben sie. Man ließ die beiden allein und ging erneut in den Raum, in dem alles lag und stand, was Ottmar Rahner einst in seinem Haus aufbewahrt hatte.

„Schauen wir doch mal", sagte der Franzose und beugte sich erneut über die Europakarte und folgte mit dem Finger der eingezeichneten Linie, die sich von den Externsteinen hin nach Marokko zog.

Spargel stand neben ihm und zeigte auf die Karte.

„Da, der Montségur!"

„Ja, richtig, der Montségur", wiederholte de Galbain, während Spargel sofort daran ging, in der Kiste mit den Fotos herumzukramen und einige Aufnahmen der Burgruine herausholte. Aufnahmen, die eindrucksvoll zeigten, wie mächtig die Burg einst gewesen sein musste.

„Das scheint es zu sein?"

De Galbain atmete tief aus.

„Erst die Katharer und dann die Templer als Herren der Gralsburg."

Berger und Nora schwiegen.

„Und die andere Linie?"

Spargel deutete erneut auf die Karte und auch hier wanderte der Finger des Franzosen suchend entlang, aber außer einer Vielzahl von Orten in den Niederlanden, England und Irland fanden sie nichts.

Wo war die Verbindung zu finden?

Gab es eine Verbindung?

De Galbain griff zum Handy und wandte sich dem Fenster zu. Er schien eigentlich nicht zu sagen, nur etwas zu hören, obwohl Berger glaubte, einmal das Wort „Bauer" zu vernehmen.

Nach dem eigenartigen Telefonat flüsterte er kurz mit Doktor Jaffour und wandte sich dann zu den anderen.

„Ich hoffe, sie können uns entschuldigen, aber wir müssen Sie kurz allein lassen. Sichten sie doch bitte weiter und wenn sie etwas benötigen, rufen Sie bitte nach Harold."

„Ist das der mit den roten Haaren?" fragte Nora und der Franzose nickte, bevor er mit dem Arzt zusammen den Raum verließ.

Spargel, ganz in seiner Fotowelt aufgehend, widmete sich erneut dem großen Karton und begann die Aufnahmen nach Motiven zu ordnen, während Berger sich setzte und die Reproduktion der Mona Lisa betrachtete. Auch hier hatte er das Gefühl durch eine Kamera beobachtet zu werden und sicherlich waren auch einige Mikrophone versteckt worden, aber er unterließ es, nach ihnen zu suchen und nahm die mögliche Existenz als gegeben hin. Zu verworren schien das alles zu sein.

Nora hatte sich einem Stapel Bücher zugewandt, die sie dort öffnete, wo ein Blatt Papier eingelegt oder ein sonstiges Lesezeichen steckte, was ihr Vater wohl getan hatte, um wichtiges schneller zu finden, doch was war hier wichtig?

„Schau mal, wie eine Spinne," sagte sie und riss Berger aus seinen Gedanken, während sie eine Zeichnung hochhielt, die Berger schon einmal gesehen hatte, als Mosaik in einem verschlossenen Raum, der einst mystische Bedeutung haben sollte, das Mosaik der sogenannten *Schwarzen Sonne*, welches den Boden einer Halle in der Wewelsburg zierte.

„Zeig' mal her."

Ja, es war die Zeichnung des Bodenmosaiks. Zwölf Strahlen die sich überkreuzten, verhakten und am Ende abknickten, so wie Kinder Blitze zeichnen würden. Ohne zu wissen warum, faltete Berger das Blatt zusammen und steckte es abgedeckt ein, bevor er zu Nora ging und flüsterte:

„Wir müssen hier raus. Schau Dir doch auch einmal Deine Schwester an, sie verhält sich auch merkwürdig, so wie in Trance. Auch oben der Mann, der Kolbe sein soll. Hast Du nur den gehetzten Blick in seinen Augen gesehen?"

Im Hintergrund räusperte sich Spargel und zog ein Foto hervor.

„Was ist das?"

Sie sahen auf eine Art Schultafel, auf der mit sauberen Blockbuchstaben das Wort „Anagramm" geschrieben stand und das Bild der Mona Lisa einrahmte. Wie schon so oft, zuckte er mit den Schultern. Alles war so verwirrend.

Anagramm?

„Wortumstellung", sagte er leise zu sich, „Wortumstellung ... hm."
Plötzlich schlug er sich mit der flachen Hand vor die Stirn.
„Mensch Berger!"
Er nahm ein Blatt Papier und zog Spargel den Kugelschreiber aus
der Hand und begann zu schreiben ... Mona Lisa... Amon Lisa ...
Aomn Slia... Die merkwürdigsten und befremdlichsten Worte wurden gebildet, Wörter die kunstvoll klangen und Worte, die etwas bedeuten konnte.
Berger ließ sich in einen Sessel fallen und nagte an dem Kugelschreiber.
Die Gedanken, das Haus zu verlassen waren jetzt erst einmal beisei-
tegeschoben worden, denn das Wort Anagramm hatte Berger elektrisiert.
Natürlich, Leonardo da Vinci hatte mit Anagrammen gearbeitet,
Wortumstellungen und ähnlichem. Ganze Seiten hatte der Künstler
in Spiegelschrift gefüllt und Berger erinnerte sich an das Tagebuch
des Malers, welches im Prado in Spanien zur Schau gestellt wurde
und an den Satz, der ihn schon damals, als er vor Jahren davor stand,
verwirrte:
„Gar selten nur kehre ich wieder."
Mona Lisa... Onam Isal...
Berger schrieb alle sich ergebenden Wörter nieder. Natürlich, hätte
er jetzt gern seinen PC zur Hand gehabt, was die Sache vereinfacht
hätte, aber auch so kam er voran.
Er stand auf und mit der fertigen Liste in der Hand suchte er ein
Lexikon aus dem Stapel der aufgeschichteten Bücher heraus und
verglich die Worte.
Es war wie ein Schlag, der ihn traf, wie ein Blitz durchschlug es sei-
nen Körper, ihm wurde heiß und kalt zugleich.
Nora sah es zuerst.
„Wolf, ist dir nicht gut?"
„Ich ... ich.".
Berger stammelte und senkte schwer atmend die Stimme und
wischte sich den kalten Schweiß von der Stirn, dann drehte er das

Blatt mit den Anagrammauflösungen um und schrieb mit zittrigen Buchstaben darauf

„Ruhig, ich weiß, wo der Gral ist!"

Er hielt das beschriebene Blatt dicht vor Nora und Spargel.

„Hurra!"

Spargel lachte laut und sprang auf, während sich im gleichen Augenblick die Tür öffnete und de Galbain in den Raum trat.

„Na, so guter Laune? Es sieht aus, als wäre etwas gefunden worden, oder irre ich mich?"

Berger winkte ab.

„Ach, nichts Besonderes."

Das Lächeln und die freundliche Höflichkeit des Franzosen verschwanden im Nu. Er schnippte mit den Fingern und der Rothaarige kam in den Raum, in der einen Hand eine Videodiskette, in der anderen Hand eine Pistole, gefolgt von Doktor Jaffour.

„So? Nichts? Der Videofilm zeigt aber etwas anderes. Außerdem, Herr Berger, glauben Sie wirklich, ich benutze so primitive Mikrophone, die Sie mit einem Flüstern übertölpeln können? Sie wissen doch, dass man mit jedem Telefon jeden Raum abhören kann, mit jedem Fernseher, jedem Radio. Das ist doch schon vor zwanzig Jahren gemacht worden."

Höhnisch grinste er Berger an.

„Was soll das?"

Berger schrie.

„Von wegen schwarz-weiß! Nur Schwarz, Sie Scheißkerl! Man, waren wir blöd! Wir sollten die Drecksarbeit machen...", er rang nach Luft, „Ihnen ist doch scheißegal, was passiert, Sie wollen doch nur den Gral!"

„Aber, aber. Jetzt bleiben wir alle einmal ganz sachlich und ruhig."

De Galbain hob die Hand.

„Dreckskerl!" schrie nun auch Nora und hörte im Nebenraum Gerda stöhnen.

„Doktor Jaffour gibt Ihnen allen eine kleine Spritze und dann werden Sie gleich viel ausgeglichener und wir plaudern ein wenig... und dann geben Sie mir die Lanze."

Der Arzt öffnete eine kleine, mitgebrachte Schatulle, in der mehrere bereits aufgezogene Spritzen lagen, nahm eine heraus und drückte die darin befindliche Luftblase heraus, so das ein kleiner Tropfen die Nadel herabglitt.

„Wer möchte als zuerst?"

Auch der Arzt grinste hämisch.

„Ich!"

Berger machte einen Schritt nach vom und trat dem Arzt mit voller Wucht zwischen die Beine. Reflexartig schlug er dabei die Hand zur Seite und die Spritze stach sich in de Galbains Arm, der laut aufschrie.

Der Rothaarige schoss und Papierfetzen flogen beiseite, Papierfetzen in der Hand Spargels, die gerade noch Fotographien waren. Spargel ließ den Karton fallen und kippte vornüber.

Berger drehte sich weg und griff die Hand mit der Waffe, während der Franzose schwankend in die Innentasche seiner Jacke griff.

Nora schlug ihn mit einem dicken Folianten auf den Kopf und mit einem stöhnenden Laut sackte er in sich zusammen. Der Arzt drückte sich zusammengekrümmt an die Wand und wieder fiel ein Schuss, der das Fenster zerbersten ließ. Draußen bellten die Hunde wie wild und Berger umklammerte immer noch das Handgelenk als ein weiterer Schuss fiel der den Rothaarigen aufstöhnen ließ. Die Kugel hatte sich in seine Schulter gebohrt und im selben Augenblick schlug Nora erneut mit dem Folianten zu. Der Rothaarige brach zusammen und sein Hemd färbte sich blutrot.

„Weg hier, Nora!"

„Und Gerda und Spargel?"

Berger beugte sich über den Fotografen. Spargel atmete nicht mehr. Berger biss die Zähne zusammen. Sein Freund war tot.

„Wir müssen weg", wiederholte er und bückte sich nach der Schatulle mit den Spritzen und durch den Anzug hindurch stach er eine davon in den Arm des sich noch immer krümmenden Arztes.

„Fessele Sie!" wies er Nora an.

„Womit?"

„Egal, irgendwas!"

Er nahm die Waffe aus der Hand des Rothaarigen und verließ den Raum, während Nora ihm folgte und die Vorhänge aus dem Speisezimmer in Streifen riss und dann die drei auf dem Boden liegenden fesselte.

Berger rannte die Treppe hoch und öffnete die Tür in dem der Bandagierte lag, der ihn mit unruhigem Blick anstarrte und nasal stöhnte.

„Geht es Ihnen gut?" fragte Berger eigentlich nur, um etwas zu sagen. Die Augen schlossen sich kurz, was wohl eine Zustimmung bedeutete.

„Kommen Sie!"

Berger öffnete die festsitzenden Schnallen der Bettfesselung, zog den dünnen Schlauch aus dessen Mund und hob den schweren Mann ächzend auf einen bereitstehenden Rollstuhl und schob ihn eilig den Flur entlang, wo Nora ihn schon erwartete. Gemeinsam, seine Arme über ihre Schultern gelegt schleppten sie ihn die Treppe hinab und setzten ihn auf einen Sessel.

Der Mann, der als Kolbe bezeichnet wurde, stöhnte laut und gab rhythmische Laute von sich, die er ständig wiederholte.

„Aufpassen?" riet Berger.

„Auspacken?" riet Nora und der Mann nickte.

Berger löste die Klammern des Verbandes, und wickelte den Stoffstreifen, der den Oberkörper mit überkreuzte ab. Der Mann reckte sich stöhnend. Im Gesicht war keinerlei Narbe zu erkennen und beim Recken sah Berger eine kleine Tätowierung in der Achsel des Mannes, jenes Zeichen, das Nora für eine Art Spinne gehalten hatte.

„Sind Sie in Ordnung?" fragte sie und der Mann nickte.

„Sicher, danke! Ich bin Alexander Kolbe, mit wem habe ich das Vergnügen?"

„... Ah Nora?"

Er schien Nora Rahner erkannt zu haben.

„Natürlich, das hier ist Wolf Berger..., mein ... Freund", fügte sie hinzu und Berger nickte lächelnd.

„Gut dass die Show zu Ende ist. Ich hätte das wohl nicht mehr lange durchgehalten."

„Show?"

„Klar doch, es gab keine Operation, wenn Sie das meinen, reine Show, für Sie, nehme ich doch an."

Seine Stimme klang noch etwas lallend.

„Und wer ist das?" fragte er und deutete auf Gerda, die immer noch auf dem Ottomanen schlief.

Nora schaute auf.

„Na, Gerda, meine Schwester."

„Das ist nicht Gerda, das..." erwiderte Kolbe.

„Aber doch, die Operation... ."

„Es gab keine Operation. Gerda ist tot."

„Das haben wir doch auch erst gedacht, aber..."

„Nein, Sie verstehen nicht, Gerda ist wirklich tot. ...ich war dabei."

Verständnislos sahen Nora und Berger auf den Mann, der nur mit einer Unterhose bekleidet, noch immer in dem Sessel saß und sich immer wieder über die Augen wischte.

„Also..., nach dem Attentat, welches Gerda übrigens nicht so ausgeführt hat, wie es aussah..., ja, ich weiß schon, aber dazu später, wurde Gerda verhaftet und auch ich musste zum Verhör. Da traf mich fast der Schlag, als ich dort de Galbain sah. Seine Ahnen würden sich im Grab umdrehen, wenn sie sehen könnten, was aus ihm geworden ist... Nun gut, ich war im Nebenraum und eine Art Einwegspiegel verband die Räume."

Kolbe stockte und ihn schien ein leichter Schwindel zu überfallen. Nach einem Augenblick des Schweigens sprach er jedoch weiter:

„Also, dieser Einwegspiegel..., da sah ich wie Doktor Jaffour Gerda eine Spritze gab und ihren Kopf an Elektroden anschloss, die ihre Gehirndaten auf einen Speicher übertrugen. ...Sie kennen dieses Gerät?"

Fragend sah er die beiden an, die jedoch nichts sagten.

„Wie gesagt, ich war im Nebenraum und hatte Handschellen, sowie vier Wächter neben mir. Als der Arzt ihr jedoch noch eine Spritze gab, das drehte ich durch. Ich sprang hoch, gegen den Spiegel, aber er zerbrach nicht, dafür erhielt ich einen Schlag auf den Kopf und wachte dann bandagiert auf. Grinsend erzählte mir der Franzose dann von dem Herzinfarkt und das sie Gerdas korrigierte Hirndaten auf eine andere Frau übertragen hätten. Die Frau kennen Sie ja bereits, aber ich weiß nicht, wer sie war oder ist."

„Wir auch nicht. Aber was sollte das alles?" fragte Nora.

„Spielchen. Der Franzose treibt Spielchen. Vermutlich war ihm Gerda zu gefährlich, aber er brauchte sie noch für irgendetwas, wollte aber kein Risiko eingehen..."

„...Und deshalb so eine Art lebende Puppe", ergänzte Berger und Kolbe nickte.

„Aber wieso hat Gerda nicht richtig geschossen? Oder wie meinen sie das gerade? Ich war dabei", fuhr Berger fort.

„Sicher hat sie geschossen, aber eben nicht richtig. Die Waffe, die sie hatte, das waren nur Platzpatronen mit Farbkugeln, so eine Art Gotcha, die kennen Sie doch gewiss?"

„Natürlich, aber ... ?"

Berger verstand immer noch nicht.

„Ich glaube, Ihre Gedanken gehen jetzt in die richtige Richtung. Es ist nicht alles so, wie es im ersten Augenblick ausschaut, auch wenn man selber dabei ist oder es auch selber sieht. Im Übrigen lebt Rossmann noch. Natürlich sah alles aus wie ein Attentat, aber überlegen Sie doch einmal, was wirklich war, ich meine, Sie waren schließlich dabei, Herr Berger."

Kolbe stützte sich an der Sessellehne ab und stand leicht taumelnd auf und machte einige Lockerungsübungen, bevor er weiter sprach: „Sie hörten, vielleicht sahen sie ihn auch, einen Schuss, dann eine große Panik und jeder sah zur Galerie. Niemand achtete in dieser Sekunde auf Rossmann, der nun die Leiche spielte."

„Aber meine Schwester ist dafür tot."

Der Sarkasmus in Noras Stimme war nicht zu überhören und sie musste an die unbekannte Frau denken, deren Gehirn geleert und mit Gerdas Gedanken, Gefühlen und Erinnerungen aufgefüllt worden war. War die Frau dadurch zu ihrer Schwester geworden, oder nur zu einem menschlichen Datenträger...?

„Spargel ist auch tot. Wozu? Warum? Wen nutzt das?"

Berger spürte zwar, dass hier etwas Weitreichendes ablief, in das er geraten war, aber mussten dafür wirklich so viele Menschen sterben?

„Es wird Ihnen wenig helfen, wenn ich sage, dass mir dies alles Leid tut, aber wir können die Fakten nicht ändern. Gerda wäre fort gewesen, wenn de Galbain nicht aufgetaucht wäre und vielleicht auch ihr Vater, aber auch wir haben undichte Stellen, das ist schwer vermeidbar."

Kolbe setzte sich erneut.

„Sie ... Wir ... Schwarz ... Weiß... Scheiße!" brüllte Berger plötzlich. „Mich kotzt der Mist an! Da drinnen", er deutete mit der Hand , „ist mein Freund abgeknallt worden. Von wem? ... Von Ihnen .. oder Uns .... oder Jenen... oder was? Scheiße nochmal!"

Wütend trat er vor eine Bodenvase, die polternd umstürzte und eine Wasserlache auf dem Boden schuf. Sein Gesicht lief puterrot an. Erregt schrie er weiter:

„Mich kotzt das alles an! Scheißspiel ! ... Dreck! Verdammter! Behaltet doch den ganzen Mist!"

Er riss Nora die große Handtasche vom Arm und wühlte die Lanzenspitze heraus, die sie dort verstaut hatte und warf sie quer durch den Raum, wo sie vor eine Wand prallte und klingend wie Glas zu Boden fiel. Sie zerbrach in zwei Teile, genau an jener Stelle, an der sie vor Jahrhunderten bereits einmal zerbrochen war.

Trotz seines Schwindels erhob sich Kolbe und hielt Berger an der Schulter fest.

„Lassen sie das! Bleiben Sie ruhig. Man, das ändert gar nichts ... und wieso haben Sie eigentlich die Lanze?"

„Gefunden!" trotzig schürzte Berger die Unterlippe nach vorn.

„Na, besser Sie, als der Franzose! Außerdem sollten wir von hier verschwinden. Ich brauche aber etwas zum Anziehen."

Nora nickte und lief die Treppe hinauf und kam kurz danach mit einem Arm voll von Kleidung zurück, die sie auf den Boden warf.

„Ich hoffe, davon passt etwas. Das lag oben in einem Schrank."

Mit dem Fuß verteilte sie die Sachen auf dem Boden und Berger hob einige Dinge auf, die Kolbe etwas mühsam überzog und bemerkte, dass sie etwas zu eng seien.

„Besser als nackt", knurrte Berger, der sich etwas beruhigt hatte.

„Woher haben Sie die Lanze?" fragte Kolbe dann nochmals und stützte sich auf Nora.

„Die lag in einem Kühlschrank," antwortete er und bückte sich, um die zerbrochene Lanzenspitze aufzuheben und half danach Nora, den schweren Mann zu stützen, um in den Raum zu gehen, in dem der tote Fotograf und die Gefesselten lagen.

Nora hatte gute Arbeit geleistet. Der Arzt und der Franzose saßen Rücken an Rücken eng zusammengebunden und waren ebenso ohnmächtig wie der Rothaarige.

Kolbe hielt sich an einem Regal fest und Berger beugte sich über den toten Freund, dem er noch einmal über das Haar strich.

„Mach's gut, alter Kumpel", flüsterte er und biss verbittert die Lippen zusammen, als er ihn auf den Rücken legte und seine Arme kreuzte.

„Wir müssen hier weg", meldete sich Kolbe und deutete auf den Franzosen, der sich leicht bewegte. Nora verstand und ein Schlag mit dem Folianten schickte ihn wieder in die Ohnmacht. Danach durchsuchte sie seine Anzugtaschen und zog einen Autoschlüssel hervor, an dem ein kleines Amulett hing, welches eine Burgruine zeigte unter der die Worte *Garage Copra Gisor* eingraviert waren.

„Wer fährt?"

Sie hielt den Schlüssel hoch und pendelte vor Kolbes Augen, der leicht zuckte, obwohl er sich noch immer an das Regal stützte.

„Ich", sagte Berger und griff den Schlüssel.

„Wieso war der Kerl in Gisor?" fragte Kolbe mehr sich selbst, als die anderen.

„Hä?"

Berger schaute auf: „Bloß nicht noch mehr Rätsel."

„Schon gut, später. Aber ein weiteres Rätsel gibt es noch, nämlich, wie kommen wir hier heraus?"

Berger grinste hämisch und brummelte vor sich hin: „Armes Auto...“.

Kolbe stützte sich etwas an der Wand ab und folgte Nora und Berger durch die Tür in die Garage.

„Was ist mit der Frau?“ fragte Nora.

„Was soll mit ihr sein?“ erwiderte Berger und setzte sich hinter das Lenkrad, während Nora Kolbe beim Einsteigen half.

„Sie bleibt hier. Spargel bleibt ja auch hier.“ Wut klang aus diesem Satz. „Wir können ja von irgendwo aus die Polizei verständigen.“

„Sicher“, stimmte auch Kolbe zu und alle drei wussten, dass sie es nicht tun würden.

## 30

Berger startete den Wagen, drückte den Rückwärtsgang hinein und setzte wuchtig zurück, wobei er durch den Aufprall des Fahrzeuges nach vorne geschleudert wurde und sich wunderte, dass der Airbag nicht ausgelöst wurde. Nora schlug auf das weiche Polster der Kopfstütze vor ihr auf, während Kolbe sich am Gurt festhielt.

„Festhalten!“ rief Berger und wiederholte das Manöver noch einmal. Berstend flogen die Torflügel auseinander und eine arg zerbeulte Limousine setzte rückwärts aus der Garage, umsprungen von den wild kläffenden Hunden, die keine Scheu vor dem wild drehenden Wagen zu haben schienen.

Berger drückte aufs Gaspedal und raste den Zufahrtsweg entlang auf das ebenfalls geschlossene Zauntor zu, von dem ein Torflügel beim Aufprall des Fahrzeuges krachend aus den Angeln gerissen wurde und auf die Wiese davor flog, bevor Berger schleudernd auf die Landstraße bog und davonjagte, bis er den Eindruck hatte genügend Abstand zu dem Haus de Galbains gewonnen zu haben. Den fahrenden Schrotthaufen stellten sie hinter einem Gebüsch nah einem Feldweg ab, denn die nachschauenden Blicke einiger Passanten waren doch sehr auffällig. Ein Fußmarsch brachte sie ins nächste Dorf und ein dort herbeigerufenes Taxi fuhr sie nach Münster, denn

Nora hatte nicht nur den Autoschlüssel an sich genommen, sondern quasi als Schmerzensgeld, auch die gesamte Barschaft des Franzosen.

Münster, die Stadt, in der sie die ersten Hinweise zu diesem *Spiel* erhalten hatten.

„Wir sollten zu Glaubert gehen", meinte Kolbe, dem es nun bereits besser zu gehen schien.

„Nein", erwiderte Berger, „De Galbain erwähnte einmal, dass er ihn kennen würde."

Kolbe pfiff durch die Zähne.

„Deshalb also...".

„Was?"

„Schon gut."

„Also, was nun?" Nora fasste fragend nach.

„Ich glaube, wir sollten uns schleunigst, absetzen, denn de Galbain hat viele Verbindungen."

Kolbe kniff die Augen zusammen.

„Und ich glaube, dass wir jetzt endlich einmal erfahren sollten, was hier wirklich los ist..., der ganze Mist ... und Ihre Fesselung und so."

Nora stemmte die Fäuste in ihre Taille und schaute zu dem Universitätsgebäude, auf dessen großen Parkplatz sie standen.

„Gut", antwortete Kolbe, „ich erzähle es Ihnen. Machen wir eine kleine Geschichtsstunde daraus, aber nicht hier, denn das wird etwas länger dauern. Wir sollten uns zurückziehen."

„Wohin?"

Berger sah den großen Mann fragend an, der sich etwas zu ihm beugte.

„Ganz einfach, an einen nicht greifbaren Ort, wie wäre es mit einem Zug? Ich glaube, wir sollten zu Rossmann fahren."

Berger stutzte und Nora schüttelte den Kopf.

„Wie bitte?" klang es fast gleichzeitig aus ihren Mündern.

„Sicher, de Galbain erzählte doch sicher von dem schönen Spiel... Schwarz - Weiß, meine ich. Willkommen auf der weißen Seite."

„Scheiße!"

Es schien Bergers Lieblingswort zu werden und er spuckte verächtlich auf den Boden.

„Aber ich bekommen einen Fensterplatz", stellte Nora fest.

‚Egal', dachte Berger, ‚jetzt ist eh' alles egal ... Rossmann lebt?'

Nun gut, auf zu Rossmann!

Der Zug war nur wenig gefüllt und wenn es stimmte, was Kolbe gesagt hatte, würden sie in gut drei Stunden in Goslar sein, von wo es dann weiter in den Harz ginge.

Nora saß am Fenster und Berger zog die Vorhänge des Abteils zu. Monoton ratterten die Räder über die Schienen und der Zugservice servierte einige Kaffee.

Nora zündete sich eine Zigarette an. Das Nichtraucherschild ignorierte sie.

„So, Herr Kolbe, dann erzählen Sie mal, die Geschichten von de Galbain kennen wir ja schon. Mal sehen, was Sie uns so auftischen."

Die Fahrt des Zuges über eine Weiche ließ den Kaffee etwas über den Tassenrand schwappen und Berger strich unauffällig über die Pistole, die er immer noch in der Hosentasche trug. Er spürte den Nagel der Lanze gegen seine Rippen drücken.

Kolbe räusperte sich ein wenig.

„Ich weiß nun ja nicht, was sie alles wissen und vielleicht wiederhole ich auch Dinge, die Sie schon kennen, aber wir sollten der Reihe nach vorgehen."

Nora lupfte den Vorhang ein wenig zur Seite und schaute auf die daran herabrinnenden Tropfen des eingesetzten Regens. Auch Sie wollte endlich wissen, was hier ablief.

Berger wurde ungeduldig.

„Fangen sie schon an ... warum die Bandagen und so..."

„Wie würden sie jemanden fesseln oder verstecken? Irgendwo in einem Keller, mit Klebeband über dem Mund und sowas in dieser Art?"

Seine Hand strich sich über den wohl verspannten Nacken.

„Das wäre Quatsch. Der Franzose versteht sein Geschäft, deshalb die Binden, denn schließlich wollte man Ihnen etwas vorspielen."

„Warum? Ich verstehe das nicht." Nora zog den Vorhang wieder zu und sah Kolbe an.

„Nun, sie suchen zwei Dinge, die Lanze und den Gral und..."

„Wer sind *Sie*?"

„Unterbrechen Sie mich doch bitte nicht dauernd. Also, sie suchen zwei Sachen, die Lanze und den Gral. Wo die Lanze war, ist allgemein bekannt gewesen, so brauchte man sich nicht darum zu kümmern, die war sicher verwahrt in der Wiener Hofburg, somit fast jederzeit erreichbar. Natürlich gesichert mit einer Alarmanlage und dem dazugehörigen Zeug, aber erreichbar. Wichtiger ist eigentlich die Suche nach dem Gral."

„Aber...", erneut fiel Berger Kolbe ins Wort doch, Noras kurzes „Lass ihn ausreden" und ihre Hand auf seinem Arm beruhigten ihn.

„Ich bin ja schon ruhig", muffelte er.

„Wie gesagt, der Verwahrort der Lanze war bekannt, nur zwischenzeitlich wurde sie geklaut."

Kolbe grinste.

„Nämlich von mir!"

Man sah ihm den Stolz an, mit den ihn diese Tat erfüllte.

„Geklaut?"

„Wolf!"

Berger brummte.

„Erinnern Sie sich? Sie sagten mir, Sie seien Journalist und müssten es eigentlich wissen, dass es vor einiger Zeit in der Wiener Hofburg einen Brand gab? Nichts großes, nur unwesentlich und auch nicht in der Nähe der Lanze. Ein Raum mit Putzmitteln brannte aus. Das war jedoch rein zufällig der Raum, über dessen Decke das Versorgungskabel der Alarmanlage führte. Beim Sicherheitscheck wurde die Anlage für wenige Minuten ausgeschaltet und die Besucher mussten die Hofburg verlassen. Fast alle, denn rein zufällig," wieder grinste er, „war Regionalminister Rossmann als Gast in dem Raum mit der Lanze und so einen Mann schmeißt man nicht einfach raus. Was konnte denn auch schon passieren, zumal er mich persönlich als Wächter vor die Vitrine stellte. Kurz und gut: Seit der Zeit steht dort ein Replikat... ein sehr gutes im Übrigen. Allerdings bekamen Sie es leider heraus, denn der Goldschmied, der es hergestellt hatte, machte einen kleinen, eitlen Fehler, denn er schlug idiotischer Weise sein Punzzeichen ein, klein und kaum sichtbar, aber Sie schauten täglich nach der Lanze. Dafür haben Sie sogar einige Goldschmiede, also Leute, die etwas davon verstehen und so flog das Ganze auf, natürlich nicht offiziell, aber Sie wussten nun, dass das Original fort war und natürlich ermittelten Sie auch, wer wann einen möglichen Zugriff hatte.

Damit begann die Jagd auf Rossmann und mich. Allerdings war Rossmann als Regionalminister halbwegs geschützt und man konnte ihn nicht so einfach abservieren. Auch ich war durch Rossmann und sein Umfeld nicht ganz schutzlos.

Dann aber erfuhren wir, dass er doch beseitigt werden sollte, denn dadurch, dass er im Besitz der Lanze war, wurde Ihnen klar, dass er zu uns gehörte. Bei einem Routinecheck der Gene - blödes Gesetz, nicht wahr - sollte im Klinikum der Stadt Aachen ein medizinischer Fehler eintreten."

„Woher wissen Sie das?" fragte Nora, die ebenso wie Berger aufmerksam zuhörte.

„Ach..., auch wir haben unsere Leute."

Wieder grinste Kolbe: „Wir wollten dieser Sache zuvor kommen, deshalb das Attentat."

„Und Gerda ?"

„Gerda...," Kolbes Stimme wurde leiser und er schaute zur Decke des Abteils.

„...Gerda ...".

Es dauerte einen Augenblick, bis er sich gefasst hatte und Nora anschaute.

„Sie wissen ja, in Südfrankreich sind Sie und ich uns zuerst begegnet."

Nora nickte.

„Aber dann sah ich Gerda. Obwohl Sie sich äußerlich fast glichen, war es doch irgendwie anders."

Wieder atmete er tief aus und zögerte einen Wimpernschlag lang.

„Wir liebten uns… Ja, wir liebten uns…"
Kolbe presste die Lippen aufeinander.
„Für das Attentat brauchten wir jemanden, nein eigentlich ich brauchte jemanden, dem ich absolut vertrauen konnte. Das war Gerda. Sie schlug sich selber dafür vor. Rossmann und ich wollten es ihr ausreden, aber…Na, Sie kannten ja Ihre Schwester."
Nora nickte. Die Halsstarrigkeit Gerdas war ihr wohlbekannt gewesen, doch auch sie hatte ihren Dickkopf, eine Sturheit, die aus eigenem Stolz geboren war.
„Was geschah dann?"
„Wir haben alles durchgesprochen und Rossmann spielte bei der Ausstellung den jovialen Minister und er stellte sich absichtlich nahe ans Rednerpult. Er hatte Gerda zuvor allerdings ermahnt, genau auf die Brust zu zielen. Der Kopfschuss war ein Versehen."
„Und de Galbain?"
„Hm, er macht die Drecksarbeit für Sie, der Verräter!"
Wütend schlug Kolbe mit der Faust auf die gepolsterte Armlehne.
„Verräter?"
„Sicher! Er hat einmal zu uns gehört, so wie die ganze Familie de Galbain auf unserer Seite stand, aber dann machten Sie ihm ein Angebot. Was es war weiß ich nicht und er wechselte die Seite. Wir hatten danach einige Tote zu beklagen…, Natürlich nur Unfälle… Pah!"
„Sie? Wir? Was soll das alles?"
Berger wollte endlich mehr über die Hintergründe wissen.
„Das erklärt am besten Rossmann selbst", wiegelte Kolbe ab.
„Warum war der Franzose denn bei dem Attentat?" wollte er stattdessen nun wissen.
„Tja, warum? Wir wähnten ihn in Lyon, aber auch wir können Verrat nicht ganz ausschließen. Andererseits, außer Rossmann, Gerda und mir wusste niemand von dem Vorhaben. Vielleicht war dies einer der Zufälle des Lebens, welche man nie völlig ausschließen kann. Das Risiko eben, so wie ihr Freund, der jetzt tot ist."
Bergers Gesicht wurde wieder starr.
, Spargel', dachte er, ,… Spargel!'
„Bitte erzählen Sie weiter", drängte Nora.

„Da Rossmann ja tot war - es war so realistisch - begann man in der Nähe des Ministers nach Hinweisen zu suchen. Mein Kollege Ehlert, der andere Leibwächter, hatte einen Unfall und es blieben nur noch Rossmann und ich übrig. Lediglich wir drei waren damals in dem Raum mit der Vitrine. Ich hatte die Lanze versteckt und de Galbain kidnappte mich einfach und spielte meinem Vater dann Theater vor. Töten konnten sie mich nicht sofort, denn ich war der einzige Mensch der wusste, wo die Lanze verborgen war. Inzwischen seid Ihr ja in die Sache hineingeraten und was dann geschah, wisst ihr ja selbst bestens."

„Ich denke, die haben so eine Kiste..., äh, ich meine so ein Gerät für Gehirnströme und so. Warum wandte man das bei ihnen nicht an?" fragte der Journalist neugierig.

„Hat man auch, aber ich trage einen Brainblocker. Sie hätten nichts erreicht."

„Einen was?"

Nora schaute Kolbe an.

„Das ist so eine Art Chip, den manche von uns implantiert bekamen. Ich erkläre Ihnen das später einmal."

Kolbe schien jetzt nicht darüber reden zu wollen und Nora zog wieder an dem Vorhang des Abteilfensters herum und fragte:

„Können Sie uns erklären, was an der Lanze eigentlich so besonderes ist?"

„Ja, was eigentlich?" echote Berger, „Lanze des Longinus, bla, bla, bla ..."

„Natürlich kann ich ihnen das erklären. Fangen wir doch einfach einmal mit dem Märchenteil der Geschichte an."

Kolbe streckte die Beine aus und massierte erneut seinen Nacken.

„Die Lanze besaß einstmals ein römischer Legionär, den man Longinus nannte, der Große oder Hochgewachsene, vielleicht ein Kelte, aber wahrscheinlicher ein Germane, dessen Grabstein übrigens im Roussilion steht. Dieser Legionär diente in Palästina und er war es auch, der Jesus mit der Lanze in die Seite stach, mythisch gesagt, die Lanze bekam Kontakt mit Gott."

„Ja, ja, die Bibel."

Verächtlich schüttelte Berger den Kopf

„Ich sagte schon, es ist nur ein Märchen", entgegnete Kolbe leicht lächelnd und rutschte etwas auf dem Sitz herum.

„Lasse ihn doch ausreden, Wolf."

Nora zog die zerbrochenen Teile der Lanze aus der Handtasche, fügte sie zusammen und betrachtete sie eingehend.

„Nach Longinus", fuhr Kolbe fort, „kam die Lanze an Mauritius, den Führer der Thebischen Legion, der später einen christlichen Aufstand niederschlagen sollte. Dieser Mauritius war selber Christ und weigerte sich den Befehl auszuführen und wurde hingerichtet, zusammen mit über sechstausend Legionären... Kaiser Maximus nahm die Lanze an sich und gab sie dann als Geschenk an Konstantin weiter, den man später den Großen nannte, als dieser seine Tochter heiratete.

Konstantin kämpfte mit der Lanze an der Milisischen Brücke und setzte sich als Kaiser im römischen Bürgerkrieg durch. Anschließend geriet die Lanze nach Konstantinopel.

Die Hunnen zogen etwas später vor die Stadt und verschonten sie gegen Tribut, Gold und die Lanze, denn ihre mystische Macht war als Sage überall bekannt, doch Attila konnte ihre Macht nicht nutzen und warf sie den Römern bei der fehlgeschlagenen Eroberung Roms vor die Füße.

Nun entschwindet die Lanze für einige Zeit aus der Geschichte und kommt bei der Schlacht von Poiters wieder zum Vorschein, in der Karl Martell sie führte. Er kämpfte dort mit der Lanze und auch Karl der Franke, den die einen den Sachsenschlächter, andere den Großen nennen - je nachdem, aus welcher Sicht man Geschichte betrachtet - führte über fünfzig Feldzüge mit ihr.

Heinrich der Erste überreichte sie dem mächtigen Aethelstan von England, der sie wiederum Otto, genannt der Große, schenkte, als er Eadgita, Aethelstans Schwester ehelichte. Otto siegte mit ihr auf dem Lechfeld gegen die Reitervölker der Ungarn.

Die Lanze wanderte vom Vater auf den Sohn, von König zu König, wurde von Kaiser zu Kaiser vererbt, bis Friedrich Barbarossa mit ihr in den Kreuzzug zog.

Nachdem er im Fluss Saleph ertrunken war, brachte sie Leopold von Österreich, der später Richard Coeur de Lion gefangen hielt und an dessen Bruder John gegen Lösegeld verkaufen wollte, zurück nach Jerusalem, wo sie in die Hände des Deutschen Ordens geriet, der sie später an die Nogat, in die Marienburg brachte.

Zu jener Zeit schickten sich die Mongolen an, die Welt zu erobern. Die Lanze schien dort nicht mehr ganz sicher zu sein. Sie brauchte einen sichereren Platz und kam zurück nach Deutschland. Kaum jemand beachtete sie noch und das Zepter übernahm die Symbolstellung, welche die Lanze einst hatte.

Vor Napoleon versteckte man die Lanze in der Kaiserburg in Nürnberg, von wo sie dann in die Hofburg nach Wien gebracht wurde. Durch den Anschluss Österreichs brachte Hitler sie wieder in die Grenzen des deutschen Reichsgebietes...".

„Ja, ja sicher, und die Erde ist eine Scheibe ... und im Siebengebirge leben die sieben Zwerge mit Schneewittchen!"

Berger gähnte gekünstelt und schickte ein gespieltes Lachen hinterher.

„Machen Sie sich ruhig darüber lustig, Herr Berger", entgegnete Kolbe, ohne besonders auf die Provokation des Journalisten einzugehen, „wichtig ist doch gar nicht die Lanze. Wichtig ist allein der Nagel, jener geschmiedete Bolzen im Herzen der Lanze. Die Klinge ist nur eine schützende Hülle und als Waffe höchstens historisch interessant."

„Schön. Erzählen Sie ruhig noch mehr Blödsinn."

Berger tat gelangweilt, obwohl ihn immer noch der Gedanke beschäftigte, dass für diesen Unfug Menschen sterben mussten und öffnete das Abteilfenster einen spaltbreit und blies den Zigarettenrauch in den Fahrtwind des Zuges.

„Gewiss erzähle ich noch mehr Blödsinn."

Kolbe nahm das Wort Bergers auf.

„Haben Sie sich, als Sie die Lanze aus dem Eisbären bargen, den Mittelteil überhaupt einmal angeschaut? Sicherlich nicht, denn dann wäre Ihnen etwas aufgefallen."

Berger schnippte die Zigarettenkippe aus dem Fenster und schob es hoch, bevor er quer durch das sechssitzige Abteil ging und sich an die Schiebetür lehnte, wo er das angesprochene Metallteil aus der Innentasche seiner Jacke zog und in es der Hand wippte.

„Hier. Was ist daran so Besonderes?"

„Sie trugen es die ganze Zeit bei sich?"

Überrascht und erstaunt schaute Kolbe auf.

„Ja. Damit rechnete wohl niemand."

„Schauen Sie sich doch das Teil einmal genau an. Es sieht aus wie eine Spindel, nicht wahr? Eine Spindel, mit der man früher spann. Aber man könnte auch die Nabe eines Rades darin erkennen."

„Hm..., ja, das könnte sein, soweit man es durch die Plastikfolie sehen und fühlen kann."

„Gut, und jetzt noch etwas anderes, damit Sie wieder lästern können: Wir haben das Metall untersuchen lassen."

„Prima, ich weiß schon, die Schäfer bei Jesus Geburt haben ihm damit Wolle für die Wintersocken gesponnen."

„Nein, das nicht."

Kolbe wurde ernst: „Das Metall des Nagels gibt es auf der ganzen Erde nicht. Wohlmöglich stammt es nicht von der Erde."

Berger schwieg und Nora öffnete leicht den Mund.

„Hm?" sagte Berger nach einer Weile, „und diese Lanze machte all diese Herrscher zu den Mächtigsten in ihrer Zeit? Mich jetzt auch…?"

„Herr Berger…!"

Er steckte den Bolzen wieder in die Innentasche.

„Nein, ich sagte es doch. Nicht die Lanze ist wichtig. Nur das Herzstück ist es! Die Schneiden sind unwesentlich, es geht nur um das Teil, welches Sie soeben wieder einsteckten. Außerdem", Kolbe holte kurz Luft, „außerdem ist das Teil, so zerschmiedet es auch aussieht, innen hohl und enthält eine weiter nicht analysierbare Substanz, ähnlich in der Konsistenz wie Quecksilber Also eine Art zäher Flüssigkeit."

„Aha... und dieser Römer.."

„Longinus."

„Dieser Longinus hatte das Ding ... einfach so...“

„Nein, wie Noras Vater herausfand, besaß er nur die Lanze. Die Nabe wurde später eingebracht.“

„Wann?“

„Irgendwann am frühen Morgen... Quatsch. Das ist zum Beispiel etwas, was wir noch nicht genau wissen, denn die C 14-Methode zur Zerfallzeitermittlung von Kohlenstoffatomen, um so das Alter einer Substanz festzustellen, schlägt bei der Nabe - wenn man das Teil so nennen will - nicht an. Vermutlich wurde sie vor den Kreuzzügen oder in der Zeitepoche eingebracht. Vermutlich auch schon eher, zur Zeit der Merowinger. Im Grunde genügte der Mythos der Lanze, um zu siegen. Ich weiß nicht, wie genau Sie die Geschichte der Templer kennen...“

Nora fragte dazwischen:

„Und warum erfuhr der Franzose nichts von dem Versteck der Lanze? Er hatte doch die Mittel.“

„Richtig, aber ich sagte ihnen vorhin, das ich einen Brainblocker implantiert habe. Ich ... ich hatte eine ganz akzeptable Ausbildung. Ich war einmal bei einer Spezialabteilung der Euroarmee, Antiterror und so ... und jeder dort hatte so etwas.“

„Wie?“

„Ein Brainblocker sperrt das Gehirn für - wie sagt man bei Computern - nicht gewollte Zugriffe ab. Das bekam Doktor Jaffour ziemlich schnell heraus, deshalb auch der Zirkus mit den Bandagen und so. Eben die gute alte Zermürbungstaktik.“

„Was ist mit den Templern?“

Berger hatte von diesem ganzen Gewirr der Mythen Spekulationen, Fakten und den Toten die Nase voll.

„Glauben Sie nicht auch, Herr Berger“, antwortete Kolbe, „dass, wenn man etwas erforscht, man wissen sollte, um was es geht? Gerade Sie als Journalist sollten das doch wissen. Ich erzähle Ihnen nur das, was Ottmar Rahner auch schon herausgefunden hatte.“

„Aber Herr Kolbe, jetzt einmal Ernsthaft,“ erwiderte Berger und zündete sich mit einer etwas fahrigen Bewegung eine weitere Zigarette an, „das ist ja alles schön und gut, was Sie da von sich geben, aber es geht hier doch wohl hauptsächlich um einige Verrückte, die morden. Ottmar Rahner, den ich zwar nicht kannte ist tot, mein Freund Spargel auch und ebenso Gerda."

„Richtig", unterstützte ihn Nora, „mir reicht das blöde Spiel auch allmählich. Sollten wir nicht einfach zur Polizei gehen und sagen, was wir wissen?"

„Natürlich kann man das machen", stimmte Kolbe ihr überraschenderweise zu, „doch was meinen Sie, wie lange es dauert, bis Sie einen Unfall haben werden. Nein! Wir müssen jetzt zu Rossmann und ich glaube, gemeinsam haben wir eine Chance."

Berger warf die Zigarette achtlos auf den Boden des Zugabteiles und trat sie aus.

„Schön, dann also weiter mit der Märchenstunde."

„Ich erwähnte vorhin kurz die Templer und ich weiß nicht, was Sie von diesen wissen."

Kolbe nahm Nora die beiden Lanzenteile aus der Hand und betrachtete sie für kurze Zeit, bevor er ihr bedeutete, sie in die Tasche zurück zu stecken.

„De Galbain deutete da so etwas an."

Sie lehnte sich zurück.

„Gut. Auf die merkwürdige Vorgeschichte der Merowinger gehe ich jetzt nicht ein..."

„Da hat de Galbain...," fiel Berger erneut Kolbe ins Wort.

„Aha, also hat er Ihnen da etwas erzählt. Was hat er Ihnen erzählt?"

Berger fasste kurz zusammen, was er von dem Unfug - wie er es ansah - behalten hatte.

„So, und wie lautet Ihre Version?" fragte er dann zum Schluss und sah Kolbe an.

„Keine Version! Lassen Sie uns doch einfach dort weitermachen, wo Sie gerade endeten. Neben den Templern gab es im Süden Frankreichs die Katharer, eine religiöse Gruppe, die - um es einfach zu sagen - ein nicht kirchenoffizielles Weltbild hatten. Ihre Lehre besagte, das Gott zwei Söhne hatte: Satan und Jesus, aber das spielt keine Rolle. Die Katharer vermutete man als die Hüter eines Geheimnisses. Welches? Nun, da gibt es verschiedene Ansichten, aber ich will bei den Fakten bleiben, auch wenn Ihnen diese merkwürdig vorkommen.

Der Hauptsitz der Katharer war der *Mont Sur*, die sichere Burg, die Ihnen gewiss als Montségur bekannt ist. In dieser Burg gab es ein Sonnenzimmer, der Raum, welcher die Geheimnisse der Burg enthielt. Um es kurz zu machen: Im Jahr 1244 wurde die Burg bei einem Kreuzzug gegen diese ungläubigen Ketzer belagert, weil man dort riesige Schätze vermutete. Der typische Irrglauben, Schätze seien immer nur Gold und Edelsteine. Die päpstlichen Söldner hatten große Schwierigkeiten, die Burg zu nehmen und nur durch Verrat gelang dieses schließlich.

In der Nacht vom 15. März 1244 seilten sich vier Parfaits, also Führer der Katharer, aus der Burg ab und brachten ihren wertvollsten Besitz in Sicherheit. Anschließend ergaben sich die übrigen zweihundertfünf Menschen, die in der Burg waren, ihrem Schicksal und sprangen sogar freiwillig in die Scheiterhaufen, die bereits aufgetürmt waren.

Danach bekamen die Templer die Burg in ihre Obhut und bauten sie notdürftig wieder auf. Vor allem das Sonnenzimmer hatte es ihnen angetan. Aus Schriften, die Noras Vater gefunden hatte, wissen wir, das die vier Parfaits, die den ‚Schatz' retteten, mit dem Orden in Verbindung standen, sodass die Sicherung des Schatzes, der - um es einmal klar zu sagen - das Wissen über den Gral war, auf die Templer überging. Das Wissen, nicht der Gral, denn den besaßen die Templer schon!"

„Hm ... hm", brummte Berger, „reichlich viel Geschichte, aber das ist doch schon rund achthundert Jahre her."

„Ach Herr Berger..., was sind denn schon achthundert Jahre? Doch nur eine kurze Spanne in der Weltentwicklung."

„Na, was ist denn jetzt mit diesen Templern?"

„Sie wissen sicher, das Ende des 11. Jahrhunderts die Kreuzzüge begannen, mit denen man Jerusalem befreien wollte. Vorgeschobene

Gründe, ich weiß, aber auch darum geht es jetzt nicht, wichtiger ist etwas anderes.

Im Jahr 1118 gründete Hugo de Payens, mit weiteren acht Rittern in den Tempelruinen der Stadt, die ‚Arme Ritterschaft Christi vom salomonischen Tempel', aber erst im Jahr 1128 wurde in Troyes, merken Sie sich den Namen, der Templerorden offiziell ins Leben gerufen. Hugo de Payens wurde der erste Großmeister des Ordens, Johannes Michaelensis legte die Statuten fest und der geistige Vater war Bernhard von Clairvaux, der schon 1174 von der Kirche heiliggesprochen wurde. Das Emblem der Templer, zwei Ritter auf einem Pferd, zeigt im Übrigen auch die Lanze...

Ein Jahr nach der Gründung hatte der Orden schon über dreihundert Mitglieder und er hatte die offizielle Aufgabe, die Straßen in Palästina zu sichern, doch was taten sie? Dem Orden wurde ein Platz angewiesen, der einst zu dem alten Palast Salomons gehörte und sie begannen zu graben, verborgen vor den Augen der Öffentlichkeit suchten sie etwas... und sie fanden es!"

„Sicherlich Salomons Schatz", grinste Berger.

„Vielleicht, aber es war etwas anderes: Der Gral!"

„Verdammt nochmal, was ist das eigentlich, dieser Gral?"

Berger schien endgültig die Nase voll zu haben, aber als hätte er diesen Gefühlsausbruch nicht bemerkt, sprach Kolbe einfach weiter:

„Es ist ein Gegenstand, eine Art Gefäß, ein Behälter, dem Mythos nach eine Schale. Aber das muss nicht unbedingt richtig sein. Doch wenn Sie nachdenken, haben diese Bezeichnungen etwas Gemeinsames: Sie enthalten etwas, beziehungsweise können etwas enthalten. Sehen Sie, ich greife ein wenig vor. Den Templern wurde unterstellt, ein Haupt zu verehren, das Baphomet genannt wurde ..."

„Ich weiß ..."

„Gut, aber Haupt heißt auf Latein Caput, was man aus einer Truhe schloss deren Aufschrift lautete: Caput LVIII, also eine Truhe in der ein *Haupt* aufbewahrt wurde. Ottmar Rahner fand heraus, dass es sich um einen Lesefehler handelte, denn wenn man das Ganze als Capulum las, wobei die feinen Linien bei der Gravur III auf ein M hindeuten, erkennt jeder Lateinschüler, das Capulum oder auch Capulus, je nach Sprachepoche, das Wort für Sarg ist. Ein Sarg wiederum ist etwas, in das man etwas hineingibt. LUM alleine gelesen bedeutete Licht, also um es klar zu sagen: Behälter des Lichts.

Nun, die Templer bargen dieses, sagen wir einfach Ding, eine Sache von deren Bedeutung sie zwar wussten, aber sie wussten nicht genau, was es sein sollte.

Die wahre Bedeutung erkannten sie durch die Schriften, die sie nach dem Fall von Montségur von den Katharern erhielten. Hier erfuhren sie auch von dem Zusammenhang zwischen dem Gral und der Lanze. Den Gral verbargen sie weiter auf Montségur, denn wer würde ihn schon dort suchen?

Im Laufe der Jahre wurden die Templer immer reicher und errichteten Komtureien in ganz Europa. Die Macht und der Schatz, der jetzt auch wirklich aus Gold und edlen Steinen bestand, weckte die Gier von Papst und König, aber er weckte auch die Gier nach dem Gral, der in der Parzivalsage, die zu jener Zeit sehr populär war, als die Schale bezeichnet wurde, die das Blut Jesu aufgefangen hatte. Diese Sage wurde übrigens von Chrétien de Troyes - Sie erinnern sich? - niedergeschrieben. Wolfram von Eschenbachs Fassung ist nur eine Nacherzählung.

Das Ende der Templer wurde in der Nacht vom zwölften auf den dreizehnten Oktober 1307 eingeleitet, jener Unglückstag, der heute noch als „Freitag der 13" durch die Köpfe spukt. Die Kirche und der Staat setzten alles ein, um an den Gral zu kommen, Versprechen und Folter, aber kein Templer verriet das Geheimnis des Schatzes und des Grals. Der letzte Großmeister des Ordens, Jaques de Molay, verbrannte auf dem Scheiterhaufen und nahm sein Geheimnis mit in die ihn verzehrenden Flammen."

„Na ja, bis auf Ihre Grabungsgeschichte, ist die Historie, die Sie hier erzählen schon richtig", stimmte Berger zu, „aber da bleiben die Fragen, wo der Gral und der Schatz sind. Dem Gral sind wir ja irgendwie auf der Spur, aber..."

Berger brach ab.

‚Nein', dachte er bei sich, ‚ich sage nichts über das Anagramm der Mona Lisa, erst will ich hören, was Kolbe weiter zu berichten hat.'
Außerdem interessierte ihn auch der Umstand des ermordeten Ministers.

„Erinnern Sie sich an den Anhänger an den Autoschlüssel von de Galbain, auf dem ‚Garage Copia Gisor' stand?" fragte Kolbe.

„Sicher, der Templerschatz liegt bestimmt in einer Garage." Berger konnte es nicht lassen, dumme Bemerkungen zu machen.

„Lass ihn, Wolf", versuchte Nora den wieder aufkommenden Zynismus zu stoppen und erntete ein dankbares Nicken von Kolbe.

„Was wissen sie über den Ort Gisor, Herr Berger?"

„Da scheint eine Garage zu stehen."

„Wolf!"

„Schon gut ich weiß nicht einmal was das ist."

„Es ist kein *Was*, Herr Berger, sondern ein Städtchen zwischen Paris und Rouen. Dort ließ, im zwölften Jahrhundert der Graf von Gisor, Thibaud, eine Burg bauen ließ, dessen Mutter Adelaide de Payens war, die Schwester des Gründers des Templerordens, Hugo... . Um diese Burg stritten sich später übrigens Heinrich der Erste von England und der König von Frankreich. Papst Calixtus versuchte zu vermitteln und als Kompromiss in dem Streit, übernahmen im Jahr 1158 die Templer die Verwaltung der Burg. Die Ratgeber Heinrichs des Ersten überredeten den englischen König zuzustimmen. Einer der Ratgeber war Othon de Saint Omer, ein Bruder eines der neun Ordensgründer, und es war eine sehr feste Burg!
Jetzt machen wir einmal einen Zeitsprung.
Ihr Vater, Frau Rahner, entdeckte eine Zeitungsmeldung aus dem Jahr 1952, welche sich auf diese besagte Burg bezog und deren Inhalt etwa folgender war:
1944, mitten in den Kämpfen des zweiten Weltkrieges, erforschte der Aufseher für historische Stätten, Robert Lhomoy, die Burg von Gisor. Er untersuchte einen verschütteten Brunnen und grub mehrere Monate, bis er in etwa dreißig Metern Tiefe den Grund dieses Brunnens fand, von dem dort ein Seiteneingang abging, doch dort war nichts zu finden.

Lhomoy gab nicht auf. Wie ein Maulwurf wühlte er weiter und schleppte die Erde Eimer für Eimer aus dem Loch. Endes April des Jahres stieß er dann auf eine harte Wand aus sauber gefügten Steinen. Enthusiastisch schlug er mit dem Brecheisen in den Stein und konnte ihn dann auch herauslösen. Hinter der Wand war es hohl und er kroch durch die enge Spalte. Seine Lampe zeigte ihm etwas, dass er nie zu finden gehofft hatte. Es war ein Raum in der Art einer Kapelle. 4,79m hoch, 30 Meter lang und 19 Meter breit, also ein Volumen von 2730 Kubikmetern.

In dem Raum stand ein Altar, umgeben von neunzehn Steinsärgen und dreißig Truhen, von der jede Truhe ein Volumen von genau 7,4529 Kubikmetern hatte. Das erstaunlichste, war jedoch nicht der Inhalt. Nein, denn wenn man die einfache Wurzel der Kubikmeterzahl der Truhen zog, ergab es die Zahlenfolge des Rauminhaltes der Kapelle, nämlich 2,730. Erstaunlich, nicht wahr?"

„Sicher", sagte Berger eher gelangweilt, „aber was war in den Truhen?"

„Ach so", Kolbe zog die Nase geringschätzig kraus.

„Die Truhen waren gefüllt mit dem, was jeder normale Mensch unter einem Schatz versteht: Gold, Silber, Perlen und Edelsteinen."

„Mensch, der Templerschatz!"

Berger sprang auf und Kolbe lachte.

„Sehen Sie immer das Profane in den Dingen? Finden sie diese Denkweise der Amerikaner so erstrebenswert...? Wie groß...? Wie breit...? Wie teuer? Ermessen Sie den Wert eines Gemäldes nur nach seinem Preis? Picasso ist teuer, also ist es gut, ein Breughel kostet weniger, also ist er weniger wert oder gut?"

Kolbe schüttelte den Kopf.

„Ich dachte nur...", mit einem Halbsatz versuchte Berger sich zu entschuldigen und setzte sich wieder.

„Lhomoy wandte sich nach diesem Fund sofort an die offiziellen Stellen, aber jeder an den er sich auch wandte, schwieg, ja keine Zeitung brachte auch nur eine Meldung. Nur jene, acht Jahre später, wies kurz darauf hin. Das gesamte Gebiet der Burg und des Umlandes wurde zum militärischen Sperrgebiet erklärt und noch mehr gesichert als ein Banktresor. Heute noch! Von Lhomoy fehlt seitdem übrigens jede Spur…"

Berger grinste erneut. War das jetzt alles wahr, was Kolbe erzählte, oder band er ihm nur einen großen Bären auf, größer noch als der, den de Galbain ihm aufzubinden versuchte?

„Das Lachen wird Ihnen schon noch vergehen, Herr Berger."

Kolbe sah den Journalisten ernst an.

„Ottmar Rahner hatte nämlich, ohne von der Sache zu wissen, den Grundriss jener Burg, in der Lhomoy grub, gefunden und zwar im Schloss von Chinon, wo er in einer Wand eingeritzt war. Er pauste den Plan ab und grübelte jahrelang darüber nach, denn das Schloss Chinon war der letzte Aufenthaltsort des gefangenen Jaques de Molay gewesen und diese Wandritzung stammte aus seiner Kerkerzelle…"

„Wollen Sie damit sagen…"

„Richtig! Der unbekannte Grundriss war der Plan der Burg von Gisor."

„Donnerwetter, das ist ja ein Ding!"

Jetzt staunte auch Berger.

„Sicher. Wenn ich nun also an den Schlüsselanhänger von dem Wagen des Franzosen denke, auf dem Gisor erwähnt wurde, dann muss man davon ausgehen, dass er Zugang zu diesem Schatz hat."

„Wieso?"

„Erst einmal gibt es dort keine Garage Copia, denn ich war dort und da ist wirklich alles abgesperrt und es gibt nur eine Euroiltankstelle etwas außerhalb… und Copia, Herr Lateinschüler heißt auf Deutsch ganz einfach Schatz."

„Und das schreibt er auf einen Autoschlüssel?"

„Warum nicht? Vielleicht ist es so eine Art Zugangsgenehmigung. Ich weiß es auch nicht."

„Mist!" fluchte Berger, „Das würde je bedeuten, dass de Galbain den Templerschatz besitzt."

„Nicht de Galbain selbst", korrigierte Kolbe, „Sie haben ihn. Er gehört nur zu Ihnen."

„Schon wieder dieses *Sie*. Wollen Sie uns nicht endlich aufklären?"
Kolbe schüttelte den Kopf
„Nein, reden Sie mit Rossmann."
Nora kramte aus der Handtasche einen kleinen Taschenrechner hervor.
„Dreißig Truhen sagten Sie?" Kolbe nickte und Nora sprach mehr zu sich selbst:
„Wenn man annimmt, dass es goldene Gefäße sind und die Edelsteine weglässt, bleiben vielleicht zwanzig Truhen übrig..."
Sie tippte auf den Rechner ein.
„... al dem Volumen, mal dem spezifischen Gewicht, mal Goldpreis..."
Sie stockte und hielt den Taschenrechner von sich fort.
„Wieviel ?"
Berger staunte: „... Das,...das sind ja hunderte von Billionen Euro. Soviel besitzt kein Land...Damit kann man die Welt kaufen..."
Auch Kolbe schaute fasziniert auf die Zahl und bemerkte kurz, er habe das so nie betrachtet. Dann sinnierte er:
„Jedenfalls sind Ihre Mittel also fast unerschöpflich....Wie kostbar ist dann erst der Gral..."
Berger schüttelte den Kopf und dachte an die Edelsteine, die Nora nicht miteingerechnet hatte.

## 31

Nachdem der Zug in Goslar eingefahren war, besorgte Kolbe einen Mietwagen und setzte sich ans Steuer. Sein Unwohlsein schien verflogen und er lenkte den Wagen in den Süden des Harzes, jener Region, die seit der Gründung des Eurolandes vor wenigen Jahren in Vergessenheit geraten war. Nur vereinzelte Touristen, oder einige Wochenendurlauber verliefen sich hierher, denn außer einigen begrünten Endlagern für radioaktive Stoffe und anderen Abfall war hier wenig zu finden.
Schweigend, über das Gehörte nachdenkend, fuhr Kolbe über sehr

schlechte, holperige Straßen und durch verlassene Dörfer in ein kaum bebautes Waldgebiet, um dann hinter einer engen Kurve vor einem verfallenen Haus zu halten, hinter dem eine steile Felswand senkrecht in den Himmel stieg. Ein angeschlagenes, mit Rost übersätes Hinweisschild, welches auf das ehemalige Erzbergwerk hinwies, schaukelte leicht im Wind und ein unrasierter Mann mit geflickter Kleidung saß auf einer halbmorschen Bank vor dem Haus. Berger und Nora stiegen aus, während Kolbe den Wagen in einen offenen Schuppen fuhr und die Tür zuwarf.

„Guten Tag, Alex."

Der abgerissen wirkende Mann erhob sich und drückte Kolbe die Hand, während Nora und Berger etwas unschlüssig auf dem verunkrauteten Boden standen.

„Guten Tag, Herbert. Darf ich Nora Rahner und Wolf Berger vorstellen?"

Vor ihnen stand Minister Rossmann. Er nickte leicht mit dem Kopf und statt einer Begrüßung deutete er in das alte Gebäude.

„Kaffee oder Tee? Ich habe vorhin beides gekocht, als mir Euer Kommen gemeldet wurde."

„Unser Kommen?"

Berger zog die Stirne kraus, doch Rossmann antwortete nicht auf diese stutzige Frage und ging durch die angelehnte Tür in das Haus. Nora, Berger und Kolbe folgten ihm,- ihm, dem Minister, der nun eher einem etwas herunter gekommenen Obdachlosen glich, als jener Person, die strahlend an dem Rednerpult der Ausstellung über den Gral gestanden hatte und dann vermeintlich erschossen worden war..

Der Raum, den sie betraten, war nur spärlich eingerichtet. Einige Stühle in den verschiedensten Formen und ein Tisch, auf dem eine schmuddelige Decke lag.

„Bitte nehmen sie doch Platz."

Die Aufforderung Rossmanns klang eher nach einem Befehl als nach einer Einladung.

„Wir...,  äh, er hat die Nabe", begann Kolbe das Gespräch und deutete auf Berger, der sich zurücklehnte und mehr unbewusst als Wollend über die Pistole strich, die er immer noch in der Hosentasche trug. Wie zufällig steckte er die Hand hinein.

Rosssmann quittierte den Hinweis auf die Nabe mit keiner Reaktion und stellte einige Tassen auf den Tisch, die passend zu der verfallenen Umgebung keine Griffhenkel mehr hatten und setzte sich ebenfalls.

„Bedienen Sie sich, " sagte er und deutete auf zwei Kannen, „in der kleineren Kanne ist der Tee."

Dann schaute Rossmann Nora an.

„Das mit Ihrer Schwester bedauere ich aufrichtig."

Seine Augen schlossen sich für einen Lidschlag und Nora blies ihren Atem etwas kräftiger aus.

Berger umklammerte die angeschlagene Tasse und schaute den Erschossenen an.

„Sind Sie allein hier?"

Rossmann zog den Mundwinkel leicht an und schüttelte den Kopf.

„Keine Sorge, obwohl es so aussieht, bin ich es nicht. Hier sind wir halbwegs sicher."

„So?"

Kolbe legte die Hand auf Bergers Arm.

„Glauben Sie ihm ruhig. In dem Wald sind mehr Menschen, als sie glauben. Gute Leute."

Rossmann deutete ein Nicken an und Berger sprang auf. Seine Knie schlugen gegen den Tisch und die Tassen schwappten über.

„Verdammt noch mal, ich will endlich wissen...!"

Beschwichtigend, als würde er sich ergeben, hob Rossmann die Hände hoch und Kolbe lachte laut auf

„Herr Berger hat ein stürmisches Temperament, Herbert. Ich sagte ihm, dass Du einiges erklären würdest."

„Ich, wieso ich ?"

Er sah Kolbe kurz an.

„Gut, aber nicht hier. Trinken Sie aus und dann gehen wir in den Berg."

Der Eingang in den Berg war vergittert und ein kleines Schild deutete nochmals auf den Erzabbau hin, der hier Jahrhunderte lang stattgefunden hatte. Rossmann sperrte das Schloss des Gitters auf und eine gut geölte Tür öffnete sich geräuschlos. Mit einer lichtstarken Taschenlampe leuchtete er in den Stollen hinein.

„Vorsicht bitte, hier liegen einige Steine herum und bitte ziehen Sie den Kopf ein."

Rossmann ging voran und Berger spürte die kühle Feuchte, die sie bis hin zu einer Art Kammer begleitete, von der einige engere Stollen abgingen.

„Hier entlang."

Rossmann verschwand in dem engen Gang. Der schotterige Weg führte tief in den Berg hinab, hin zu einer hüfthohen Öffnung, durch die sie sich zwängten, um dann vor einer glatten Tür stehen zu bleiben, mattglänzend, neu und unpassend für die felsige Umgebung der alten Stollen: Die Tür eines Tresors.

Rossmann deckte die Zahlenkombination mit dem Körper ab und Berger umklammerte die Waffe in seiner Tasche.

Mit einem leichten Ächzen öffnete der Minister die Tür und legte gleichzeitig einen Hebel um. Der Raum wurde taghell.

Berger und Nora staunten. Sie befanden sich in einen modernen Büroraum, der gut und gerne einige hundert Meter tief in den Berg hinein ausgebaut worden war, vollgepackt mit Computern, Bildschirmen, Tischen und einigen Stühlen. An der Decke entdeckte Berger eine Zeichnung, die Nora einst als Spinne gedeutet hatte und die Kolbe in der Achselhöhle als kleine Tätowierung trug.

Rossmann schloss die Tür und schaltete einen Monitor ein, der auf dem Bildschirm den Eingang in den Stollen zeigte. Wieder forderte Rossmann sie auf sich zu setzen.

„Setzen sie sich doch. Sie sind doch jetzt unsere Gäste. Ach noch etwas, Herr Berger, geben Sie mir bitte die Nabe."

Rossmann deutete auf die Sitzgelegenheiten und streckte zugleich die linke Hand fordernd aus. Berger zögerte.

„Nein!" schrie er und riss die Pistole aus der Hosentasche und hielt sie in Richtung des Ministers.

„Schluss! Schluss! Schluss! Ich hab' die Schnauze voll von der ganzen Scheiße! Ich will sofort wissen, was los ist. Sofort! Hören Sie, Rossmann! Sofort!"

Der Angeschriene sagte nichts und schaute Berger nur an, während Kolbe abwartend bei Nora stand.

„Los, reden Sie endlich, sonst gibt es gleich wirklich ein Attentat!"

„Herr Berger!"

Laut sagte Kolbe den Namen des Journalisten.

„Lass ihn, Alex. Ich kann ihn verstehen."

Ohne auf die Pistole zu achten, setzte sich Rossmann und drehte spielerisch auf dem Drehstuhl.

„Herr Berger, Sie sind in eine Sache geraten, die Ihnen sowieso niemand glauben würde. Fast so, als wären Sie in einem Märchen, sagen wir bei Hänsel und Gretel. Würde Ihnen auch nur ein Mensch glauben, wenn Sie sagen würden, Sie hätten am Pfefferkuchenhaus genascht...? Halten Sie sich ruhig an der Waffe fest, wenn es Ihnen hilft, aber bitte geben Sie mir die Achse der Lanze. Bitte."

Berger wurde unsicher. Der Minister schien wirklich keine Angst zu haben, denn seine Stimme klang zu klar und ruhig. Immer noch streckte er die Hand erwartend aus.

„Bitte, Herr Berger. Zittern sie nicht, denn ein Schuss löst sich so schnell. Wir haben nicht sehr viel Zeit, denn Sie sind nicht zu unterschätzen."

„Man", tobte Berger voller Wut, „Scheiße! Dreck! Mist! Wer zum Teufel sind ,Sie'?"

Nora ging langsam auf Berger zu.

„Wolf, lasse es. Wir sollten ihnen vertrauen. Was mit dem Franzosen los ist, wissen wir doch. Vielleicht ist dies hier wirklich die andere Seite. Alleine kommen wir hier auch nicht mehr heraus. Was soll also der Unfug mit der Waffe?"

„Scheiße!" stieß Berger noch einmal hervor und senkte die Pistole.

„Schon besser", bemerkte Kolbe und Berger setzte sich, doch die Pistole hielt er noch immer in der Hand. Irgendetwas musste ihm Halt geben.

„Erklären Sie mir doch endlich, was los ist. Wer sind die anderen?"

Immer noch klang seine Stimme erregt, obwohl man spürte, dass er sich selber zu beruhigen suchte.

„Das ist eigentlich ganz simpel, Herr Berger. Sie, also die Anderen sind Lokis Leute und wir sind eben die anderen."

„Welche anderen ? Templer oder wie nennen Sie sich?"

Rossmann lächelte und drehte Berger den Rücken zu.

„ Wissen sie, was Asgard ist?"

„Oje, bitte nicht. Nicht schon wieder so ein Mist. Natürlich weiß ich, was Asgard ist. Germanische Götterburg oder so."

Berger lachte böse und fuhr dann fort:

„Und Sie sind die Götter oder was? Das ist doch alles bescheuert!"

Rossmann drehte sich wieder Berger zu und räusperte sich.

„Es wird sich sicherlich für Sie wie eine unglaubwürdige Geschichte anhören, aber..."

„Den Quatsch, den er mir erzählt hat", er zeigte auf Kolbe, „ist doch auch bescheuert!"

„Und Sie, Frau Rahner?" fragend sah der Minister Nora an, die mit einer Antwort etwas zögerte.

„Hm, ich weiß, dass mein Vater viele Jahre lang den Gral gesucht hat. Er war richtig besessen davon und er hat auch irgendetwas gefunden. Aber es ist inzwischen so viel Merkwürdiges geschehen, dass ich nicht alles sofort ablehnen würde. Außerdem", sie brach ab und holte tief Luft, „außerdem wissen wir vielleicht, wo der Gral ist."

Wütend schlug Berger mit der Faust auf den neben ihm stehenden Computer.

„Warum sagst du das?" giftete er.

„Weil wir das jetzt durchstehen müssen."

Berger maulte herum und steckt dann zögernd die Waffe weg.

„Dann beschließen wir also hier unser Leben. Du hast es ja wohl so gewollt. Scheiße!" Wieder schloss Berger einen Satz mit seinem anscheinenden Lieblingsausdruck.

„Nur keine Angst, Herr Berger, „wir töten sie nicht, aber *Sie* würden es tun."

„*Sie*? Lokis Leute, wie Sie die anderen nannten?"

„Sicher! Ohne zu zögern."

„Hat mein Vater für Sie gearbeitet?"

Nora schaute Rossmann an.

„Ja, er hat für uns gearbeitet. Nicht speziell für mich, sondern für uns. Es war viel, was er herausfand, sehr viel."

„Und alles hat jetzt de Galbain", trauerte Berger und schaute zu Boden.

Rossmann lächelte.

„Glauben Sie wirklich, dass er alles hat? Er hat einen Haufen Material, aber das muss er erst sichten, zusammenfügen und korrigieren. Was er hat, haben wir auch und - das sollten wir nicht vergessen - Sie brachten uns die Nabe."

Der Minister griff zur Steuerungsmouse des Computers und öffnete sie. Mit spitzen Fingern entnahm er ihr einen winzigen Chip.

„Hier ist alles gespeichert, was wir wissen müssen, die Quintessenz der Arbeit von Ottmar Rahner. Einige Unklarheiten sind noch zu lösen, denn Herr Rahner speicherte Ergebnisse leider erst dann, wenn er sie überprüft hatte.

Wir wissen eine Menge, auch welche Bewandtnis es mit dem Gral hat, aber wir wissen nicht, wo er ist. Wir wissen, dass die Mona Lisa eine Art Karte ist, aber den Schlüssel hierzu haben wir noch nicht gefunden."

„Gut", sagte Berger, „erzählen sie mir etwas, dann erzähle ich vielleicht auch etwas. Außerdem, was soll das mit Asgard?"

Kolbe berichtete Rossmann, was er bereits über die Lanze und die Templer berichtet hatte und als er fertig war, drückte Rossmann auf einen Knopf eines der Computer.

Ein Bildschirm wurde hell. Flirrend sammelten sich Myriaden von kleinen Lichtpunkten zu einem Bild. Das Kreuz der Templer war zu sehen und in der Mitte stand eine Zahl: 81.

„Sehen Sie hier, das Kreuz an sich, ist eigentlich nur ein Symbol, genauso, wie die Zahl in der Mitte der Achse. Das müssen wir erst einmal von all dem anderen trennen. Fangen wir mit dem Kreuz an. Sie wissen was ein Primzahlkreuz ist?"

„Ja, aber Mathematik war nie meine Stärke."

„Aber Sie wissen zumindest, dass Primzahlen nicht durch sich selber geteilt werden können."

Rossmann klickte mehrmals auf die Mouse und auf dem Bildschirm erschienen einige Kreise, die sich spiralförmig umeinander wanden.

„Wenn ich diesen Kreis in vierundzwanzig Teile zerlege und durchgängig nummeriere, finden Sie dort alle möglichen Zahlen."

Er deutete mit dem Cursor auf die Sechs.

„Hier zum Beispiel sehen Sie neben der Sechs die Primzahlen Fünf und Sieben liegen, neben der Zwölf die Dreizehn und die Elf und..."

„Gibt es jetzt Rechenunterricht?" fragte Berger und meinte zusätzlich, das er dieses hier schon gesehen habe.

„Keinen Unterricht. Warten sie ab. Es ist also immer eine Steigerung von sechs Zahlen von der einen zur anderen, neben der zwei Primzahlen liegen. Hier neben der Achtzehn finden Sie die Neunzehn und die Siebzehn."

Rossmann vervollständigte unbeirrt die Zahlenfolge.

„So, so. Aber es wäre schön, wenn sie mir das erklären könnten und auch, was das mit der gesamten Situation zu tun hat."

Berger verstand nicht, aber der Minister sprach immer noch unbeirrt weiter:

„Jetzt sehen Sie also die Primzahlenfolge. Ich mache sie einmal besonders kenntlich."

Ein Mouseklick erzeugte die genannten Ziffern fett auf dem Bildschirm und Rossmann verband sie mit einigen Linien, die das Templerkreuz entstehen ließen.

„He!"

Berger staunte.

„Aber das sind doch nur Zahlenspielereien."

„Nicht nur, Herr Berger, nicht nur. Ich sagte bereits, das Kreuz ist nur ein Symbol. Kommen wir nun zu der Zahl 81. Diese Zahl müssen wir einmal kurz analysieren, denn sie setzt sich aus der Berechnung drei mal drei mal drei zusammen oder kurz gefasst Siebenundzwanzig mal Drei. Eine merkwürdige Zahl im Übrigen. Sehr Merkwürdig!

Sie haben doch ein wenig studiert und daher wissen Sie sicherlich, das gerade die Zahl Drei immer wieder vorkommt. Die Dreieinigkeit Gottes im Christentum ist wohl die bekannteste Verknüpfung. Doch vergessen Sie nicht, das es auch nur drei menschliche Grundtypen gibt: Hell, dunkel sowie gelblich braun. Ja selbst alle Sprachen stammen von drei Urformen ab und Räumlichkeit entsteht durch die drei Dimensionen. Dieses jedoch nur am Rande. Auch die alten Alchemisten sahen nur drei Stoffe als die Uressenz, den Urstoff, an, aus dem sich alles entwickelt. Erst heutzutage wurde nachgewiesen, dass dies nicht richtig ist."

„Ist ja toll ..."

Uninteressiert schaute Berger in dem Raum umher. Was sollte dieser Vortrag. Was hatte das mit dem Tod Spargels zu tun und was mit dem Gral?

„Und diese Einundachtzig?"

Berger wollte zumindest wissen, was es damit auf sich hatte, weil diese Zahl auf dem Ring eigentlich der Auslöser des ganzen gewesen war.

„Die Einundachtzig? 81: Das ist sehr einfach. Zuerst einmal gibt es einundachtzig feste Elemente, die das Leben in jedweder Form bilden. Außerdem ergibt Siebenundzwanzig mal Drei auch Einundachtzig. Wenn ich diese einfache Rechenaufgabe niederschreibe und die reine Zahl sehe, also 27,3 oder auch 273 ergibt dies sehr erstaunliches."

„Wie das Volumen in dieser Kapelle mit dem Schatz", warf Nora ein und Rossmann nickte.

„Genauso. Der Umlauf des Mondes um die Erde dauert genau 27,3 Tage, die tiefste physikalische Temperatur beträgt minus 273° Grad und 273 Tage dauert die Schwangerschaft bei einer Frau. Um noch einmal auf den Mond zurück zu kommen, seine Beschleunigung um die Erde beträgt genau 0,273 Zentimeter geteilt durch Sekundenquadrat. Der Mondradius entspricht übrigens auch 0,273 Erdradien."

„Zufall, reiner Zufall."

„Abwarten. Wenn Sie alles verstehen wollen, muss ich ihnen dies erzählen:
Diese Zahlenfolge - 27,3 oder auch 273 - ganz gleich, wie man sie benennt, ist sie wirklich nur Zufall, wie Sie meinen?
Sehen sie sich doch einmal die Neigung der Erdachse an, sie beträgt 23,27 Grad, was konkret 1407 Gradminuten entspricht. Wenn Sie daraus die siebenundzwanzigste Wurzel ziehen, erhalten Sie die Zahl Eins. Diese ist die einzige Zahl - die mit sich selbst multipliziert - nicht auf die auf die Ausgangszahl zurückgerechnet werden kann. Oder schauen Sie sich doch einmal den Jahreslauf an. Das Jahr besteht aus 365 Tagen, 5 Stunden, 48 Minuten und 46 Sekunden."
Auf dem Bildschirm erschien ein Berechnungsprogramm. Rossmann gab die Zahlen ein und deutete mit dem Finger auf das Ergebnis der Multiplikation.
„Schauen Sie. Das Jahr besteht also aus 31.556.926 Sekunden und nun ziehen wir hiervon ebenfalls die siebenundzwanzigste Wurzel."
Ein Tastendruck brachte das Ergebnis auf den Bildschirm. Es war wieder die Zahl Eins.
Berger schwieg. Irgendwie war die ganze Sache doch wesentlich komplizierter und sonderbarer, als er zuvor gedacht hatte.
„Das ist aber noch nicht alles."
Rossmann schien in seinem Element zu sein.
„Wenn ich mir die Erde als Ganzes anschaue, so beträgt die Umfanglänge um unseren Planeten am Äquator 21,5 Kilometer mehr, als über die Pole gemessen. Ich brauche, so glaube ich, nicht erwähnen, dass es sich hierbei um den 273 Teil handelt..."
Er ließ die letzten Worte einfach verklingen, bevor er erneut den Rechner auf den Computerbildschirm herbeiklickte.
„So, Herr Berger, jetzt machen wir ein kleines mathematisches Experiment. 273 mal 273 ergibt 74.529. Diese einzelnen Zahlen zählen wir einfach einmal zusammen und siehe da, hier haben wir die 27."
Rossmann grinste und gab weitere Zahlen ein, was er zugleich laut kommentierte:
„27 mal 27 mal 27 ergibt 19.683. So und davon die siebenundzwanzigste Wurzel ... na also, da haben wir wieder die Eins."

Natürlich war es verblüffend, was der Minister da zusammenrechnet, doch Berger verstand immer noch nicht, was er damit bezweckte. Halb interessiert und halb gelangweilt schaute er wieder zur Decke des Raumes und betrachtete die ‚Spinne' und hörte, wie Rossmann weitersprach:

„Jetzt berechnen wir einmal kurz den Kehrwert von der Zahl 81. Auch wenn Sie in der Mathematik vielleicht nicht gut sind, dann wissen Sie aber doch bestimmt, dass man dieses 1 geteilt durch 81 rechnet. Zur Vereinfachung 100 geteilt durch 8 1. Das Ergebnis lautet Eins, Rest Neunzehn. Diese Eins, plus dem Restwert ergibt Zwanzig. Es gibt genau zwanzig Aminosäuren und zwanzig Reinisotope. Das ist die Basis für das Leben, ohne diese existiert Nichts, gar nichts! Der Kehrwert vollständig ausgerechnet ergibt übrigens die Zahlenfolge von 0,0123456789 als Periode, also unsere natürlichen Zahlen, die Grundlage aller Wissenschaften sind."

Berger fingerte eine Zigarette heraus, denn unzählige Fragen zermarterten sein Gehirn.

„Hier bitte nicht", wehrte Rossmann ab und rümpfte ein wenig die Nase.

„Vielleicht interessiert es Sie zu erfahren, dass das Masseverhältnis zwischen Erde und Mond auch 1 zu 81 beträgt und der optische Durchmesser der Sonne und des Mondes, von der Erde aus gesehen, absolut gleich groß ist."

Berger überlegte. Es war richtig und logisch, was er jetzt hörte und auch das Anagramm von der Buchstabenfolge ‚Mona Lisa' deutete auf die Sonne hin, denn Amon, der ägyptische Name für sie, war eines der Umstellungsworte.

„Sie meinen...".

‚Nein', dachte er bei sich, der Gedanke war zu ungeheuerlich:

„Sie meinen..., die Templer..., der Gral ... äh..."

„Richtig", übernahm Kolbe das Wort, „die Templer oder wer auch immer der Herr des Grals war, kannte sein Geheimnis. Das Geheimnis ist die Kenntnis über die Entstehung des Lebens. In den damaligen Zeiten war es Ketzerei und auch heutzutage will kaum jemand etwas davon wissen."

‚Mein Gott', durchfuhr es Berger. ‚Es stimmt. Die 81 in dem Templerkreuz war das Symbol für das Wissen.'

Eine Sache,  nein eigentlich waren es Zwei, beschäftigten ihn jedoch noch.

„Herr Rossmann, Sie sind..., waren doch Minister, nicht wahr?"

„Richtig. ... Und es war verdammt schwer, es zu werden. Seit Sie nach der Macht greifen, kommt fast keiner mehr in den Kreis, der nicht zu Ihnen gehört, aber wir mussten hinein. Wissen Sie, was es bedeutet, jahrelang gegen seine eigene Überzeugung zu handeln, Entscheidungen zu tragen, die einem die Seele verbrennen. Es war schwer, sehr schwer, aber ich weiß, warum ich es tat. Auch ich war in Arcadia."

Berger sah vor seinem geistigen Auge das Gemälde Poussins vor sich, das de Galbain einmal angesprochen hatte.

„Arcadia?"

Rossmann nickte.

„Sie müssen das Wort nur richtig lesen. Arca dia - viel Latein, nicht wahr? - Arca ist  die Brücke und Dia ist der Tag. Die Brücke, die vom Tag in die Nacht führt und Loki und seine Schergen, wie de Galbain, der Verräter, sind nicht der Tag. Garantiert nicht! Geben Sie mir jetzt die Nabe?"

Zögernd zog Berger das Metall hervor und reichte es Rossmann, der es irgendwie andächtig betrachtete und in der Hand wog. Dann nahm er es und drückte es an sein Herz.

„Danke", sagte er schlicht und drückte dem Journalisten die Hand zum Drucke, den Berger erwiderte. Kräftig und vertrauensvoll umklammerten die Finger Rossmanns die seinen und Berger wurde etwas sicherer.

„Eine Frage habe ich noch."

Er zeigte mit der Hand zu Decke, hoch zur ‚Spinne'.

„Was ist das eigentlich genau?"

„Erzähl Du es ihm", sagte der Minister und schaute zu Kolbe.

„Ich ? Nun gut. Die ist das Zeichen der Schwarzen Sonne."

„Etwas genauer bitte", forderte Berger.

„Die Schwarze Sonne, hm..., diese Frage ist nicht ganz einfach zu beantworten, da hier Astronomie, Mythos und Historie ineinander übergehen.

Die Schwarze Sonne, die sich in den Darstellungen falsch dreht, also Sonnengegenläufig, ist die diesseitige Kraftquelle Gottes, wobei Gott nicht im religiösen Sinne zu verstehen ist. Es ist die große Zentralsonne unseres Milchstraßensystems, die für das menschliche Auge nicht sichtbar ist, deren Existenz jedoch spürbar und mathematisch bewiesen ist.

Von ihr, dieser alles verschluckenden Kraftquelle, die Materie in sich komprimiert, gehen konstante, lichtreine Schwingungen aus, die wir das ‚göttliche Licht' nennen. 75 Trillionen Schwingungen in der Sekunde, was dem Ultraviolett entspricht. Sie werden als ILU-Schwingungen bezeichnet.

Diese Schwingungen erreichen die Erde, beziehungsweise unser winziges Sonnensystem, wenn das verheißene ‚Neue Zeitalter' anbricht und das nun ausgehende Zeitalter des Fisches, das Rote Zeitalter mit seinem schwachen Infrarot, das 15 Trillionen Schwingungen in der Sekunde beinhaltet, hinwegfegt. Nach EUROSTAR Berechnungen hat dieses Licht unser Sonnensystem bereits erreicht und nähert sich uns. Wenn es auf die Erde trifft, bricht das Zeitalter des Wassermannes an, den die Germanen passenderweise ‚Eisriese' nannten.

Prophezeiungen und Weissagungen hierzu gibt es unzählige. Die Beeindruckenste ist jedoch die, welche die Priesterin Sajaha - etwa um 650 vor der Zeitwende - in Babylon niederschrieb und die von dem Orientalisten Rudolf von Sebottendorf Anfang des letzten Jahrhunderts entschlüsselt und übersetzt wurde."

Kolbe schloss die Augen und rezitierte den Spruch:

*„Die Sonne verdunkelt ihr Licht von Chaldäa (vorderer Orient)*
*bis hin zum Sockel des Mitternachtsberges (Externsteine),*
*aber die Menschen bemerken es nicht.*
*Vom Schein der Falschheit werden sie geblendet,*
*vom Widerschein erschlichenen Goldes.*

*Viele Gutsinnige fallen, viele Arglistige erheben sich an ihrer statt.*
*Schaddains grausiger Atem verkehrt die Gedanken der meisten.*
*Was rein ist. Wird niedergehen, was unrein ist, steigt auf*
*Was unten war, wird oben sein;*
*die Plätze tauschen Böse und Gut.*
*Trunken werden sein die Menschen,*
*Wahn wird regieren die Welt...*
*... zum Land des Nordens hin.*
*Aus dessen geschundener Erde steigt der Befreier empor,*
*der Rächer:*
*Der dritte Sargon!*
*Und von Nord wie Süd werden dann*
*die einsamen Gerechten aufstehen*
*und werden gewaltig sein und sturmgleich.*
*Das Feuer entfachen und vorantragen,*
*das alles Übel ausbrennt, überall, ja überall."*

Mit einem Pfeifen atmete er aus und öffnete die Augen wieder.

„Die Schwarze Sonne ist die Kraftquelle des Lebens, eine Quelle, die nach Überlieferungen der Sumerer IL ANU genannt wurde, aber auch Ishtar im Orient oder auch Odin in unserem Kulturbereich, den die Alten Midgard nannten. Sie ist die Leben schaffende Kraft an sich.

Die Achtung und der Respekt vor der Schwarzen Sonne zeigt die Achtung des Menschen vor der Schöpfung in jeglicher Form und vor dem Leben selbst an.

Die Verneinung der Schwarzen Sonne ist die Verneinung des Lichtes und die Verneinung des Lebens und zugleich der Kniefall vor Schaddai, dem verworfenen EI, der sich Moses in der Bibel mit den Worten offenbarte:

„Ani na EI Saddai, ich bin EI Saddai, der verworfene EI" wonach wir durch die Offenbarungsschrift ILU Ishtar aus Babylon wissen, dass ein ‚EL' ein sogenannter Groß, oder Erzengel ist.

Die Verehrung des EI Saddais, der sich selbst „Gott" nennt, entfernt den Menschen, deren Geist und ihre Seelen von der Kraft des Lichtes, dessen Symbol eben die Schwarze Sonne ist. Ich wiederhole noch einmal, ‚Gott' ist hier nicht als Person zu nehmen, sondern ist das Synonym für die gute, die positive Kraft der Schöpfung, das Zeichen des Lebens und den emporstrebenden Geist und der freien Seele, die ihre Existenz nicht nur registriert, sondern ihrer auch bewusst ist. Das arabische ‚Shayāṭīn', welches den Satan – oder kurz gesagt, das Böse - bezeichnet, leitet sich von ‚El Saddai' ab."

Kolbe schloss seinen Vortrag und Berger schwieg. Viel war es, was er in diesem kurzen Zeitraum in dem Bergstollen gehört hatte. Sehr viel, Dinge, die wirklich wenig glaubhaft schienen.

„Was geschieht mit der Nabe?" fragte er Rossmann, nachdem er eine Weile über das gehörte nachgedacht hatte.

„Erinnern sie sich an die alten Elektrogeräte, die noch Röhren hatten", erwiderte dieser.

„Gewiss erinnern Sie sich, nicht wahr? So etwas Ähnliches ist auch dieses Metall. Vieles hat eine doppelte Bedeutung."

Er machte Kolbe ein Zeichen und der große Mann zog aus einem weiteren Computer zwei Kabel heraus, an denen Klemmen befestigt waren und legte die Achse der Lanze auf ein bereitstehendes Holzgestell, befestigte dann die Leitungen an den Enden der Nabe, ähnlich wie an einer Batterie und schaltete den damit verbundenen Monitor ein.

Wie bei einem EKG jagte eine wild ausschlagende Kurve über den Bildschirm, die ein leise surrender Drucker zeitgleich auf eine Papierfahne bannte. Nach wenigen Minuten brach die Kurve ab und die Klemmen begannen zu schmoren.

Kolbe zog sie rasch von den Polen der Nabe und tauschte ihre Positionen aus. Erneut zeichnete sich eine Kurve ab und gebannt schauten sie auf den Ausdruck, der ein völlig anderes Bild zeigte. Auch diese Übertragung endete nach einigen Minuten.

Rossmann nahm eine der Papierfahnen in die Hand und sagte mehr zu sich selbst als zu den anderen:

„Das sieht nach Arbeit aus."

Berger stand auf

„Sie meinen, dieses Kritzel-Kratzel hat irgendeine Bedeutung? Das sieht ja schlimmer aus als der Wechselkurs des Euro."

„Sicher, das sieht wild aus, aber ich vermute etwas anderes, nämlich vielleicht die Bestätigung einer alten Legende."

„Oh ja, bitte erzählen Sie mir ein Märchen."

Berger hüpfte auf einen Bein herum.

„Mensch Wolf", fuhr Nora dazwischen, „mach Dich doch nicht zum Affen."

Der Journalist ließ sich erneut auf den Stuhl fallen.

„Und was folgt nun?"

„Ganz einfach, wofür haben wir hier wohl die teuren Kisten stehen?" Kolbe mischte sich ein und schaltete einen weiteren Computer ein:

„Der muss jetzt arbeiten."

„Aha  und was erwarten Sie?"

Berger war doch zu sehr Journalist, um seine Neugier zu verbergen.

„Die Bestätigung dessen, an das niemand glaubt... Der Untergang von Atlantis... Götter von anderen Sternen…Wer weiß?"

„Und den Beweis der kleinen grünen Marsmännchen", vollendete Berger kichernd den begonnen Satz Kolbes.

„Vielleicht."

Berger tippte sich an die Stirn und Kolbe drehte sich zu dem Elektronengehirn und klickte immer wieder mit der Mouse auf der wirren Kurve herum, die den Bildschirm ausfüllte. Er schien absolut in diesem Gekritzel aufzugehen.

Rossmann wandte sich Berger zu.

„Haben Sie nichts zu erzählen?"

„Nun sag schon", drängte Nora.

„Hm, also ..."

„Na los, Wolf", munterte ihn Nora erneut auf.

„Ich..., ich habe mich mit der Mona Lisa beschäftigt. Ohne Computer, einfach so."

Sein Körper straffte sich ein wenig stolz, bevor er weitersprach:

„Leonardo da Vinci war ein Freund der Spiegelschrift und der Anagramme. Also, ich stellte den Namen Mona Lisa einfach um. Es kamen die merkwürdigsten Worte heraus und einige davon fand ich sogar in einem Lateinbuch wieder. Interessant waren die Worte *Mano, Amon Asil, Amon Asli* und *Mona Isla*."

Rossmann lachte laut auf.

„Du meine Güte, da haben wir die modernste Technik und auf das Einfachste kommt man nicht. Das gute alte Gehirn ist also doch noch nicht ganz unbrauchbar. Und?"

„Tja, Amon oder Amun ist die Sonnenscheibe der Ägypter, Amon Asil wäre also der verborgene Ort der Sonne, Amon Asli..., nun Asli war der Name der Tempeljungfrauen früher und in der Parzivalsage gibt es eine derartige Jungfrau, die Repanse de Schoyes hieß - glaube ich jedenfalls".

„...Und die mit Artus verwandt war."

Kolbe schaute kurz von dem Strichgewirr auf und warf diesen Satz ein.

„Ach, war sie das?" fuhr Berger fort, „Sie trägt dort jedenfalls den Gral, aber das Entscheidende ist dieses *Mona Isla*, denn das ist der alte Name der Isle of Man, die Insel, die Ottmar Rahner nie erreichte. Und das Wort Mano bedeutet, vergessen werden."

„Klasse!" gratulierte Rossmann und lachte erneut schallend und auch Kolbe strahlte, als er sich noch einmal kurz von dem Monitor wegdrehte.

„Die gute alte Isle of Man. Richtig!"

Wie elektrisiert klickte Rossmann erneut mit der Mouse und jagte sie suchend durch die gespeicherten Dateien, bis das Faksimile einer alten Handschrift auf dem Bildschirm erschien.

„Da sucht man und sucht und forscht und sucht...", Rossmanns Augen glänzten vor Freude als er monologisierte, „...und dabei ist das Rätsel so einfach zu lösen. Es liegt in einem Anagramm von acht Buchstaben."

Er nickte vor sich hin und Nora hauchte langsam den Namen erneut aus:

„Mona Lisa, das vergessene Geheimnis, das Asyl der Sonne."

Berger schwieg.

„Sehen Sie hier", sagte Rossmann und deutete auf die Handschrift, die sich auf dem Monitor darstellte.
„Nach den Angaben dieser Schrift fuhr ein Schiff der Templer in die Irische See, aber das Reiseziel ist nicht angegeben worden", der Minister hielt kurz inne, „... Isle of Man, mein Gott."
„Aber die Insel ist sehr groß", bemerkte Nora.
„Wenn schon. Aus dem Bild geht doch auch die Insel hervor. Vielleicht finden wir dort auch eine genauere Angabe."
Berger nickte und erzählte von der Verbindung des Dreiecks, welches er skizziert hatte. Jenes Dreieck, das sich auf den gestohlenen Spruch bezog....
„... Und genau auf dem Nasenrücken gibt es einen Schnittpunkt, doch das hilft wohl auch nicht viel, oder?"
Bergers Forschungsdrang war wieder geweckt worden und obwohl er Einiges von dem gehörten für sehr absurd hielt, so gab es doch einige Fakten für ihn, an die er sich halten konnte.
„Zweifeln Sie nicht, Herr Berger, denn Ottmar Rahner dachte in die gleiche Richtung."
Rossmann öffnete mit einem Mausklick eine weitere Datei und einige Berechnungen erschienen dort, wo soeben noch das Faksimile gezeigt wurde.
„Hier sind die Berechnungen Ihres Vaters, Frau Rahner. Er hat die Insel komplett berechnet, Länge, Breite und sofort."
Rossmann klickte erneut auf die Computermaus.
„Und das hier sind die Berechnungen über die Mona Lisa, wobei er die helle Gesichtsfläche berechnete, also ohne die plastisch wirkenden Schatten."
Berger beugte sich etwas vor. Die Zahlen waren bis auf acht Stellen hinter dem Komma identisch!
„Es muss die Insel sein." Überlegend biss er sich auf die Lippen.
„Herr Rossmann, kann man die Insel und die Mona Lisa aufeinander projizieren?"
„Natürlich. Einen Augenblick."

Sekunden später überlagerte das mittelalterliche Gemälde eine Landkarte und der Minister zoomte beides auf die gleiche Größe. Mit einem Filzstift zog Berger auf dem Monitor nochmals das Dreieck von den Pupillen zu der Nasenspitze und bestimmte dessen Mittelpunkt. Auf seine Anweisung hin, blendete Rossman das Gemälde aus und das Dreieck zog sich über die Karte, wobei seine Spitzen drei Punkte berührten.

Der Minister markierte diese und zoomte sie vergrößernd heran.

Links oben war ‚Kirk Michael' zu lesen, rechts oben ‚King Orrys Grave' und der untere Punkt zeigte ‚Castle Branid'. - Eine Kirche der Templer, die Ruine einer alten Burg und das Grab eines Königs. Glaube, Macht und Verschwiegenheit.

Aufgeregt drückte Rossmann die Karte zurück und suchte den Mittelpunkt des Dreiecks, doch außer einer grünen Fläche sah er nichts, einer grünen Fläche mit dem Namen ‚Snoefell', einem Berg, dessen Höhe mit sechshunderteinundzwanzig Metern angegeben wurde.

Berger fasste Nora bei der Hand und tanzte mit ihr wie ein Kind herum.

„Das gibt es doch gar nicht", freute sich auch Rossmann, „der Berg ist auf jeder Karte drauf."

„Wenn man sie lesen kann", bemerkte Kolbe, „aber die Schmiererei auf dem Monitor reinige ich nicht."

„Das ist doch jetzt egal! Wir müssen nach England!" erwiderte Rossmann und griff aus einem Regal eine Landkarte der Insel heraus.

„Natürlich!"

Kolbe drückte eine Taste auf dem Computer.

„Aber nun erst einmal zu dem hier. Das Dechiffrierprogramm läuft."

Wieder war auf dem Monitor das, fast einer Herzfrequenz ähnlich, Ausschlagen einer Kurve zu sehen. Nach einer Weile klangen aus den kleinen angeschlossenen Lautsprechern zuerst ein Brummen, ein Knacken und danach eigenartige, merkwürdige Geräusche.

Noch saßen die Vier zurückgelehnt auf ihren Stühlen und lauschten dem was sie hörten und welches dem schlechten Empfang eines Kurzwellensenders glich.

Aus dem Gewirr des Rauschens schälte sich eine schwache Stimme heraus und Berger meinte, ihm gefriere das Blut in den Adern. Nora wurde leichenblass, während Kolbe und Rossmann mit geöffnetem Mund und weit aufgerissenen Augen starr auf den Computer starrten.

Aus dem Lautsprecher erklang nun deutlicher eine Stimme, die sie von historischen Plattenaufnahmen und Fernsehsendungen her kannten, eine Stimme, die nun fast klar und rein zu hören war, eine Stimme, die mit einem rollenden ‚R' vom Großdeutschen Reich sprach, leiser wurde und wieder in ein brummendes Rauschen überging, um dann allmählich wieder deutlicher zu werden. Sie hörten die scharfe Stimme eines Franzosen, der seinen korsischen Akzent nicht verbergen konnte.

Nora griff Bergers Hand und das Weiße ihrer Knöchel trat aus dem verkrampften Griff hervor. Steif saß sie da und spürte die Gänsehaut die ihren Rücken emporkroch.

Wieder versank die Stimme in wirren Geräuschen und es schälte sich eine weitere Stimme heraus, die eigentümlich deutsch klang, doch irgendwie alt und wobei sie nur das Wort Marienburg eindeutig verstanden.

Kolbe schaltete das laufende Programm ab und stand bleich und blass auf.

„Ihr wisst, was das ist ...?"

Sie nickten.

Natürlich wussten sie, was dieses war. Es waren die Stimmen der Herren der Lanze gewesen, Teile ihres eigenen seelischen Ichs, das von dem Metall aufgesogen und in dem Metall gefangen war. Je mehr von Ihnen in der Nabe gebunden waren, desto mächtiger wurde die Kraft der Lanze.

Totenstille herrschte und eine Art Schock lähmte sie. Rossmann fasste sich als erster wieder.

„Immer noch Märchen, Herr Berger?"

Stumm schüttelte der Angesprochene den Kopf.
Nein, das waren keine Märchen, oder doch? War es nur Einbildung?
Unterlag er einer Art Hypnose? Nein, er war sich seiner Anwesenheit absolut bewusst und sie würden noch weitere Stimmen hören ... Friedrich Barbarossa..., Otto den Großen..., Aethelstan..., Attila..., wo endete dies...?

„Was ist das andere?" fragte Nora, die am Körper leicht zitterte und als sei die Frage eine Anweisung, startete Kolbe erneut ein Programm. Wieder begann ein leises Brummen und auf dem Bildschirm erschienen unlesbare, fremde Zeichen, die Ähnlichkeit mit einer Schrift zu haben schienen.
Kolbe drehte sich auf seinem Stuhl den anderen zu.
„Ich weiß nicht, was das ist. Es sieht so aus, als müsse es nochmals entschlüsselt werden. Das kann allerdings lange dauern."
„Nee, Alex", schaltete sich Rossmann ein, „versuch es doch einfach mit der Methode, mit der man die Weissagungen des Nostradamus entschlüsselt hat."
Vor wenigen Minuten hätte Berger noch gelacht und irgendeinen überflüssigen Witz gemacht, aber das gerade Erlebte, hatte ihm die Lust darauf genommen.
„Du meinst die Sache mit dem ‚A', richtig?"
„Genau," entgegnete Rossmann und erklärte Nora und Berger kurz, wie man die Schriften des Nostradamus enträtselt hatte, der ein offensichtlich kompliziertes System verwendet hatte, das sich aber als sehr einfach entpuppte, ähnlich der Schwierigkeiten mit der Mona Lisa.
Man hatte jede Textreihe für sich genommen und stellte jeweils den ersten Buchstaben ‚A' eines Satzes untereinander und verband die daneben stehenden Buchstaben. Aus dem kreuz und quer stehenden Buchstabensalat entstanden deutbare, lesbare Sätze.
„Wie lautet der Spruch für dieses Jahr?"
Berger schien sich beruhigt zu haben und fand seine forsche Neugier wieder und Rossmann wurde ernst, als er die Losung sprach:

"Die Besiegten erwachen zum siegreichen Kampf, dessen Zeichen voller Farben ist."

Berger lachte, obwohl er selber nicht wusste, warum.

Kolbe bewegte die Mouse über den Bildschirm und die Zeichen rutschten über den Monitor, wirbelten durcheinander und ordneten sich.

„Was ist das für eine Schrift und was für eine Sprache?" fragte Berger, der derartige Zeichen noch nie gesehen hatte.

„Ich weiß es nicht", entgegnete Kolbe und Rossmann bedeutete ihm, es weiter zu versuchen.

„Wie in Babylon", entfuhr es Nora, „die reinste Verwirrung."

„Versuch es damit", sagte Rossmann und reichte Kolbe ein Computerchipprogramm zur Entschlüsselung vorderasiatischer Ursprachen, was aus den Urschriften des Gilgameschepos entwickelt worden war, in dem als erstes die Sintflut beschrieben wurde, die später Eingang in die Bibel fand, ein Gemisch aus Sumerisch, Assur und Chaldäisch.

Nach dem Einschub des Programms in den Leseschlitz des Computers ordneten sich die Buchstaben erneut, sprangen um und setzten sich erneut. Minuten verstrichen, und auf dem Monitor war nur das Chaos eines ständig ändernden Zeichenwirrwarrs zu sehen.

Berger unterbrach die Stille.

„Da", er stockte kurz, „da ist noch etwas anderes. Auf der Mona Lisa ist ein indirekter Hinweis auf die Externsteine."

„Richtig", ergänzte Nora, „wir waren dort, nachdem wir den Felsen auf dem Gemälde entdeckt hatten."

Rossmann nickte.

„Sie meinen oben links, nicht wahr? Und was fanden Sie?"

„Wir hatten eine Verschiebung der Zeichnung bemerkt. Der Felsen steht optisch nicht richtig."

Nora erklärte die Gradabweichung von den Achsen und das sie dann diese Linien auf eine Europakarte übertragen hatte, wobei ihnen aufgefallen sei, dass diese über den Montségur und auch durch die Irische See liefen und die Isle of Man überquerten.

„Interessant", sagte Rossmann, während Kolbe noch immer bemüht war, Ordnung in das Buchstabengewirr zu bekommen.

Der Minister trat an einen großen Wandbildschirm und startete den dazugehörigen Rechner. Aus einer Kaskade von Lichtpunkten bildete sich eine Weltkarte, deren Mittelpunkt etwa über Ägypten lag und die Kontinente gruppierten sich um dieses Zentrum.

„Kennen Sie das?" fragte Rossmann.

„Die Erde, natürlich", erwiderte Berger, „nur die Darstellung ist etwas ungewöhnlich."

„Gewiss, nur die Karte, die Sie hier sehen, ist die Weltkarte des Piri Reis."

Unverständig zuckte Berger die Schultern und Nora schaute Kolbe beim Dechiffrieren zu.

„Diese Karte wurde 1929 in Istanbul gefunden. Um ihre Frage vorweg zu nehmen, sie ist echt. Sie stammt von einem türkischen Kapitän mit dem Namen Piri Reis, der im Dienste des Sultans stand, allerdings im fünfzehnten Jahrhundert.

Das erstaunliche an dieser Karte ist, dass diese Karte absolut exakt ist. Sämtliche Küstenlinien sind gradgenau gezeichnet, sogar die Verschiebung durch die Erdkrümmung ist in sie einbezogen worden. Unsere Satellitenkarten sind nicht wesentlich besser.

Das merkwürdigste an dieser Karte ist aber nicht nur, dass hier Nord und Südamerika absolut genau eingezeichnet worden sind, sondern auch die Antarktis mit allen Buchten, obwohl diese erst im Jahr 1800 entdeckt wurde."

„Aus dem Mittelalter, sagen Sie?"

Berger staunte.

„Ja, Ottmar Rahner fand heraus, dass der Sichtpunkt, also das Zentrum dieser Karte direkt über Kairo liegt. Über Kairo, denn um diese Perspektive zu erhalten, muss sich der Zeichner etwa acht bis zehn Kilometer über der Stadt befunden haben."

„Verdammt hoch."

„Sicher, Herr Berger, aber gibt Ihnen das nicht zu denken? Ihr Vater, Frau Rahner, vermutete, dass dies nichts anderes ist, als die Zeichnung nach einer Fotografie..."

Berger schwieg. Er sagte gar nichts mehr. Seit dem Betreten des Raumes zweifelte er an allem. Nichts, aber auch gar nichts deckte sich mit dem, was offizielle Lehrmeinung war.

„Schauen Sie hier."

Rossmann deutete auf die ebenfalls eingezeichnete Insel Grönland, „Was sehen Sie dort?"

Berger trat näher an den Bildschirm und erkannte feine Linien, welche die Insel in drei Teile teilte.

„Drei Teile, was bedeutet das?"

Der Minister beugte sich etwas vor und fuhr mit einem Finger die Linien entlang.

"Es bedeutet genau das, was Sie dort sehen. Bis vor wenigen Jahren hielt man Grönland für eine einzige Insel. Dann begann man die Dicke des Eises zu vermessen und stellte fest, dass dieser Halbkontinent eigentlich aus drei Inseln besteht, der nur optisch wie eine Insel aussieht."

„Na gut, aber was ...?"

„Was das bedeutet? ... Das sagt etwas ganz ungeheuerliches, nämlich das, dass Piri Reis, als er die Karte zeichnete gewusst haben muss, dass die Insel dreigeteilt ist..."

„... Oder derjenige, nach dessen Vorlage er zeichnete", ließ sich Kolbe hören, „aber das macht im Ergebnis keinen Unterschied."

„Richtig", pflichtete Rossmann bei, „denn das letzte Mal, das die Insel nicht mit Eis überzogen war, jetzt lachen Sie bestimmt wieder, war es zur Zeit der Dinosaurier, was geologische Untersuchungen belegen."

Berger lachte wirklich.

„Aber Herr Rossmann, das ist doch nun aber wirklich Unfug. Glauben Sie, ein Flugsaurier hat Fotos geschossen und dann irgendwie an diesen Türken weitergegeben, damit er eine Karte zeichnet, so eine Art Pterandon - Instamaticfilm. Herr Rossmann, ich bitte Sie ..."

„Nein, nein, natürlich nicht, aber trotzdem bleibt der Fakt bestehen, dass die nicht sichtbaren Küstenlinien unter dem Eis absolut deckungsgleich sind. Es ist eine einhundertprozentige Übereinstimmung.

Doch ich zeige Ihnen diese Karte aus einem anderen Grund:
Es ist eine der exaktesten Weltkarten, die es gibt. Ich zeichne nun
einmal die Linie von den Externsteinen ein, die Frau Rahner vorhin
angab."
Mit einigen Bewegungen der Mouse öffnete der Minister eine Geo-
graphiedatei und suchte aus ihr die Koordinaten der Externsteine
heraus und gab die ermittelten Gradabweichungen hinzu. Danach
übertrug er die so entstandenen Linien auf die Karte des Piri Reis.
Ein schiefes Kreuz entstand und zog sich bogenförmig über die Kontinente. Wie schon bei Noras Handskizze überquerten die Linien
den Montségur, eilten durch Spanien und verloren sich im Atlanti-
schen Ozean, während die kreuzende Linie über England , die Isle
of Man und Irland verlief und ebenfalls im Meer endete. In südlicher
Richtung zeigte sie quer durch Asien.
„Ach du meine Güte!"
Rossmann schien erschrocken und Kolbe drehte sich überrascht um.
„Mensch Alex, die Linie geht quer durch Lhasa!"
„Muss sie wohl auch, wenn alles stimmt", war Kolbes knappe Ant-
wort und er widmete sich weiter dem wirren Buchstabensalat.
„Ach was, jetzt holen wir auch noch die Mönche aus Tibet mit in das
Spiel, oder wie soll ich das verstehen?"
Berger empfand keine Überraschung mehr und wartete nur noch
auf das, was sich hier entwickelte.
„Irgendwie schon", Rossmann nickte, „jetzt scheint es an die Wur-
zeln zu gehen ..."
„Wieso?" fragte Nora und setzte sich wieder.
„Wissen Sie, dass Adolf Hitler am Anfang der vierziger Jahre des
letzten Jahrhunderts Kontakt in den Himalaya suchte?"
„Nein", schüttelte Nora den Kopf.
„Das ist keine Bildungslücke, denn dafür wurde ja auch keine Wer-
bung gemacht. Ich kürze diese Episode einmal kurz ab:
Hitler - und nicht nur er - glaubte das sich im Himalaya Überlebende
der Atlantiskatastrophe verborgen hielten und in irgendwelchen tiefen Höhlen lebten und so fort. Er glaubte, dass diese Überlebenden
von den Göttern abstammen würden und er suchte eine Verbindung

zu ihnen, die er ‚Agharti' nannte. Für diese Aufgabe schickte er eine SS-Gruppe auf eine Expedition dorthin, die nie wieder kam und von der man nie wieder etwas hörte. Hitler nannte Atlantis ‚Thule' und er glaubte durch oder über Lhasa eine Verbindung dort hin zu finden."

„Ach ja, der Thule Orden. Degenerierte Spinner, die sich nach dem ersten Weltkrieg zusammenfanden und Sonnenwendfeuer abbrannten", fiel Berger dem Minister ins Wort und grinste:

„Stammte nicht auch Prinz Eisenherz aus Thule..."

Rossmann lächelte.

„Sie sind noch immer skeptisch, Herr Berger?"

Der Journalist brummte in sich hinein. Der Minister klickte mit der Mouse und übertrug die Entfernung zwischen den Externsteinen und der Isle of Man auf die Linie, die sich über Asien nach Lhasa zog. Es waren exakt neun Teilstrecken.

„Drei mal drei", sinnierte Rossmann und zog den Mauszeiger an der dritten Teilungsstelle im Russisch- Iranischen Grenzgebiet eine Linie nach Süden und zeichnete eine zusätzliche Linie, die um 90° Grad abknickte. Auf ihr markierte er die Entfernung zwischen den Externsteinen und der Isle of Man.

„Schauen Sie doch mal hier, Herr Glaubichnicht'."

Berger starrte auf den vergrößerten Kartenabschnitt, denn die Teilung zeigte eine Stadt: Jerusalem!

„So, jetzt machen wir es für Sie einmal ganz genau."

Rossmann zoomte die Karte der Stadt vergrößernd heran und die von Norden kommende Linie endete in einem Lichtpunkt, der intervallmäßig aufleuchtete.

Eine erneute Vergrößerung brachte Sicherheit in das, was Berger bei dem Erkennen der Stadt vermutet hatte, denn der Lichtpunkt leuchtete neben einer kleinen Schrift, welche den Ort bezeichnete: ‚House of the templars'.

„Das gibt es doch gar nicht! Das ist doch unmöglich!"

Berger wollte nicht glauben, was er sah, der Teil des alten salomonischen Palastes, der den Templern überlassen worden war, war

deutlich zu erkennen. Hier endete die Teilstrecke und der Lichtpunkt leuchtete. Berger glaubte zu sehen wie die Diode lachte.
Rossmann drückte auf eine Taste und die Karte verschwand. Übrig blieben nur die Punkte der Teilstrecke, die sich auf den Linien befanden.

„Rahner schrieb irgendetwas von festen Punkten", sagte er und deutete auf den Bildschirm.

„Und was ist das hier?"

Nora zog spielerisch den Finger auf dem Monitor hin und her.

„Warten Sie mal."

Rossmann trat an einen anderen, kleineren Computer und ließ auf dem Bildschirm die verschiedensten Bilder entstehen.

„Das hier sind auch Aufzeichnungen ihres Vaters."

In rascher Folge, wie bei einem schnellen Diadurchlauf, blitzten helle Punkte auf einer schwarzen Fläche auf

„Hat er das irgendwie erklärt? Ich meine, gibt es Erläuterungen zu den Punkten?"

„Ja, das hat er. Dieses hier sind Sternenkarten, Auszüge von astronomischen Beobachtungen verschiedenster Institute. Ihr Vater scheint da eine Verbindung gesehen zu haben."

„Halt!" rief Berger und deutete auf den Bildschirm, „das da sieht doch so aus, wie die Lichtpunkte auf dieser Streckeneinteilung."

„Hm", Rossmann klickte mit der Mouse und statt der hellen Punkte erschien ein geschriebener Text.

„Fish-Interpretation, wahrscheinlich Sternbild Reticulum (Netz / südlicher Sternhimmel) oder Sternbild Taurus (Stier, Hauptstern Aldebaran)", las er und wurde etwas nervös.

Mit einigen Tastenanschlägen übertrug er die Punkte auf die Neunerteilung.

Berger atmete tief aus, die Punkte waren völlig deckungsgleich.

„Was ist das, diese ‚Fish Interpretation'?"

Nora zog die Stirn kraus und schüttelte den Kopf. Auch Sie war verwirrt von dem, was sie hier erlebte.

„Warten Sie bitte noch einige Sekunden."

Ein erneuter Mausklick brachte einen kurzen Bericht auf den Monitor:

>> *Betty Hill, eine im Jahr 1920 geborene Amerikanerin, behauptet im September 1961 von einem Raumschiff entführt zu sein. Neben verschiedenen Erzählungen zeichnete sie in Hypnose diese Karte. Bestätigung der Karte durch das Teleskop Hubble im Jahr 1999.*<<

„Ha, reine Fantasie", bemerkte Berger, obwohl er nicht verstand, wie jemand eine Karte zeichnen konnte, die erst achtunddreißig Jahre später bestätigt wurde. Was er aber vor allem nicht verstand, war die Deckungsgleichheit mit den Markierungen der Abstandsstrecke zwischen den Externsteinen und dem Montségur oder auch zu der Isle of Man.

„Moment!"

Rossmann deutete auf den weiter unten stehenden Text.

„Wirklich nur Fantasie? Diese Karte ist auch so exakt, wie all das andere, das wir vorhin fanden. Die Karte wurde aus einer Position gezeichnet, die einem Standpunkt im Weltall entspricht und vom Teleskop bestätigt. Können Sie im Weltall stehen, Herr Berger?"

Der Journalist spitzte die Lippen und pfiff einen leisen Ton. Natürlich konnte er das nicht, aber versuchte es wieder mit seiner Art von Humor:

„Also, von diesem Sternbild kamen also die Ufo's und die grünen Männchen und nicht vom Mars und landeten hier, damit wir sie heute suchen können."

Gerade wollte Rossmann antworten als Kolbe ein „Ich glaube, ich hab's" in den Raum rief.

Der Drucker surrte und engbeschriebene Blätter fielen in den Ablagekorb.

„Komisch ist es schon", fuhr er fort, „der Text ist nicht speicherbar. Er lässt sich nur ausdrucken."

„Und?" klang es wie im Chor, als Berger und Nora zugleich nach dem Ergebnis fragten, hingerissen in einem Gefühl zwischen Skepsis, Neugier und der Unwirklichkeit, in sie sich zu befinden glaubten. –

Unwirklich ? Hatten sie heute nicht die Stimmen aus der Nabe gehört...?

Der Drucker verstummte und Kolbe nahm die Blätter in die Hand.

„Es ist eine merkwürdige Sprache, aber sie klingt irgendwie indogermanisch. Ein richtiges Kauderwelsch."

„Ich dachte, das Programm wäre so gut?" bemerkte Rossmann fragend

„Das ist es auch, aber das hier ist wohl doch nicht so ganz einfach. Mal sehen, was davon lesbar ist."

Er hielt die vollgeschriebene Seite in der Hand und überflog sie, dann ließ er die Hände sinken und das Blatt fiel leicht taumelnd zu Boden. Nora bückte sich und gab es Kolbe, der sich bleich in den Drehstuhl fallen ließ und einen Moment schwieg.

„Es stimmt, alles stimmt. Die Mythen sind wahr. Hier sieh selbst."

Er reichte Rossmann die Blätter, der das Geschriebene ebenfalls rasch überflog.

„Reden Sie schon", forderte Berger.

„Ja, sagen Sie etwas", ließ sich auch Nora vernehmen.

„Schön, aber jetzt scheinen wir wirklich in das Reich der Mythen und Geschichten einzutauchen. Herr Berger, Sie als Skeptiker, was glauben Sie denn hiervon? Alles kann ich auch nicht lesen, aber ich werde mich bemühen. Hier steht folgendes zu lesen:

*Füge es zusammen, wenn die halbe Zeitwende kommt, am vorgesehen Platz. Zweimal im Umlauf um die kleine Sonne ist es möglich, wenn es wächst und wenn es stirbt dann kommen wir zurück.*

*Wir haben verloren, ihre Kraft war zu stark. Wir gehen über die Zeitbrücke. Wenn wir euren Ruf erhalten und die Brücke wieder gebaut ist, stehen wir bereit. Kinder Asgards, gebt nicht auf. Utgard darf nicht siegen!*

*Viele Umläufe um die kleine Sonne werden vergehen, doch uns ist die Zeit ein Nichts. Bedenkt, dass wir eure Freunde sind. Bedenkt, dass wir euch halfen, um so auch uns zu helfen.*

*Der Krieg in der vierundzwanzigsten Galaxie hatte uns fast vernichtet und auf der Suche nach dem Überleben fanden wir eure kleine Sonne. Unser*

*gelenkter Planet zerbarst im Kampf mit Utgard. Sein Staubgürtel verdun-
kelte den roten Planeten und alles erfror und Utgard saugte die Atmo-
sphäre des Atems ab.*

*Wenige waren wir, die wir uns über die Zeitbrücke retten konnten und die
Energie reichte kaum. Wir mussten überleben.*

*Thor lenkte Asteroiden, Kometen und Meteore auf euren blauen Planeten,
wo riesige Wesen, plump und dumm herrschten. Für fast einhundert Umläufe um die kleine Sonne war es dunkel und kalt. Lava versiegte und Eis
umschloss den Boden. Die Kreisbahn des blauen Planeten taumelte und
Freya zündete die große Explosion und sprengte den einundachtzigsten
Teil aus dem blauen Planeten heraus und setzte ihn zu seiner Balance in
eine genaue Bahn um ihn herum.*

*Utgard griff uns an und wir hatten große Verluste. Fenris zerstörte viele
unserer Schiffe, bevor Widar ihn besiegte.*

*Wir strandeten auf dem blauen Planeten. Die Schiffe waren zerstört und
wir trafen einige einfache Lebensformen, die vor Urzeiten den unseren glichen. Wir nahmen Eingriffe vor in die Lebenssubstanz (DNA) und lebten
auf dem blauen Planeten.*

*Utgards Führer Loki schloss Frieden mit uns und wir siedelten in dem
Land, das wir unserer Heimat nach ATLAN nannten.*

*Wir beobachteten die Eingriffe in die Lebenssubstanz, korrigierten Fehler
und lebten mit euch Wesen, die ihr euch selbst Menschen nanntet.*

*Loki half uns, aber im Geheimen hetzte er euch auf, wollte, dass ihr ihn als
Herren preist und euch zu seinen Sklaven machen. Er stahl die Zeitbrücke
und ward einige Umläufe um die kleine Sonne nicht auffindbar... dann
kam er zurück mit furchtbaren Waffen.*

*Wir kämpften, doch wir hatten zu viel Zeit gebraucht, um euch den Plane-
ten vorzubereiten. Unsere Waffen genügten nicht mehr gegen Loki. Unzählige von uns und auch von euch fielen bei Ragnarök und Loki sprengte AT-
LAN, doch die Zeitbrücke gewannen wir zurück.*

*Seebeben brachen aus und die Achse des blauen Planeten verschob sich und
die Reste ATLAN's riss eine große Flut ins Meer. Das Land wurde von Eis
bedeckt. Wo Leben herrschte war Eis und wo Wasser war erwuchs Land.*

*Einige von euch, die uns als Mittler dienten, flohen nach Norden und Os-
ten in die höchsten Berge. Wir sagten, was zu tun sei und mit der Zeitbrücke verlassen wir euch. Vergesst uns nicht, auch wenn wir nicht bei euch*

*sind, denn wir rüsten uns. Wenn ihr zu uns die Zeitbrücke baut, werden wir wiederkommen.*
*Hütet Euch vor Loki und Utgard. Zwar ist Loki tot, doch seine Diener werden euch unterjochen. Ruft uns, wenn die Zeit reif ist, am Tage, wo es wächst oder am Tage, wo es stirbt, dort am Ort, den wir Asgard nennen."*

Erschöpft und sichtlich ergriffen ließ Rossmann die Seiten, aus denen er gerade vorgelesen hatte, zu Boden fallen. Auch die anderen schwiegen.

„Also, wenn ich nicht selbst hier stünde...", Nora schüttelte den Kopf.

„Richtig."

Berger stand auf und lief unruhig in dem Raum umher, wobei er an sein vorheriges Geschwätz dachte und fügte dem herumlaufen ein gestöhntes „Was nun?" hinzu.

Rossmann fasste den Journalisten am Arm.

„Ich sagte ihnen ja, dass dieses zu unglaublich klingt, aber nun haben Sie zumindest die Gewissheit, dass wir nicht von Utgard sind."

„Nee, nee, das sind wir nicht", ließ sich nun auch Kolbe hören.

„Was geschieht nun?"

Nora konnte es immer noch nicht fassen, was sie gerade gehört hatte und bevor er eine Antwort gab, räusperte sich Rossmann:

„Wir sollten den Gral holen, denn ich habe das Gefühl, als das die Zeit die uns bleibt, sehr eng wird, denn Utgard beherrscht schon fast alles."

„Und danach?" fragte Berger, „Zu diesem Asgard? Das ist doch schon wieder ein Rätsel."

„Nicht nur ein Rätsel", Rossmann hob den Zeigefinger wie ein Schüler, der sich im Unterricht zu Wort meldete, „wir haben auch konkrete Hinweise."

„Die Sintflut?" warf Berger ein ohne einen billigen Witz zu machen, denn er schien die Ernsthaftigkeit der Angelegenheit erkannt zu haben.

„Richtig. Aber Sie denken zu sehr in den Gedanken der Bibel. Auch die Völker Indiens oder in Amerika die Mayas berichten von einer

Sintflut. Das Popol Vuh erzählt uns von einem Ascheregen, von Dunkelheit, Vulkanausbrüchen, Erdbeben und Sturm, genauso, wie wir es gerade gehört haben."

„Sie kommen nun bestimmt auf die Berichte Platons über Atlantis..."

„Herr Berger", Rossmann schüttelte den Kopf, „Sie sind immer noch ein Ungläubiger und zweifeln. Haben Sie Platon wirklich je gelesen, ihn überhaupt in der Hand gehabt?"

Berger verneinte.

„Platon sprach davon, dass alles starb, was größer als ein Wolf war. In Kalifornien, auf den Salt-Lake-Ölfeldern wurden Mammutfriedhöfe entdeckt, die auf eine Verschiebung der Erdpole hindeuten. Wenn Sie einmal die ganz neutral die normalen wissenschaftlichen Berichte lesen, dann werden Sie feststellen, dass die Erde in den letzten vierzehntausend Jahren um etwa fünf Grad wärmer wurde, also die Pole wirklich abschmelzen. Das bedeutet eine Lebensveränderung enormen Ausmaßes, überall!

Platon ist nicht allein, die Veden Indiens sprechen von einem Land, das sie ,Sen Vesta' nannten, welches dem Atlantis Platons entspricht. Wenn man die Polverschiebung einberechnet, gibt es nur drei Gebiete, die von den beschriebenen Orten aus gesehen, westlich lagen: Amerika, Afrika und die Antarktis."

„Herr Rossmann ... !"

„Moment! Wenn wir das soeben Gehörte einbeziehen, die Vereisung und die Informationen, die wir sonst noch haben, kann es sich nur um die Antarktis handeln."

„Ein ganz schön kaltes Atlantis", grinste Berger.

„Sie vergessen die Polverschiebung, Herr Berger."

„Ja, ja... ."

„Also, die letzten Berechnungen zeigen - wenn wir die Angaben Platons zu Grunde legen und gleichzeitig die Wanderung des Erdmagnetismus betrachten - eine Polverschiebung von exakt 3.027 Kilometern und ein bisschen in dem angegebenen Zeitraum. Es wird Sie sicherlich nicht mehr wundern, wenn ich Ihnen sage, dass dies genau 27,3° Grad sind und die siebenundzwanzigste Wurzel hiervon erneut die Zahl Eins ergibt."

„Ist das alles nicht sehr abstrakt?"

„Sicherlich, aber übertragen wir das doch einmal auf eine Weltkarte."

Rossmann klickte mit der Mouse und die von ihm eingegebenen Koordinaten erschienen auf dem Bildschirm. Die Landmassen verschoben sich und das Zentrum der Antarktis befand sich nun auf dem zweiundsechzigsten Breitengrad.

„Nun machen wir das alles noch deutlicher."

Der Minister drückte einige Tasten und die Antarktis rutschte transparent auf die Nordhalbkugel der Erde. Mit dem Finger deutete Rossmann auf den Monitor:

„Sehen Sie, das Zentrum würde in etwa in der Nordsee liegen und das Land reicht vom Polarkreis bis hinunter nach Ägypten und Marokko. Die klimatischen Bedingungen wären ideal."

„Hm", Berger kaute an der Unterlippe und spielte mit einem Kugelschreiber in seiner Hand herum, „das ist eigentlich richtig, was Sie da sagen, Herr Rossmann."

„Natürlich ist das richtig", erwiderte Rossmann bestimmt, „außerdem sollte man wissen, dass die Antarktis erst im achtzehnten Jahrhundert entdeckt wurde und nun nachgewiesen worden ist, das dort Getreide angebaut wurde, übrigens vor mindestens vierzehntausend Jahren ..."

Wieder klickte er die Mouse und auf dem Bildschirm zeigte sich die Erde aus heutiger Sicht.

„Asgard ist kein Rätsel", meldete sich Nora zu Wort, „überlegt doch einmal, wenn die Mona Lisa die Karte ist, so ist auch Asgard darauf verzeichnet. Auf dem Gemälde geht ein gewundener Weg ab, endet am Wasser und deutet auf den Felsen, den wir als Externsteine erkannten. Es ist somit ganz einfach, die Externsteine sind Asgard. Dort gibt es ein sogenanntes Sonnenloch. Vielleicht hat das auch etwas damit zu tun."

„Warum nicht?" schaltete sich nun auch Kolbe in das Gespräch ein, „doch was ist mit der Zeitangabe?"

„Ich sage jetzt einfach einmal was Vernünftiges", entgegnete Berger.

„Das wird aber auch Zeit", flachste Nora.

„Wenn es wächst und wenn es stirbt, zweimal im Umlauf um die kleine Sonne...

...Die einzigen Tage, die man ohne Kalender bestimmen kann, sind die jeweiligen Sonnenwenden. Im Frühling wächst alles und im Herbst stirbt alles. In einigen Tage ist die Herbstgleiche."

„Richtig, bis dahin ist es nicht mehr weit", bestätigte Rossmann und ließ auf dem Bildschirm eines Computers erneut eine Tabelle entstehen, auf welcher die Sonnenaufgangszeiten verzeichnet waren: „Da steht es: 23. September, Sonnenaufgang um 6 Uhr und 9 Minuten. Dies könnte das Datum sein oder ein mögliches Datum."

Rossmann zog auf der Karte die Externsteine heran, trug Längen und Breitengrade um den Felsen ein und drückte erneut eine Taste. 360 Strahlen der Gradeinteilung legten sich wie ein Spinnennetz um den Globus, dessen Mittelpunkt nun die Externsteine bildeten. Der absolut nach Süden laufende Längengrad übersprang Afrika und traf in der Antarktis das Gebiet von Neuschwabenland.

Berger wusste, dass dies ein Top-Secret-Gebiet war, aber warum? Nur weil die US-Amerikaner es, nach dem Zweiten Weltkrieg, mit einer Invasionsarmee unter Admiral Byrd erobern wollten, aber nach wenigen Wochen geschlagen waren? Geschlagen von wem? Warum gab es keine genauen Berichte und warum trauten sie sich bis zum heutigen Tage nicht mehr dort hin? Er schüttelte diese Gedanken ab.

„Schön und gut, aber was nützt uns das genau? Wie kommt der Gral in diese Überlegung?"

Berger hatte immer noch einen Rest von zweifeln in sich, zu Unwirklich war das alles, was er hier erlebte.

„Wir werden sehen", sagte Rossmann lapidar und schaltete einen Monitor aus.

„Gut, auf zur Isle of Man", bestimmte Nora und Berger fügte grinsend hinzu:

„Wir dürfen den Spaten nicht vergessen".

## 32

Nachdem sie die Geräte ausgeschaltet hatten und Kolbe den Hebel des Stromaggregates heruntergedrückt hatte, verließen sie die Gänge des Bergwerkes.

Die Getränke standen immer noch auf dem schmuddeligen Tisch und Berger nippte an dem nun kalten Kaffee und zündete sich mit Nora zugleich eine der lang entbehrten Zigaretten an.

„Würde es Ihnen etwas ausmachen, bei mir zu bleiben?" fragte Rossmann und sah Nora dabei an.

„Ich ? Wieso ich? Ich will auch zur Insel!"

Hilfesuchend sah sie zu Berger.

„Ja, warum soll sie hierbleiben?" fragte auch er.

„Ich brauche Hilfe. Unauffällige Hilfe, denn wenn alles so eintrifft, wie es zu vermuten ist, brauche ich jemanden, der einen klaren Kopf hat und den hier niemand kennt. Sie, Herr Berger sind etwas,  na sagen wir einmal, nervös und Alex wird den Gral holen."

„Aber ich habe ...!" protestierte der Journalist.

„Schon gut", beschwichtigte ihn Kolbe, „fliegen Sie mit mir zur Insel."

„Und ich versauere hier", nörgelte Nora.

„Nein, gewiss nicht, Frau Rahner, aber nach Herbstbeginn wird diese Welt eine andere sein. Helfen sie mir. Bitte."

Rossmann sah Nora an, die immer noch etwas zögerte, dann aber zustimmend nickte.

„Und wir legen uns jetzt schlafen", bestimmte Kolbe, „es wird hart, denn noch haben wir den Gral nicht."

Rossmann wies in einen Raum, in dem einige Feldbetten standen und die beiden Männer legten sich nieder. Obwohl er es sich selbst nicht eingestehen wollte, war Berger todmüde und fiel rasch in einen tiefen Schlaf voll wirrer Träume:

Weltraumkämpfe nach Science Fiction Art sah er, Raumgleiter, die von Kreuzrittern angegriffen wurden, Jesus, der vom Kreuz stieg und die Lanze schwang, ein Scheiterhaufen aufloderte auf und das

Bild der Mona Lisa verbrannte, während eine große Flutwelle heranrauschte, deren Wasser er zu spüren meinte.

Es war Wasser!

Nora stand vor ihm und bespritzte ihn mit dem Inhalt aus einem blinden Glas.

„Aufstehen, Wolf. Kolbe ist auch schon wach."

Mühsam reckte er sich, gähnte und folgte Nora, die voran ging und in ein heruntergekommenes Bad deutete, in dem Berger sich frisch machte.

Als er in den Raum mit dem Tisch trat, standen dort zwei weitere Männer an den Fenstern, Lasergewehre in den Händen und auf dem Tisch stand ein üppiges Frühstück.

„Na, gut geschlafen?" begrüßte ihn Kolbe:

„Es ist schon hell und nach dem Frühstück fahren wir."

„Die Flugtickets liegen am Airport bereit", fügte Rossmann hinzu und nahm sich eines der Brote. „In einigen Stunden geht der Flieger von Hannover. Aber essen sie erst einmal in aller Ruhe."

Der Abschied war kurz und Berger drückte Nora fest an sich. Liebte er sie? Oder war es einfach so, weil sie die einzige Frau in seiner Nähe war? Er zweifelte an sich selbst und wurde nun zu einer Hilfskraft degradiert, wie er meinte, wo er es doch war, der den entscheidenden Hinweis auf der Mona Lisa entdeckt hatte.

## 33

*Zur gleichen Zeit in einem Hotel in der Nähe von Magdeburg.*

*„Sie haben ganz schön Mist gebaut", sagte der massige Mann zu de Galbain, der betreten auf den Seidenteppich starrte und nickte.*

*„Ich bringe alles wieder in Ordnung, Herr Bauer."*

*„Schön, das erwarten wir auch. Wo sind Ihre Verschwundenen?"*

*Ein höhnisches Grinsen begleitete die Frage, die de Galbain nicht beantworten konnte und der Mann zündete sich eine Zigarre an.*

„Ich weiß es im Augenblick nicht, aber alle Flugplätze und Polizeistationen sind benachrichtigt. Die Fahndung ist seit einigen Minuten raus. Wir haben Berger den Mord an Peter Sparg angehängt. Damit kommt er nicht weit."

„Quatsch. Kolbe ist viel wichtiger."

„Sicher, da machen wir auch noch was."

„Hoffentlich. Aber vor allem finden sie den Gral, bevor es die anderen tun." Bauers Zeigefinger stach wie ein Messer in de Galbains Brust und er blies ihm den Rauch der Zigarre ins Gesicht. Der Franzose hatte Wut, aber die Anweisung war klar, Bauer leitete die Operation in der Region Deutschland.

„Wie wäre es, wenn wir die anderen den Gral besorgen lassen,  von uns observiert natürlich, und ihn uns dann nehmen. Das würde eine Menge Arbeit ersparen."

Fragend sah der Franzose den massigen Mann an, der wie immer leicht nach teurem Cognac roch und nun etwas zögerte, bevor er kurz nickte.

„Gut, aber machen Sie keinen Fehler. Und jetzt raus!"

Der Franzose verbeugte sich leicht und er hörte beim Schließen der Tür noch, wie Bauer laut brüllte:

„Yvonne! Los, komm her!"

Als er in seine Limousine stieg lächelte de Galbain in sich hinein. Natürlich würde er den Gral besorgen, aber es würde sein Spiel werden, denn er - nur er allein - hatte ein Recht auf ihn, doch er wusste nicht, das seine Gehirnströme und Gedanken von einem Apparat aufgezeichnet und entschlüsselt wurden, nachdem man ihm einen Chip eingesetzt hatte, als er vor Jahren eine kleine Operation zu erdulden hatte.

In dem Haus nahm Bauer seine Zigarre aus dem Mund und zeichnete ein Kreuz in den Aschenbecher und dachte dabei an den Franzosen.

Die Tür öffnete sich und Yvonne trat ein, nur bekleidet mit einem knappen, durchsichtigen Chiffontuch.

## 34

Am Flughafenschalter lagen zwei Tickets bereit, doch es ging nicht, wie Berger erwartet hatte, direkt zu der Insel, sondern, mit kleinen Flugzeugen überquerten sie Deutschland, flogen nach Italien und dann nach Frankreich, um von Paris aus die alte Fähre in Calais zu erreichen.

Kolbe fand dies richtig. Spuren verwischen nannte er das, doch Berger fand diese Art zu reisen nur nervig und voller Stress. Dass sie falsche Papiere besaßen, schien ihm Tarnung genug, was er Kolbe auch sagte, als sie in Dover an Land traten, wo bereits ein unauffälliger Kleinwagen für sie bereitstand.

Berger fluchte.

„Ein etwas größeres Auto hätte es auch getan", maulte er.

„Natürlich, aber wer achtet schon auf einen Kleinwagen?" erwiderte Kolbe, klemmte sich sofort hinter das Steuerrad und sie fuhren über die Landstraßen nach Nordwesten.

Die hellen Strahlen der Scheinwerfer durchteilen die Nacht und peinlichst die Geschwindigkeitsangaben achtend, fuhren sie vorbei an grünen Wiesen, die in der Dunkelheit lagen und durch kleine Orte, wo in manchen Häusern noch vereinzelt das Licht in den Wohnungen zu sehen war.

Wie schon so oft, war auch diese Fahrt schweigsam.

Berger schaute in die Nacht hinaus und trotz seines Drängens, bestand Kolbe darauf am Steuer zu bleiben. Auch auf einen ‚kurzen' Abstecher nach Stonehenge wollte er sich nicht einlassen. Kolbe bemerkte nur kurz, dass es in Sachsen eine ähnliche Anlage gäbe, die man im Sommer des Jahres 1998 gefunden hatte und nun archäologisch untersucht werde, wobei man bereits festgestellt habe, das sie nicht nur größer, sondern auch mehr als zweitausend Jahre älter sei als diese in . Die Ausgrabungen leite übrigens Professor Glaubert.

Berger schwieg, denn es war in der letzten Zeit zu viel geschehen. Das Attentat, die Entführung, falsche Freunde und nun sein Mitwirken in einer Sache, die kein normaler Mensch anders beschreiben würde als ein Hirngespinst. Doch, was war schon normal?

„Eine Frage", sagte er, während der Wagen durch einige Schlaglöcher rumpelte.

„Ja?"

„De Galbain erzählte mir da so eine halbe Geschichte über Jesus, die Merowinger und so. Was hat das eigentlich mit der Sache zu tun?"

„So? Hat er das getan? Nun, das ist die dritte Komponente in diesem Spielchen."

Kolbe ließ die Straße nicht aus den Augen und sprach in die Dunkelheit hinein, während aus dem Radio leise Musik klang.

„Die Merowinger..., hm..., also die Erben der Merowinger und jene, welche ihnen nahestehen, glauben an eine Art göttlicher Sendung. Sie wissen, dass Jesus nicht am Kreuz starb?"

Berger nickte.

„Ich hörte davon, bin mir aber nicht ganz sicher."

„Seien Sie es ruhig. Dann wissen sie auch, dass er mit Maria Magdalena nach Südfrankreich floh und sein Blut in den Adern der Merowinger fließ?"

„Ja, der Franzose erwähnte etwas in dieser Richtung."

„Nun, es gibt eine Gruppe, die sich selbst die Bruderschaft von Sion nennt. Diese Gruppe möchte die alten Könige, also die Erben der Merowinger, wieder auf den Thron bringen. Da de Galbain dies erwähnte, ist davon auszugehen, dass sie mit Utgard paktieren."

„Ja, aber... ."

„Ich glaube, ich muss Ihnen noch ein wenig aus der Geschichte erzählen. Sie wissen, das Jesus aus dem Hause Davids stammte und als solcher einen Anspruch auf den Thron erhob - jedenfalls dann, wenn man das Erbe des Blutes akzeptiert, ist es so. Das heilige Blut, Sang Real, dies ist die Bedeutung des Grals für diese Bruderschaft. Sie sehen in dem Gral eine wirkliche Schale. Nun muss man aber wissen, dass es noch andere Herrschaftshäuser in Palästina gab, so das Haus Benjamin, eine Art Konkurrenz, wenn man das einmal so ausdrücken will. Wenn sie die alten Schriften erforschen ..."

„Sie reden ähnlich wie der Franzose. Meinen Sie die Bibel?"

„Auch, aber nicht nur die Bibel. Dieses Buch ist doch nur ein Sammelsurium von Geschichten, die man niederschrieb. Alles, was irgendwie nicht hinein passte wurde gestrichen, umgeschrieben oder zensiert. Sie müssen wissen, dass auch die Apokryphen, also Schriften, die nicht in die offizielle Bibel aufgenommen wurden, allerlei Interessantes enthalten. Maria Magdalena zum Beispiel war eine Fürstin am Hofe des König Herodes, der von den Römern gestützt wurde. Diese Fürstin kam aus dem Hause Benjamin. Durch ihre Allianz mit Jesus vereinten sich hier zwei Dynastien, so dass der Königsanspruch ein doppelter war, also nicht nur eine Art mystisches Königtum, wie man uns Jesus durch die paulinische Kirche in Rom verkaufen will, sondern der Anspruch war real. Erst die christliche Kirche verpasste ihr ein Anrüchiges Image, wie man es heute sagen würde.

Herodes war ein Usurpator und fürchtete den rechtmäßigen König. Vergessen Sie aber auch nicht, dass in der Bibel des Öfteren von Göttersöhnen gesprochen wird und Ingenieure nach biblischen Angaben ein Raumschiff nachbauten.

Die Pläne liegen bei der NASA unter Verschluss. Außerdem darf man auch die verwandtschaftlichen Beziehungen der Merowinger mit den Templern nicht vergessen."

Kolbe lächelte und bremste kurz ab, um einen Hasen den Weg über die Straße zu ermöglichen.

„Ach ja, jetzt verwirren wir die Sache noch ein wenig: Das Haus Gisor ist übrigens eine Nebenlinie der Merowinger."

„Hä?... Ich verstehe jetzt gar nichts mehr. Die Templer hüten doch irgendwie den Gral, meine ich zumindest verstanden zu haben. Wenn es aber jetzt diese Verbindung gab, dann stehen die Merowinger doch irgendwie auf der Seite von... und ...?"

„Hören Sie doch endlich auf, in diesen einfachen Schemen zu denken. Zwischen schwarz und weiß gibt es ungezählte Grautöne. Das was man einstmals für Dunkel hielt, kann sich auch als Licht entpuppen und das hellste Licht kann zum tiefsten Schwarz werden. Natürlich gab es einst die reinen Bestrebungen. Edel, sauber und gut, doch jetzt opferten Viele ihre Ideale der macht. Utgard hat sie in ihrem Bann."

„Hokuspokus..." bemerkte Berger zynisch.

„Ach Quatsch. Es ist viel einfacher. Sehen Sie sich die Menschen an, Herr Berger: Wer kämpft denn noch für Ideale? Wer ist bereit, Opfer zu bringen? Der eine will Macht, man verschafft ihm einen Posten und er ist korrumpierbar geworden. Den Nächsten verlangt es nach Reichtum, man gibt es ihm und er ist den Gönnern verbunden. Wieder ein anderer hat eine unstillbare Libido oder er drängt in sexuelle Extreme. Bitte, all diese Wünsche werden erfüllt, wenn man den Zwecken nützt und schon ist man gefangen in dem Netz aus Korruption, mitten drin in *Arcadia*, wie Rossmann es so schön sagte."

„Sie nicht?"

Berger schaute den Fahrer an.

„Ich nicht", erwiderte Kolbe ernst, „ich nicht, auch Rossmann nicht und auch nicht Ottmar Rahner dazu andere, die Sie nicht kennen. Das ist ja die Gefahr für Utgard, die sie beseitigen wollen: Freie Menschen, die dem Guten verpflichtet sind."

„Die barmherzigen Samariter, was?"

Kolbe wurde ernst und obwohl sein Gesicht nur von den Instrumenten des Armaturenbrettes beleuchtet wurde, sah Berger einen Glanz in seinen Augen, oder bildete er sich dies nur ein?

„Herr Berger, haben Sie jemals von einer Welt geträumt, in der es keinen Krieg gibt und keinen Hunger? Eine Welt, die gerecht ist in allen Bereichen, mit klaren Flüssen und sauberer Luft? Einer Welt, in der das Wort noch gilt und wo Unrecht geahndet wird? Eine Welt ohne Armut, wo jeder den anderen achtet, egal wer er ist, seine Eigenarten akzeptiert und nicht sofort die Schwäche sucht, um dort den Hebel anzusetzen, um ihn niederzumachen, ihn schließlich zu versklaven. Eine Welt ohne Manipulation?"

„Träumereien, Herr Kolbe, das ist doch Illusion."

Bergers Stimme klang bitter.

„Das ist keine Antwort auf meine Frage."

„Schön, davon träumt doch wohl jeder, aber es bleibt ein Traum."

„Aber Sie träumen auch davon, nicht wahr?"

Berger nickte. Natürlich, dies wäre eine ideale Welt, ja fast das verlorene Paradies.

„Und warum glauben Sie, dass die Welt nicht so ist? Sie als Journalist sehen doch täglich Meldungen. Meldungen über alles Mögliche und was setzen Sie davon den Lesern vor? Doch nur eine Auswahl, denn Sie bestimmen mit, was der Mensch erfährt oder was er erfahren soll."

„Ich? Ich schreibe doch nur", entrüstete sich Berger. Ihm Manipulation vorzuwerfen… Gerade ihm!

„Im Prinzip haben sie Recht", gestand er dann nach einer Weile ein, „aber man kann doch nicht alles veröffentlichen."

Kolbe lenkte in eine enge Kurve hinein.

„Natürlich nicht, die Journale wären dick wie Telefonbücher. Aber wer trifft die Auswahl? Wer bestimmt im Fernsehen, was gezeigt wird? Sie sehen stereotype Bilder, die Meinungen unterstreichen sollen, Manipulationen die sich dann oft als eigene Meinung in den Köpfen der Menschen festsetzen werden. Es ist ja auch so bequem, eine fertige Meinung präsentiert zu bekommen. Wozu soll man sich dann noch mit den Realitäten abquälen, wenn doch die physischen Bedürfnisse befriedigt werden.

Mensch Berger! Schauen Sie sich doch einmal um, was ist denn geblieben von den Idealen, die Sie für einen Traum halten. Da ist doch nicht mehr viel, oder sehen Sie das anders? Wer wüsste denn heute überhaupt noch, dass es Träume gibt, wenn Träumer nicht versuchten, dies alles zu verwirklichen?"

Berger wurde still und schaute erneut in die Nacht hinaus und beobachtete das Reflektieren des Scheinwerferlichtes an den Leitpfosten der Straße.

„Herr Berger", sagte Kolbe dann mit einem eigenartigen Klang in der Stimme, „Sie sind dabei, diesen Traum zu verwirklichen. Wir sind auf dem Weg dahin!"

Er nahm die linke Hand vom Lenkrad und schlug sie Berger klatschend auf dessen Oberschenkel, doch Berger reagierte nicht und sah in die Dunkelheit.

„Ja", sagte er leise - mehr zu sich, als zu Kolbe gewandt:

„Ja, ich will diesen Traum!"


## 35


Im Morgengrauen erreichten sie den Hafen von Blackpool. Dort nahm sie eine kleine Barkasse auf, dessen schweigsamer Kapitän sie nach Douglas auf der Isle of Man übersetzte. Im Nieselregen wartete bereits ein älterer Mann an der Anlegestelle.

„Welcome, Alex..., Mister Berger."

"High Geoffrey, wie geht es denn so?"

Es folgte ein kurzes Gespräch und Berger erfuhr, dass dieser Geoffrey der ehemalige Vorgesetzte Kolbes war, als er noch bei der Euro-Armee diente. Ein Waliser, der nun hier auf der Insel einige Schafe züchtete und die Insel gut kannte.

„Ich habe Bescheid erhalten. Es klang beim Empfang aber etwas verzerrt, so als ob jemand den Funkstrahl abzapfe", sagte Geoffrey mit seinem breiten, gälischen Akzent.

„War damit nicht zu rechnen?" entgegnete Kolbe.

„Wir müssen uns beeilen, denn die Konkurrenz schläft bestimmt nicht."

Geoffrey drängte die beiden zu einem alten Geländewagen und fuhr sofort los, ohne darauf zu achten, ob sie schon richtig in dem Fahrzeug saßen.

„Wohin, Alex?"

Er klappte das Handschuhfach auf und zog eine neue Karte der Insel heraus, die er Kolbe gab, der neben ihm saß und die dieser sofort entfaltete.

„Wir brauchen Spaten", ließ sich nun auch Berger vom Rücksitz aus vernehmen, „und auch einige Hacken."

„Abwarten."

Kolbe raschelte mit der Karte herum und suchte die drei Punkte, die sie mit Hilfe der Mona Lisa entdeckt hatten, die Kirche, die Burg und das Grab, von wo er mit dem Finger, nachdem er sie gefunden hatte, den Mittelpunkt suchte.

„Dahin", bestimmte er, als er den Hügel gefunden hatte.
, Looking Point' stand auf der Karte, mitten auf dem gebirgigen Gelände mit dem Berg, der Snoefell genannt wurde.
„Geoffrey, was ist das?"
„Ach, nur so ein Aussichtsturm, den die Banausen dahin gebaut haben."
Irgendwie wütend trommelte er auf dem Lenkrad herum.
„Noch vor zwei Jahren war es ein wunderschöner Platz, ein herrlicher Berg in dem wenigen Gebirge, was es hier gibt. Es floss dort eine Quelle und das Gras dort war saftig. Jetzt steht da so ein hässlicher Betonklotz mit einer Aussichtsplattform oben drauf, eine Euroburger-Fressbude dazu und die Quelle hat man abgeleitet. Das Wasser verkauft man  jetzt als irgendeinem heilenden Mist. Pah!"
„Das hört sich nicht so toll an", bemerkte Kolbe und drehte sich zu Berger um:
„Das mit dem Spaten können wir wohl vergessen."
„Was machen wir nun, wenn es da nichts auszugraben gibt?"
Vor seinem geistigen Auge hatte er es sich schon ausgemalt, wie er, in einem tiefen Loch stehend, Erde ausschaufelte und als Schatzgräber den Gral finden würde. Er, Wolf Berger, der gar nicht wusste, wie das Objekt überhaupt aussah.
„Wir fahren erst einmal hin", entschied Kolbe und faltete die Karte der Insel wieder zusammen.

Flache Hänge, durchzogen mit Felsen waren zu sehen. Einige weiße Punkte bewegten sich über das Grün, die Geoffrey kurz als Schafe identifizierte. Am Horizont tauchten einige hohe Hügel auf, auf die Geoffrey nun zuhielt. Trotz des hellen Tages sahen sie das Ziel ihrer Fahrt erst, als der Fahrer scharf abbog und sie durch den Nieselregen die grelle Leuchtreklame des Euro-Cola Schildes sahen. Neben dem Schild parkten einige Fahrzeuge dicht an dem Gebäude und trotz des Wetters sah man auf dem Dach, das die Aussichtsplattform trug, einige Menschen unter bunten Schirmen.
Nachdem Berger und Kolbe ausgestiegen waren, fuhr Geoffrey den Wagen beiseite und begann, sich eine Pfeife zu stopfen. Sie standen

unschlüssig vor dem relativ hohen aber irgendwie unförmig wirkenden Betonklotz und schauten sich an.

„Nicht auszudenken", entfuhr es Berger, „wenn die einfach alles betoniert haben."

„Dann werden wir wohl sprengen müssen", sagte Kolbe mit einem Lächeln, aber der Journalist spürte, dass es kein Scherz war. Der große Mann schlug ihm auf die Schulter und drückte Berger in Richtung der Kasse am Eingang des Turmes.

"Two tickets, please."

Die dort sitzende ältere Frau schob wortlos zwei Eintrittskarten über den Kassentisch und widmete sich dann rasch wieder dem laufenden Fernsehprogramm, welches ihr die heile Welt vorgaukelte.

Ein Drehkreuz durchquerend, bestiegen sie eine geräumige Wendeltreppe und gelangten auf die Plattform, wo ein halbes Dutzend Menschen standen und vergeblich versuchten durch den Schleier des feinen Regens das Meer zu sehen. Enttäuscht wandten sie sich ab und ließen Kolbe und Berger in dem aufkommenden Wind, der den Regen verstärkte, allein.

Berger stützte sich am Geländer ab und beugte sich weit vornüber: „Wo sollen wir suchen? War das ernst gemeint mit dem Sprengen?"

Kolbe stütze die Hände auf das nasse Metall des Geländers und schaute zu Berger, ohne eine Antwort zu geben.

„Aber es muss doch einen Anhaltspunkt geben. Stand davon nichts in den ganzen Notizen von Noras Vater?"

Berger holte Luft und spuckte in die Tiefe, als Kolbe verneinend den Kopf schüttelte und anfing ziellos über die Plattform zu laufen, was Berger ihm nachtat. Sie fanden nichts und das einzige, was sie sahen, war eine Insel im Regen.

„Scheiße!" schrie nun Kolbe in den Wind, bevor er Berger folgte, der bereits die Treppe hinabging und zu Geoffrey lief, der im Wagen saß und das Innere des Fahrzeuges mit Pfeifenrauch füllte.

Berger hustete und Kolbe versuchte mit den Händen den Rauch aus dem Fahrzeug zu wedeln.

„Immer noch die alte Waldbrandmischung, Geoff", scherzte Kolbe und hielt sich gespielt die Nase zu.

Der Fahrer schüttelte den Kopf

„Nee, nee, ich sammele jetzt trockenes Unkraut am Straßenrand", war seine Antwort und er blies einen Rauchschwall in Kolbes Richtung.

„Was geschieht nun?" fragte Berger und hob die Beine auf den Rücksitz.

„Was war das hier früher, Geoffrey", fragte Kolbe und griff erneut zu der Landkarte.

„Na, ein Hügel natürlich, was denn sonst. Nur ein Hügel. Man hatte da irgendwann einmal eine Art Grab gefunden, vermutlich ein keltischer Fürst oder so, genaues weiß ich auch nicht. In dem Grab war allerdings nichts Besonderes. Als der Turm gebaut wurde, holte man die Knochen und die Grabbeigaben, soviel ich weiß, ein Steinsarg und allerlei Krimskrams, heraus."

„He Geoff! Warum hast Du das nicht gleich gesagt?"

Kolbe boxte dem Fahrer auf die Schulter.

„Wo sind die Sachen jetzt?"

„Die hat man zu ‚King Orrys Grave' gebracht. Dort gibt es ein kleines Museum. Man zeigt Ausgrabungsgegenstände aus der Gegend, direkt am Laxey Wheel. Das ist eine Wasserpumpe, die 1854 gebaut wurde, um das Grubenwasser aus den Minen zu saugen. Es ist ein ziemlich großes Ding, das Pumpenrad ist über zweiundzwanzig Meter hoch."

„Na dann los", sagte Kolbe. „Fahr' uns hin."


Über nasse Schotterstraßen führen sie an die Ostküste nach Laxey, dem Ort, den Geoffrey als ‚King Orrys Grave' bezeichnet hatte, dem sagenhaften König der Insel.

Geoffrey sog an der Pfeife und Berger hustete.

„Wer war dieser König Orry?" fragte er krächzend.

Geoffrey blies den Rauch vor die Scheibe des Wagens, die ihn schwallend zurückwarf, und die Sicht in dem Fahrzeug glich sich dem diesigen Wetter der Gegend an.

„Soll ich jetzt einen Vortrag halten, hä?"

„Sicher", ermunterte ihn Kolbe. „Warum nicht?"

„Also, das ist nicht ganz einfach", erwiderte der Pfeifenraucher, „was wisst ihr eigentlich über die Gegend hier?"

„Nicht besonders viel."

Berger schaute in den Regen hinaus.

„Ich weiß nur dass es keltisches Land ist und auch die Wikinger hier waren."

„Richtig", bestätigte Geoffrey und lenkte den Wagen um einige Schlaglöcher in der Fahrbahn herum.

„Jeder war hier. Wirklich fast jeder. Die Insel ist eine Welt im Kleinen. Die Pikten aus Schottland waren hier, die Kelten waren hier und auch die Wikinger, die Iren und die Briten, auch die Römer, aber nur sehr kurz.

So etwa im achten Jahrhundert landeten die ersten Wikinger auf der Insel und in den nächsten Jahrhunderten entwickelte sich so eine Art nordisch-christlich-irisch-keltische Kultur.

Die Wikinger bauten in den Orten Castletown, Douglas, Ramsey und Peel Stützpunkte aus. Das milde Klima der Insel gefiel ihnen und sie machten - nachdem sie die Insel erobert hatten - Peel zur Hauptstadt und gründeten danach ein Königreich, welches sich bis ins Mittelalter behaupten konnte.

Erik Blutaxt, der in Norwegen als König vertrieben worden war, eroberte Northumberland und vereinte die Insel mit diesem, seinem neuen Reich, bis er im Jahr 954 vertrieben wurde, denn ein Angelsachse hatte ihn verraten und Maccus Olafson, der Neffe des Königs von Dublin, tötete ihn.

Auch die Hebriden gehörten einst zu dem Reich von Man, denn die Insel lag strategisch sehr gut, mitten in der Irischen See.

Der mächtigste König aber war *Gudröd Haruldson*, der als King Orry in die Geschichte einging. Als er die Insel eroberte, wurde er, so sagt es die Sage, gefragt, woher er denn käme. King Orry habe gelacht und zu den Sternen gezeigt. Sein Geschlecht hatte Verbindungen bis zu den Herren Irlands, den Königen von Dublin und er war Verbündeter von *Eadgar*, der König der Angelsachsen war und England beherrschte.

Aus seinem Geschlecht erwuchs *Gudröd Covan*, der selbst noch König von Dublin wurde.

Auch die schottischen Könige erkannten die Herrschaft der Wikinger an, doch am Ende des elften Jahrhunderts kam es zu einem Aufstand, bei dem  der Regent *Ingemund*, in seinem Haus verbrannte. Das eigenständige Wikingerreich ging unter und nur Man blieb als eigenständiges Reich übrig, denn auch die Hebriden fielen ab.

Im Jahr 1156 kam es zwischen den Schotten und den Wikingern zu einer Seeschlacht, bei welcher die Wikinger vernichtend geschlagen wurden und die Insel kam unter die Oberhoheit Schottlands, die aber im 15. Jahrhundert verloren wurde.

König Heinrich IV. gab die Insel an das Haus Stanley, den Herren von Derby, die selbst von Wikingern abstammten und fast 400 Jahre lang die Insel wie Könige beherrschten, obwohl sie sich selbst so nie nannten.

Erst im Jahr 1825 gelangte die Insel direkt unter die englische Krone und hatte bis vor kurzem noch eigene Gesetze. Das Parlament in Westminster hatte keinerlei Einfluss auf das Geschehen auf der Insel. Es galt immer noch Wikingerrecht.

Wenn es die Zeit erlaubte, könnten wir nach Peel fahren, zu der alten Hauptstadt, wo es noch den sogenannten Thinghügel gibt. Er ist kreisrund und hat 81 Meter im Durchmesser wobei er fast einem Amphitheater gleicht."

„Leider haben wir aber keine Zeit", brummte Kolbe.

„Wirklich nicht", bekräftigte Berger, „aber es war interessant, was Sie über die Insel wissen und erzählten." …Und er dachte über die genannte Durchmesserzahl nach.

81…

Geoffrey drehte die Seitenscheibe des Wagens herunter und klopfte auf dem Blech die Pfeife aus.

„Man sollte doch wissen, wo man lebt, sonst bleibt man immer ein Fremder."

Schweigend nickte Berger und Kolbe deutete mit der Hand nach vom.

„Was ist das?"

Am Rande einer kleinen Stadt war ein merkwürdiges Gebäude zu sehen.

„Das ist das *Laxey Wheel*", antwortete Geoffrey: „Das Pumpenrad, welches ich schon erwähnte. Da müssen wir hin."

Nach wenigen Minuten hielt der Wagen knirschend auf einem mit Kies belegten Platz und Berger atmete nach dem Aussteigen tief durch. Der Pfeifentabak schien wirklich in allen Poren seiner Haut und den Fasern der Kleidung zu sitzen.

„Wohin nun genau?" fragte Kolbe, doch Geoffrey ging geradeaus zu dem merkwürdigen Gebäude, das einem kleinem Turm glich, der neben dem eisernen Rad stand und woran sich zwei kleine Häuser lehnten.

, Laxey Wheel Museum' stand mit großen Buchstaben über der roten Eingangstür und ein kleines Plastikschild wies auf das Heimatmuseum hin.

Geoffrey löste zwei Billetts, drückte sie Berger wortlos in die Hand und ging danach zum Wagen zurück.

Der Regen hatte aufgehört und er spazierte gelangweilt um das Fahrzeug herum, wobei er erneut begann, seine Pfeife zu stopfen.

Berger und Kolbe betraten das Museum, wo im Maschinensaal lärmende Kinder einer Schulklasse zwischen der Pumpe hin und her liefen.

Ein sichtlich überforderter Lehrer bemühte sich verzweifelt Ruhe in die Gruppe zu bringen, damit zumindest er den Vortrag einer älteren Dame lauschen konnte, die die technischen Einrichtungen des fast zweihundertjährigen Raumes erklärte, doch seine Bemühungen schienen vergebens.

Kolbe folgte Berger, der durch einen kleinen Durchgang trat, über dem das gleiche Plastikschild mit dem Hinweis hing, das sich hier das Heimatmuseum befände und kamen in einen verwinkelten Saal, an dessen Wänden lieblos gestaltete Vitrinen standen, die mit bäuerlichen Gegenständen gefüllt waren.

Sie trafen auf allerlei Ungeordnetes aus den verschiedensten Zeitepochen, eine alte Pflugschar, einige rostige Schwerter, die an ein Wandbrett geschraubt waren, Faustkeile, Tonscherben, Knochen, sowie einige schlechte Handskizzen der Insel.

Fragend sah Berger Kolbe an.

„So, hier kann möglicherweise der Gral sein? Na, wo ist nun der Gral? Die alte Pflugschar wird es wohl nicht sein, oder ...?"

Auch Kolbe sah sich ratlos in dem Raum um. Hier sollte der gesuchte Gegenstand sein, zwischen all den gesammelten Scherben, die lediglich provinzielle Bedeutung hatten? Das schien ihm sehr unwahrscheinlich zu sein.

Suchend wanderten die Augen über die Ausstellungsauslagen. Nichts.

Gar nichts!

Die beiden beschlossen systematisch vorzugehen und traten nahe an die Glasschaukästen heran und musterten jede einzelne Scherbe.

, Ein Gefäß, wahrscheinlich', dachte Berger. ,Aber was für ein Gefäß ist es? '

„Das da vielleicht?"

Er deutete auf einen blinden Glaskelch mit angesprungenem Rand, doch Kolbe schüttelte nur den Kopf und ging weiter.

Einige der Schulkinder hatten den Raum entdeckt und verlegten ihr Spiel hier hinein. Quietschen und Kreischen drang durch das Museum, übertönt von den Rufen des Lehrers, der zur Ordnung mahnte.

„Hier!"

Berger deutete auf einen abseits stehenden Tisch, an dem ein handgeschriebenes Schild auf keltische Ausgrabungsstücke verwies.

Kolbe trat zu Berger.

„Was?"

Wie aus heiterem Himmel begann Kolbe plötzlich zu grinsen und ließ einen verstohlenen Blick durch den Raum wandern.

Die inzwischen eingetroffene Museumsführerin versuchte gleichfalls die Kinder zu beruhigen und man spürte ihre Angst, dass eine der Vitrinen durch das Kinderspiel zu Bruch gehen könne.

„Da", sagte Kolbe leise und deutete mit dem Kinn auf eine unscheinbare Scheibe, die schwarz violett gefärbt war und matt glänzte. In ihrer Mitte war ein kleines Loch zu sehen.

Berger griff nach dem Erklärungsschild und las:

*„Keltischer Kultgegenstand, gefunden bei Bauarbeiten des Looking Point auf dem Snoefell.*

*Durchmesser 21,21 cm, ca. 1, 9 cm dick, Umfang 66,6 cm."*

Er reichte Kolbe das Pappschild und er las es ebenfalls, wobei er weiter den Raum beobachtete, aber keine Überwachungskamera entdecken konnte.

„Pah!"

Verächtlich blies er durch die Nase aus.

„Kultgegenstand, wenn ich das schon lese. Das schreiben sie immer, wenn sie nicht wissen, was es ist."

„Das ... ?"

Bergers Augen wurden groß und Kolbe nickte, bevor er Berger mit beiden Händen an die Schulter fasste und zwischen sich und dem Blickfeld der Museumsführerin stellte.

Ein kurzer Handgriff und die Scheibe verschwand von dem Tisch. Kolbe klemmte sie am Rücken hinter den Hosengürtel und verdeckte das Objekt mit seiner Jacke.

„Raus jetzt", flüsterte er und durch die lärmenden Kinder hindurch schoben sie sich zum Ausgang. Im Hintergrund hörten sie das Klirren einer Scheibe und den gleichzeitigen Aufschrei der führenden Dame.

„'Bye", grüßten sie an der Kasse kurz und Kolbe nickte Geoffrey zu, der sofort den Wagen startete.

„So einfach", sagte Berger, als sie wieder in dem Fahrzeug saßen, „so einfach..."

Er schien es noch gar nicht richtig zu glauben, dass sie im Besitz des Grals waren.

Das Objekt, das so begehrt war, lag unbeachtet und nicht erkannt neben Scherben als *keltisches Kulturgut*.

Geoffrey fuhr los und Kolbe zog die Scheibe hervor.

Berger beugte sich nach vorne.

„Und?"

Kolbe hielt die Scheibe hoch und steckte die Spitze seines Zeigefingers durch das Loch. Träumerisch schien er in diesem Anblick zu versinken. Eine schwarz violette Scheibe, im Tageslicht etwas schimmernd, gehalten von einem Finger.

„Das soll der Gral sein?"

Berger schien es immer noch nicht zu glauben.

„Wie es aussieht, ist es wohl so", sagte Kolbe:

„Das Loch entspricht, soweit ich es sehen kann dem Durchmesser der Nabe."

Er roch an der Scheibe, zog den Finger heraus und drehte sie um. Es sah wirklich nur aus wie ein polierter Stein, aber war es ein Stein? Er reichte Berger den Gral und auch er drehte den Kultgegenstand in der Hand, roch ebenfalls daran und schaute durch das Loch, aber auch er sah nichts Besonderes an dem Ding.

„Bring uns nach Douglas", sagte Kolbe zu dem Fahrer, der wortlos nickte. Zwei Stunden später standen sie auf dem kleinen Flugplatz vor einem startbereiten kleinen Flugzeug, das Geoffrey per Funk geordert hatte.

Aus dem Hangar kam ein Mann in einem Overall und begrüßte die drei.

„Wann fliegen wir?"

„Jetzt", bestimmte Kolbe und der Mann kletterte in die Maschine.

Geoffrey drückte Berger die Hand und gab Kolbe einen freundschaftlichen Boxhieb vor die Schulter.

„Dann bringt es mal gut zu Ende", forderte er zum Abschied.

„Da kannst du sicher sein", nickte Kolbe: „Du wirst es spüren."

„Das hoffe ich auch!"

Noch einmal hoben die beiden grüßend die Hand und kletterten ebenfalls in die kleine, aber leistungsstarke, Swallow 410, deren Motoren fauchend ansprangen und sie nach drei Stunden tiefen Fluges nach Bangor bracht. Dort landete der Pilot auf einer abgelegenen Wiese, die neben einem kleinen Wäldchen lag, in dessen Schutz ein unauffälliger Wagen stand, auf dessen Rücksitzbank neue Kleidung für Berger und Kolbe lagen.

„Die Organisation scheint zu klappen", bemerkte Berger, nachdem sie dem Piloten nachwinkten, der sofort nach ihrem Verlassen der Maschine gestartet war.

„Sicher, so schlecht sind wir auch nicht", antwortete Kolbe kurz und setzte sich an das Steuer, nachdem sie die Kleidung gewechselt hatten, und bemerkten das sich in den Taschen eine beträchtliche Geldsumme befand.

„Wo geht es nun hin?"

„Zuerst einmal nicht auffallen. Wir fahren nach Birmingham. Es ging mir alles viel zu glatt."

„Hm ... ?"

"Die anderen sind nicht zu unterschätzen. De Galbain ist nicht blöd. Er ist zwar nur ein Handlanger, aber er ist ein guter Handlanger. Von Birmingham aus nehmen wir den Zug."

Kolbe öffnete das Handschuhfach und entnahm ihm zwei Flugtickets nach Frankfurt, die er Berger reichte und klopfte, wie zur Beruhigung, leicht auf den Gral.

Auch in Birmingham verlief alles glatt, ja selbst auf dem Londoner Flughafen gab es keine Probleme.

In stockdunkler Nacht landeten sie völlig übermüdet in Frankfurt und ein Taxi brachte sie in das reservierte Zimmer des ‚Hessischen Hofes', wo Berger sich todmüde auf das Bett fallen ließ und Kolbe das ‚Du' anbot, wozu dieser nickte.

Kolbe nahm den Gral und schob die Scheibe als Untersatz unter einen Blumentopf, bevor er sich ebenfalls hinlegte. Zuvor jedoch entnahm er dem Nachttischchen eine Pistole, die dort bereitlag und umklammerte sie fest.

## 36

Zur gleichen Zeit wurde auf der Isle of Man ein Mann erstochen. Seine noch glimmende Pfeife setzte das kleine Haus in Brand undals die Feuerwehr den Brand erreichten, fanden sie nur noch rauchende Trümmer vor.

Seine wenigen Schafe liefen laut mähend auf die angrenzende Koppel und bildeten das Hintergrundgeräusch eines kurzen Telefonates:

„Nein, er hat nichts gesagt."

„Merde!" fluchte de Galbain und warf sein Handy wütend an die Wand

## 37

„Du schnarchst!"

Kolbe rüttelte Berger an der Schulter, der knurrend erwachte.

„Wir müssen los", fuhr Kolbe fort.

Verschlafen reckte sich der Journalist.

„Los?"

„Natürlich. Wir müssen Rossmann am Treffpunkt treffen."

„Am Treffpunkt treffen? Wie?"

Kolbe antwortete nicht.

Berger schüttelte den Kopf und dachte kurz an das Erlebte, während Kolbe den Gral unter der Blume hervorzog.

Wenige Minuten später verließen sie die Tiefgarage des Hotels mit einem bereitstehenden Wagen und folgten der Beschilderung zur Autobahn auf die sie auffuhren.

Hinter ihnen setzten sich zwei weitere Fahrzeuge in Bewegung, von denen sich eines nach kurzer Fahrt vor sie setzte sodass sie eingekeilt waren.

Berger bemerkte es als erster und Kolbe schaute in den Rückspiegel.

„Man scheint uns erwartet zu haben. Sei vorsichtig. Unter dem Sitz muss noch etwas liegen."

Berger bückte sich und zog eine Plastiktüte hervor, aus der er eine Pistole entnahm, während Kolbe seine Waffe bereits hinter den Gürtel geklemmt hatte, was Berger ihm nun gleichtat.

Kolbe drückte das Gaspedal durch und der Sportwagen machte einen Satz nach vorne, doch der hinter ihnen fahrende Wagen schien diese Bewegung geahnt zu haben und setzte nach. Beim Überholen schaute Berger in den anderen Wagen.

Am Steuer saß Inspektor Dorfmann und neben ihm der Rothaarige, den Nora vor einigen Tagen so gründlich gefesselt hatte.

Dorfmann grinste, grüßte hämisch mit der Hand und machte einen irritierenden Schlenker nach links, aber Kolbe reagierte und leicht schaukelnd wich er dem angedeuteten Rammversuch aus.

Die Tachonadel bewegte sich immer weiter nach rechts und überschritt gerade die 200 Stundenkilometergrenze. Die aufgestellten Schilder der Geschwindigkeitsbegrenzungen waren nur noch zu ignorierendes Beiwerk, denn der sie verfolgende Wagen klebte förmlich an ihrer Stoßstange.

Kolbe tippte kurz auf das Bremspedal und das irritierende Aufleuchten der Lichter ließ den abbremsenden Wagen etwas zurückfallen. Kolbe riss das Lenkrad nach rechts und setzte sich vor einen großen Sattelzug, dessen Fahrer wütend sein Signalhorn ertönen ließ. Dann bremste Kolbe ab und riss erneut das Fahrzeug nach rechts auf die Standspur und trat das Bremspedal voll durch.

Aus den Augenwinkeln sahen sie das Vorbeijagen der sie verfolgenden Fahrzeuge, deren Fahrer sich sicherlich über das plötzliche Verschwinden Kolbes und Bergers wunderten.

Ohne auf den Verkehr zu achten, drückte Kolbe den Rückwärtsgang in die Einrastung und drückte das Gaspedal durch.

Rückwärts raste er die Standspur entlang, wobei er das, sie ausgelöste Hupkonzert ignorierte. Er bremste an einer Einbuchtung scharf ab und riss den Wagen herum. Als Geisterfahrer jagte er nun die Standspur entlang und beobachtete im Rückspiegel, dass sein Manöver wohl doch bemerkt worden war, denn hinter einer Hügelkuppe sah er den Wagen Dorfmanns auftauchen, der ebenfalls auf der Standspur fuhr und die Verfolgung erneut aufgenommen hatte.

Kolbe drückte das Gaspedal weiter herunter und schleuderte auf einen kleinen Parkplatz hinein, wo er den Wagen erneut herumriss.
Berger hielt sich am Haltegriff des Wagens fest und war froh, angeschnallt zu sein. Seine linke Hand umklammerte die Pistole.
Wieder beschleunigte Kolbe den Wagen und raste nun dem Wagen Dorfmanns entgegen, der die Scheinwerfer warnend aufblendete.
„Vorsicht!" schrie Berger, aber Kolbe verzog nur sein Gesicht.
„Der oder wir", zischte er und umklammerte das Lenkrad fester, wobei er seitlich den Verkehrsfluss beobachtete und weiter auf Dorfmann zuraste, der ebenfalls nicht abbremste.
Kurz vor dem vermeintlichen Zusammenprall der Fahrzeuge zog Kolbe den Wagen nach links und quer über die Autobahn rasend, erreichte er zwischen zwei hupenden Fahrzeugen den linken Fahrstreifen.
Berger atmete tief aus und spürte, wie von seinen Schläfen kalter Schweiß tropfte.
„Das war aber knapp. Puh!"
„Sicher, aber wir haben nicht viel Zeit gewonnen."
Kolbe rückte etwas auf dem Sitz hin und her:
Wir brauchen einen anderen Wagen. Diesen hier kennen sie ja schon."
Wie zur Bestätigung schlug er auf das Lenkrad.
Erneut flogen sie fast über die Autobahn nach Norden und Berger beobachtete die Tachonadel die beim Überschreiten der 250 Kilometermarke leicht zitterte. Ihre Verfolger sahen sie nicht mehr.

Am Rastplatz Lüdenscheid fuhr Kolbe von der Autobahn ab und parkte den Wagen hinter zwei Reisebussen, sodass er nicht sofort sichtbar war. Sie rissen die Türen auf und Kolbe zog Berger am Arm und dirigierte ihn zu der nahen Euro-Oil Tankstelle, in deren Verkaufsraum reger Betrieb herrschte.
Teilnahmslos blätterten sie in irgendwelchen Illustrierten herum und beobachteten durch die Scheibe die vorbeifahrenden Fahrzeuge.

Nur wenige Minuten waren vergangen, als Dorfmann, wohl instinktmäßig, ebenfalls auf den Rastplatz einfuhr und langsam auf dem Parkplatz entlangfuhr.

„Und was geschieht jetzt?" Berger sah Kolbe an.

„Ruhig. Ganz ruhig. Da kommt doch schon unser neues Auto."

„Du meinst?"

Kolbe nickte und beugte sich zu dem Fenster um Dorfmanns Wagen im Auge zu behalten, der dann direkt dort anhielt, wo Kolbe geparkt hatte.

Ein Mann stieg aus und lief zu den Reisebussen, kam dann aber gestikulierend zurück. Dorfmann stieg ebenfalls aus, um dann irgendetwas zu sagen.

Die beiden Männer redeten noch kurz miteinander und legten dann die Hände kurz auf die Herzseite ihrer Jacken, als wollten sie sich etwaiger Waffen versichern. Danach gingen sie auseinander und kamen auf die Raststätte zu.

Berger sah, dass Dorfmann das Gebäude betrat, und der andere Mann draußen herumsuchte.

„Was nun?"

Kolbe lächelte Berger nur kurz an, statt die Frage zu beantworten, sagte dann aber:

„Lass die Idioten doch ruhig suchen, wir nehmen uns ihren Wagen."

„Hä?"

Kolbe spielte mit einem Schlüssel, den er vom Ring des Schlüssels ihres Mietwagens abhakte.

„Woher?"

Fragend sah Berger den großen Mann an.

„Das ist ein Magnesitschlüssel. Der ist sehr weich und passt sich dem Zündschloss an. Ein geringer Stromkreislauf genügt, um ihn zu härten."

„Hab' ich noch nie gehört…"

„Na, Du wusstest ja auch nicht, dass man mit jedem Telefon Räume abhören kann."

Berger kniff die Lippen zusammen.

Vorsichtig verließen sie den Verkaufsraum und beobachteten den Parkplatz. Dorfmann war im Augenblick nicht zu sehen.

Langsam, immer in Deckung der geparkten Fahrzeuge gehend, erreichten sie Dorfmanns unverschlossenen Wagen und Kolbe steckte den Magnesit Schlüssel in das Zündschloss. Der Wagen sprang sofort an und langsam ließ er das Fahrzeug losrollen.

Niemand hatte etwas bemerkt und Kolbe lenkte die französische Limousine in den fließenden Verkehr und beschleunigte dann, um am Kamener Kreuz auf die A2 abzubiegen.

„Wo treffen wir Nora und Rossmann?" wollte Berger wissen.

„Wir werden es erfahren", war die kurze Antwort, „Ich weiß es noch nicht. Ich kenne nur einen TB."

„Einen was?"

„Toten Briefkasten."

„Oje, das ist doch Pfadfinderspielerei..."

„Hast Du immer noch nicht bemerkt, um was es geht?"

Kolbe zog die Stirn kraus:

„Die anderen sind nicht blöd und haben nicht viele Skrupel. Außerdem überwachen sie alles. Wirklich alles!"

Sie ahnten nicht, dass ein kleiner Peilsender ihre jeweilige Position in einen Computer weitergab, denn de Galbain wollte stets wissen, wo Dorfmann sich befand. Außerdem zeichneten sich ihre Gesichter scharf auf einem Monitor ab, übertragen von einer winzigen Kamera, versteckt im Armaturenbrett.


### 38


De Galbain lehnte sich in dem Drehstuhl zurück, überkreuzte die Hände und grinste in sich hinein, denn sein Plan schien aufzugehen. Kolbe und Berger würden ihm schon zeigen, wohin sie wollten und wieder freute er sich selbst über seine Idee, auch Dorfmanns Fahrzeug zu verwanzen.

Er war zwar froh, Helfer zu haben, aber er misstraute ihnen allen. Zudem war er nicht so dumm seine Gegner zu unterschätzen.

De Galbain stand auf, reckte sich etwas und lachte dann laut los. Ohne es zu wissen, waren Kolbe und Berger zu seinen Handlangern geworden, die unbewusst für ihn arbeiteten.

Dass die Beiden im Besitz des Grals waren, wusste er schon, hatte er doch gesehen, wie Kolbe ihn unter die Blume im Hotelzimmer geschoben hatte. Es war gut, dass alle Hotelzimmer der größeren Städte inzwischen überwacht wurden und seit einiger Zeit hatte man begonnen, auch die kleineren Pensionen mit winzigen Kameras zu bestücken.

, Orwell würde sich wundern', dachte de Galbain, ,wie primitiv hatte er das alles im Buch 1984 beschrieben'.

Heute war man viel weiter und verbittert dachte er daran, dass auch er eine Art Wanze war, denn sein linkes Auge war nach einem Unfall entfernt und mit einer kleinen Kamera ergänzt worden. Stecknadelgroß, ein technischen Meisterwerk, das man in dem Auge nicht sehen konnte. De Galbain war so nie allein und was er sah, wurde ständig auf einen Monitor übertragen. Man wusste stets, was er tat, doch manchmal gönnte er sich das Benutzen einer Augenklappe, wenn er seinen körperlichen Bedürfnissen nachging.

Der Franzose wandte sich zu einer computerunterstützten Landkarte auf der sich ein kleiner Leuchtpunkt bewegte.

„Aha", murmelte er zu sich, „auf die Autobahn Zwei also. Mal schauen, wohin die Reise geht."

Er ließ sich wieder in den Sesselfallen um per Uhrhandy einen Helikopter zu ordern, der alsbald auf der Gartenwiese landen würde.

, Ach, mögen sie ruhig fahren', dachte er. , Alles Gute kommt von oben'... Und de Galbain hielt sich für gut.

Er zog den Ärmel etwas hoch und tippte mit einem herausgezogenen Kugelschreiber eine Nummer auf die winzigen Zahlen des kleinen Handys und rief Dorfmann an.

## 39

Kurz nach Paderborn fuhr Kolbe von der Autobahn und durch-
querte einige kleine Orte um dann, wie in einem Kinofilm, vor einer
alten Weide zu halten.

Er stieg aus und griff in ein morsches Loch des Baumes hinein, das
von der Straße aus nicht zu sehen war und zog einen kleinen Zettel
heraus, der eine Zahlenfolge enthielt.

Als er sich wieder in den Wagen fallen ließ, reichte er Berger das
Blättchen, der es zwischen den Fingern spannte.

„Was ist das?"

„Ganz einfach", sagte Kolbe, „Das erste ist die Uhrzeit, das zweite
das Datum. Die letzte Zahl ist die Nummer des Treffpunktes. Jeder
Treffpunkt hat eine Nummer und da müssen wir hin."

„Gibt es da eine Liste oder Ähnliches?"

Kolbe schüttelte den Kopf

„Keine Liste. Nur hier."

Er tippte auf seine Stirn: „Die Punkte sind alle da drin."

„Schön. Wo ist das?"

„Ein Haus in der Nähe von Bielefeld."

Kolbe startete das Fahrzeug erneut und fuhr los.


Das anzufahrende Haus stand am Rande der Stadt, unauffällig in
einer kleinen Siedlung versteckt.

Man sah gepflegte Vorgärten und sauber geharkte Wiesen dahinter.
Die Autos standen ordentlich in den Einfahrten geparkt, mit dem
Auspuff zur Straße hin, damit die Abgase nicht die sauberen Haus-
wände verschmutzen konnten. Eine Wohngegend, in der man man-
ches vermuten konnte, aber nicht den Treffpunkt, an dem Kolbe und
Berger erwartet wurden.

Kolbe lenkte den Wagen in eine leere, offenstehende Garage hinein,
wo sie ein Mann empfing, der mit einem Besen in der Hand die Einfahrt kehrte und einen unauffälligen Freizeitanzug trug. Nur wenn
man genau hinschaute, erkannte man, das ihm mehr daran gelegen

war, unauffällig die Gegend zu beobachteten, als die wenigen Blätter zusammenzukehren.

Der Mann kam auf die gerade Eingetroffenen zu und drückte ihnen die Hand.

„Rossmann wartet schon auf Euch", sagte er und deutete auf den Gartenweg aus Kies, der durch ein sauberes Gartentor auf eine Terrasse führte, hinter der ein großes Glasfenster zu sehen war, welches zugleich als Schiebetür diente.

Rossmann stand in der halboffenen Tür. Jetzt war er ordentlich gekleidet und sah nicht mehr so abgerissen aus, wie wenige Tage zuvor im Harz, als Berger ihn kennengelernt hatte.

„Willkommen."

Der Regionalminister schüttelte die Hände der beiden.

„Ihr habt *ihn*?" schob er der Begrüßung sofort eine Frage nach und sah Kolbe an.

„Natürlich haben wir *ihn*."

„Na klar", bekräftigte auch Berger, „was sollte denn nicht gut gehen?"

Er verschwieg die Verfolgung durch Dorfmann und folgte Rossmann sowie Kolbe ins Haus. Dort ließen sie sich in gemütliche Sessel fallen, die im Wohnzimmer standen.

„Wo ist Nora?" fragte Berger und Rossmann winkte mit der Hand leicht ab.

„Sie arbeitet an den Externsteinen. Sie sitzt dort im Kassenhäuschen."

„Wie ... ?" Berger schaute auf „...Kassenhäuschen?"

„Ja, ein Kassenhäuschen. Unauffälliger geht es doch gar nicht. Dort hat sie alles im Blick und wir sollten nicht vergessen, dass die andere Seite auch noch mitspielt."

Der Journalist presste die Lippen zusammen. Natürlich spielte die andere Seite noch mit. Die andere Seite hatte sie gerade gejagt. Berger fühlte sich wie der zusätzliche Bauer in einem Schachspiel, in das er nicht hineingehörte und dessen nächste Züge bereits bekannt waren, ohne dass der Bauer darauf einen Einfluss hatte.

Erwartend schaute der Minister auf Kolbe und Berger. Kolbe zog den Gral hervor, den er vorsichtig auf den Marmortisch ablegte, der vor den Sesseln stand.

Andächtig schwieg Rossmann und wie in Zeitlupe griff er nach dem runden, schwarzvioletten Stein. Er betrachtete ihn von allen Seiten und hielt ihn dann ans Ohr.

„Es ist kein Radio", scherzte Berger.

„Herr Berger ist ein Scherzbold, Herbert", schwächte Kolbe die flapsige Bemerkung ab.

Rossmann sah den Journalisten mit hochgezogener Augenbraue an und sagte nichts.

Aus einer Sesselfalte zog er die Nabe der Lanze heraus und hielt sie gegen das Loch in dem Gral.

„Das könnte passen", sagte Kolbe leise und trat zu dem Minister.

„Hm", Rossmann brummte in sich hinein, „aber ich versuche es gar nicht. Wer weiß, was wir damit auslösen."

Kolbe nickte.

„Das glaube ich auch. Wir sollten bis zu dem angegebenen Zeitpunkt warten. Diese kurze Zeit überstehen wir auch noch."


## 40


De Galbain hatte zwei Stunden lang vor dem Monitor gesessen und auf den sich bewegenden Lichtpunkt gestarrt, der die Bewegung des Fahrzeuges mit Berger und Kolbe anzeigte.

Die einzige kurze Ablenkung war das Gespräch mit Dorfmann gewesen, den er lautstark angeschnauzt hatte.

Endlich stoppte der Lichtpunkt und mit dem Cursor vergrößerte der Franzose den Bildausschnitt. Er sah das übersichtliche Straßennetz einer kleinen Siedlung in der Nähe von Bielefeld und die Kamera in dem Innenrückspiegel des Wagens zeigte ihm eine Wand, an der ein Gartenschlauch hing.

De Galbain trat ans Fenster und schaute in den Garten hinaus, dorthin, wo vor einigen Minuten ein Helikopter gelandet war und mit rotierenden Flügeln auf ihn wartete. In der sicheren Gewissheit seinen Zielort zu kennen, verließ der Franzose das Haus und lief, sich etwas duckend, über eine regennasse Wiese auf den Hubschrauber zu und setzte sich neben den Piloten, dem er den Zielort angab und dann schaute er geringschätzig auf den hinten sitzenden Dorfmann, den der Helikopter zusammen mit einem weiteren Mann auf dem Flug zu de Galbain aufgenommen hatte.

De Galbain grüßte kurz und Dorfmann schaute brummig, denn er war immer noch wütend, dass Kolbe und Berger ihn abgeschüttelt hatten. Sein Begleiter schaute gelangweilt aus dem Fenster.

Als habe er nur auf das Kopfnicken des Franzosen gewartet, zog der Inspektor ein Handy heraus und wählte die Nummer in Bielefeld, die er von de Galbain auf einem abgerissenen Zettel gereicht bekam. Der sich am anderen Ende der Funkverbindung meldende Richter schien genau zu wissen, um was es ging und was er zu tun hatte. Nachdem der Franzose einen weiteren Zettel an Dorfmann mit der Adresse in der Reihenhaussiedlung gereicht hatte, welche dieser dann durchgab, antwortete der Richter nur kurz:

„Das wird erledigt", und die Verbindung brach ab.

Dorfmann wusste, was dies bedeutete.

Innerhalb kürzester Zeit würde der Richter einen befreundeten Staatsanwalt anrufen und einen Beschluss zur Hausdurchsuchung durchsetzen, einen Beschluss, der eine nicht zu kleine Polizeiaktion beinhalten und in Gang setzen würde.

De Galbain lächelte in sich hinein, denn es war zu schön für ihn, sich offizieller Unterstützung zu bedienen, ohne dass diese Personen wussten, wem sie halfen. Hätten sie die wahren Absichten gekannt, wäre es nicht so reibungslos verlaufen, wie es der - immer noch hilfreiche - Hinweis auf eine gewisse Rauschgiftmenge bewirkte...

Laut surrend startete der Helikopter und flog über das flache Münsterland hinweg, um dann am Rand eines Waldes zu landen, der nicht weit entfernt von der Siedlung lag.

Eilig verließen de Galbain und seine Helfer den Hubschrauber, der sich sofort wieder in die Höhe begab und machten sich auf den kurzen Fußweg.

Wenige Minuten später standen sie in der Straße, wo in einem der Häuser der Gral gerade in einen Leinenbeutel gepackt wurde und schauten zu einer Gruppe uniformierter Polizeibeamter, die an den Straßenenden ihre Streifenwagen als Barrieren quer auf die Fahrbahn stellten. Anschließend patrouillierten sie zu dem Haus oder stiegen über niedrige Zäune, um von der Gartenseite an das Haus zu gelangen.

Das kurze Vorzeigen des Dienstausweises von Dorfmann genügte, um an der Absperrung vorbeigelassen zu werden. Der junge Beamte deutete mit der Hand auf einen älteren Mann, der auf einer kleinen Gartenmauer saß und gerade den Reißverschluss seiner Windjacke zuzog.

Als er de Galbain und seine beiden Begleiter auf sich zukommen sah, erhob er sich und wischte eine eingebildete Fluse von seinem Anorak.

„Die Herren vom Zoll nehme ich an?"

Es war mehr eine Feststellung als eine Frage und Dorfmann zeigte wortlos seinen Dienstausweis erneut vor, während der Dunkelhaarige und der Franzose kurz nickten, denn woher sollte Inspektor Blatter auch wissen, dass hier nie jemand vom Zoll auftauchen würde, oder das er nichts weiter war, als ein weiterer Bauer in dem Spiel, welches hier gespielt wurde. Er war der Bauer und die rund drei Dutzend Polizisten die ahnungslosen Bäuerlein.

„Was geht hier vor?" fragte er dann, mehr zu sich selbst, nachdem er sich vorgestellt hatte und ihm von Dorfmann berichtet wurde, dass eine größere Menge Rauschgiftes in dem Haus vermutet würde.

Inspektor Blatter schaute jeden der drei Neuankömmlinge kurz an, denn er wusste nicht, wer von den vermeintlichen Zollbeamten der Vorgesetzte war.

De Galbain machte einen halben Schritt auf ihn zu.

„Es ist nur das Übliche. Sie brauchen nur die Umgebung absichern. Zwei Leute an die Ausgänge und an die Häuserseiten. Vergessen Sie die Fenster nicht. Wir nehmen zwei Beamte mit uns und klingeln erst einmal."

Blatter zog den Durchsuchungsbeschluss aus der Jackentasche.

„Na, dann mal los."

De Galbain schüttelte den Kopf.

„Sie bleiben hier. Es genügt, wenn wir in das Haus gehen."

Blatter schien etwas verunsichert. Als leitender Beamter vor Ort war es seine Aufgabe, den amtlichen Beschluss zu überreichen, aber irgendetwas in der Stimme des Franzosen, der sich noch immer nicht vorgestellt hatte, ließ ihn nur leicht nicken.

Dorfmann nahm das Blatt in die Hand und sein Begleiter drückte den Oberarm an seine Jacke, wobei er den Druck von zwei Kilogramm reinsten Kokains spürte: Die Rauschgiftmenge die wenig später in dem Haus gefunden werden würde.

Gemächlich schlenderten sie auf den Hauseingang zu und ließen Blatter kopfschüttelnd zurück.

Kurz zuvor war der Mann mit dem Besen eilig ins Haus gelaufen und berichtete von dem Erscheinen der Polizei.


## 41

„Die meinen wohl uns", sagte Rossmann und trat an das Fenster um in den Garten zu schauen.

„Tja", ergänzte Kolbe überflüssigerweise, „wir hätten noch vorsichtiger sein müssen."

„Sicher, sicher."

Rossmann beugte sich vor und sah gerade zwei Polizeibeamte in die sorgsam gepflegten Blumenbeete steigen.

„Der Gral muss weg!"

Kolbe nahm den Leinenbeutel und holte die Scheibe wieder heraus, um sie – wie zuvor in dem Hotel - unter einen Blumentopf zu legen. Rossmann betrachtete die Nabe, die er aus der Innentasche seiner Jacke gezogen hatte.

„Und das hier?"

Berger nahm den Metallstift und lief damit ins Badezimmer. Dort schraubte er den Siphon des Spülbeckens ab und leise fluchte, als übel riechendes Restwasser aus dem Rohr über seine Hände lief.

Er nahm den Metallstift, schob ihn vorsichtig in das nun leere Rohr, verschraubte den Siphon und drehte rasch das Wasser auf, um das Rohr zu füllen. Mit einer eilig abgerissenen Lage Haushaltspapier saugte er die Pfütze des Restwassers in dem kleinen Einbauschränkchen auf, welcher das Abflussrohr optisch versteckte.

Gerade als er den Raum verließ, läutete der Türgong und der Mann, der zuvor noch mit einem Besen in der Einfahrt gestanden hatte, öffnete und schaute auf ein Blatt Papier, das ihm in Augenhöhe entgegengedrängt wurde.

„Guten Tag", hörte Berger eine schnarrende Stimme, die er nur zu gut kannte.

„Sie haben doch sicher nichts gegen eine kleine Hausdurchsuchung einzuwenden ...?"

Dorfmann, der das Blatt vor sich hielt, ließ seine Hand sinken. Hier war er in seinem Element, denn er liebte Hausdurchsuchungen, vor allem, wenn er sie durchführen konnte. So manches Stück, das er hierbei gefunden hatte, lag bei ihm zu Hause; sei es ein Spitzenhöschen der Hausdame, ein kostbares Schmuckstück oder auch nur etwas Bargeld, mit dem er sein - wie er es empfand - mageres Gehalt aufbesserte.

Forsch trat er in den Hausflur und wies die beiden uniformierten Beamten, die sie begleiteten, an, die Haustür zu bewachen, bevor er mit de Galbain und dem Dunkelhaarigen weiter in die Wohnung hineinging.

De Galbain zog die Haustür hinter sich zu und der Dorfmanns Begleiter zog aus seiner Jacke den Plastikbeutel mit dem Rauschgift heraus.

Der Inspektor grinste anzüglich.

„Aha, Kokain... und dann so gänzlich unversteckt auf dem Garderobenschrank... Tse, tse... Wie finde ich denn das? Also, ich muss mich doch schwer über wundern."

Dann wurde sein Gesicht ernst.

„Los! In den Raum da."

Mit dem Zeigefinger wies er in das Wohnzimmer.

„Sie waren sich wohl ganz schön sicher, nicht wahr", sagte nun der Franzose und betrat den Raum, in dem er stehend empfangen wurde.

Dorfmann legte den Durchsuchungsbeschluss auf den Tisch und öffnete neugierig die Kommode, neben der er gerade stand und die zu seiner Überraschung völlig leer war.

Missmutig ließ er ein Klappmesser aufschnappen und stach in einen Sessel hinein um dann langsam den Stoff zu zerschneiden.

Nicht, dass er etwas suchte, - nein, diese Art offizieller genehmigter Zerstörung bereitete ihm sichtlich Freude. Erst jetzt bemerkte er die Anwesenheit Bergers.

„Sieh' mal an, der Zeitungsschmierer ist auch da. Ich sagte Dir doch, das ich Dich kriegen werde."

Höhnisch lachte er den Journalisten an und fügte dann theatralisch hinzu:

„Herr Wolf Berger, ich nehme Sie wegen Verdachtes des Drogenhandels und Verstoßes gegen das Betäubungsmittelgesetz fest."

„Du blödes Arschloch!"

Berger war wütend: „Ich habe Rechte..."

„Ja? Ich scheiß auf Deine Rechte!"

„Herr Dorfmann!"

De Galbain sah den Inspektor mit zusammengekniffenen Augen an.

„Lassen Sie bitte Ihre persönlichen Antipathien aus dem Spiel. Machen sie lieber eine kleine Hausdurchsuchung."

Der Franzose spürte, dass er die Leitung der Aktion in die Hand nehmen musste, denn der ‚Idiot', wie er selbst den Inspektor nannte, konnte die Sache noch im letzten Augenblick gefährden.

Böse schaute Dorfmann zu de Galbain, verließ dann aber eilig den Raum und man hörte das mürrische Aufstampfen seiner Schritte auf der nach oben führenden Holztreppe.

Der Begleiter Dorfmanns zog eine Pistole hinter seinem Hosengürtel heraus und entsicherte die Waffe geräuschvoll. Dann stellte er sich breitbeinig in die Türöffnung, wobei er die Waffe sanft streichelte.

„Warum setzen wir uns nicht. Wir sollten uns unterhalten."

De Galbain zeigte einladend auf die Polstergruppe. Etwas zögernd kamen sie der Aufforderung nach. Berger spürte den beruhigenden Druck der Waffe, die beim Hinsetzen hart gegen seinen Magen drückte.

Auch Kolbe hatte seine Waffe noch, aber was nützte es in dieser Situation? Ein Schuss und das Haus würde gestürmt werden und sicherlich würde es dabei keine Überlebenden geben, denn dafür würde der Franzose schon sorgen. Außerdem deutete die Mündung der Pistole in der Hand des Mannes bedrohlich auf sie. Ihre einzige Trumpfkarte war der Gral.

De Galbain lehnte sich an den Heizkörper vor dem Fenster und schwieg. Niemand sprach.

„Eine schöne Inszenierung, Herr Minister", brach er dann unversehens das Schweigen und nickte anerkennend Rossmann zu.

„Ich hätte es wohl kaum besser machen könne, aber das tut nichts zur Sache. Machen wir es kurz, Sie haben den Gral und ich möchte Sie bitten, ihn mir zu geben. Also, Sie geben mir jetzt den Gral und wir gehen wieder. Das Kokain nehmen wir auch wieder mit und das alles hier war nur ein Missverständnis. Wir gehen unserer Wege und wir alle werden ein friedliches Leben führen. Falls Sie es jedoch vorziehen, weiter die Helden Asgards zu spielen, wird es sich anders entwickeln."

„So? Wie denn?"

Berger fragte dies mehr, um den Franzosen zu ärgern, als das er es wirklich wissen wollte.

Der Franzose stützte sich an der Fensterbank ab.

„Wollen Sie wirklich eine deutliche Antwort? Schön, Herr Berger. Es wird folgendermaßen ablaufen: Dorfmann und natürlich die uniformierten Männchen da draußen, werden Sie in ein Polizeiauto stopfen und danach sitzen Sie in einer gemütlichen Zelle im Polizeigewahrsam. Dort ist es nicht schön, wirklich nicht, vor allem, wenn plötzlich Akten verschwinden und man sie allesamt einfach vergisst. Wie lange halten Sie es ohne Licht und ohne Nahrung aus? ... Eine Woche? ... Zwei Wochen? Ich habe mir sagen lassen, dass das Gehirn nach fünf Tagen Wassermangel anfängt, irreparable Schäden an der Eiweißsubstanz zu bekommen. Aber das ist doch nicht so schlimm, nicht wahr? Das ist sogar vorteilhaft, denn dann spürt man das Ende nicht mehr so bewusst ..."

De Galbain machte einen Schritt vom Fenster weg.

„Also? Wie entscheiden sich die Helden Asgards."

Das letzte Wort klang wie eine Beleidigung.

„Wir haben den Gral nicht", erwiderte Kolbe kühl und versuchte, seiner Stimme einen glaubhaften Klang zu geben.

„Er hat Recht", sagte nun auch Berger und bemühte seine journalistische Fantasie, doch ihm fiel keine passende Geschichte ein.

„Ach ja?" de Galbain zog die Nase kraus und zeigte ein schiefes Lächeln.

„Soll ich Ihnen das glauben? Sie waren auf der Isle of Man. Und wir wissen, warum Sie dort gewesen sind. Als wir den Ausflug dorthin beobachteten, war uns auch die Karte der Mona Lisa klar geworden. Sie müssen ihn gefunden haben, denn eines steht ja wohl fest: Gleich wo wir stehen, blöd sind wir alle nicht. Nun, wie ist es, wollen sie alle wirklich im Keller einer Polizeiwache vergessen werden? Sie werden es, das verspreche ich Ihnen."

„Arschloch", knurrte Berger, „glauben Sie wirklich, dass wir Ihnen den Gral geben würden, wenn wir ihn hätten?"

„Natürlich. Es könnte sonst durchaus passieren, das gleich jemand in - sagen wir Notwehr - erschossen wird. Möchten Sie das unbedingt herausfinden ...?"

Der Tonfall des Franzosen verriet, dass er es ernst meinte.

„Sie...!" fuhr Rossmann auf, aber weiter kam er nicht.

Ein Nicken de Galbains genügte und der Mann mit der Pistole schoss auf den Gärtner, der vor wenigen Minuten noch in der Einfahrt des Hauses die Gegend beobachtet hatte und auch auf dem Sofa saß. Mit einer Art Schluckauf zuckte der Mann hoch und sank dann in dem Polster zusammen.

Der Franzose fasste in die Innentasche seiner Jacke, zog eine kleine Pistole heraus und schoss vor sich in den Fußboden. Dann ließ er die Waffe fallen.

Die Männer erstarrten ob der eiskalten Hinrichtung.

Rossmann zischte: „Das wird Konsequenzen haben."

„Ach ja?" grinste de Galbain und schnaubte.

Es klopfte an der Scheibe des Wohnzimmers und zwei uniformierte Polizisten drückten aufgeregt die Gesichter nahe daran, während im Garten des Hauses die anderen dort stehenden Beamten ebenfalls zum Haus schauten, in dem gerade der Schuss gefallen war.

Dorfmann war die Treppe herunter geeilt.

Innerlich war er wütend, denn bisher hatte er in der oberen Etage ebenfalls nichts gefunden, denn auch dort waren alle Schränke leer.

Der Franzose hob beschwichtigend die Hände.

„Es ist alles in Ordnung. Es war Notwehr."

Er machte sich sichtlich keine Mühe, eine weitere Erklärung abzugeben. Die beiden Polizisten traten etwas zögerlich von der Scheibe zurück und bezogen wieder ihren Posten in dem Garten, der ihnen zugeteilt worden war und sagten irgendetwas zu den anderen Beamten, die ebenfalls dort standen.

De Galbain sah Dorfmann kurz an und wies mit dem Kinn nach oben. Der Inspektor gab einen Brummlaut von sich, zögerte etwas, aber dann drehte er sich um und ging erneut die Treppe hinauf.

„Wir spielen nicht mehr."

Der Franzose war ernst geworden.

„Sie haben genau fünf Minuten Bedenkzeit", sagte er und zog demonstrativ den Jackenärmel zurück und schaute theatralisch auf seine Armbanduhr.

„Fünf Minuten", wiederholte er, „mehr nicht."

„Mörder!" schrie Berger, aber Kolbe legte beruhigend die Hand auf die Schulter des Journalisten.

„Bleib bitte ruhig, Wolf. Christoph wird dadurch auch nicht wieder lebendig."

Berger schluckte, als ihm bewusst wurde, dass der Franzose wirklich über Leichen ging, um sein Ziel zu erreichen.

Aufreizend drehte de Galbain sich um und schaute in den Garten hinein, wo die Polizeibeamten gerade einige Schaulustige von dem dahinter liegenden Feldweg wegschickten, die wer-weiß-wie dorthin gelangt waren. In der Reflexion der Fensterscheibe beobachtete er, wie Rossmann sich steif und aufrecht hinsetzte und Kolbe sich auf dem Sofa mit gespielter Teilnahmslosigkeit hinlümmelte, während Berger nervös mit seinen Fingern spielte. Aus der oberen Etage hörte er das Rumoren Dorfmanns.


Kolbe setzte sich aufrecht hin:

„Was wollen Sie eigentlich mit dem Gral", fragte er mit gespielter Gelassenheit.

Der Franzose drehte sich um und lehnte sich erneut gegen den Heizkörper.

„Ich? ... Ich will gar nichts damit", log er, „Wir möchten ihn gerne haben."

Das Wort wir betonte er absichtlich.

„Wir? Pah!"

Kolbe spitzte die Lippen, als wolle er ausspucken.

„Habt ihr nicht schon genug Leid über die Welt gebracht ...?"

„Wir? Natürlich nicht", antwortete de Galbain kühl, „Ihr ward es. Ihr mit Eurem Gefasel von einer schönen, heilen Welt. Alles nur Träume... Unfug... Kinderkram. Die Welt ist nicht gut und schön."

„Weil Ihr sie dazu gemacht habt!"

Berger sprang auf

„Setzen sie sich bitte wieder, Herr Berger."

Kolbe nickte und der Journalist ließ sich wieder in die Polster fallen.

„Wir haben den Menschen nur Möglichkeiten gezeigt", fuhr der Franzose fort.

Jetzt fiel auch Minister Rossmann in den Disput ein.

„Ja, ja, Ihre Möglichkeiten… Wenn ich das schon höre. Wenn man jemanden Schwarz und Dunkelgrau zeigt, dann hält er das Zweite für das Licht im Vergleich zum Ersten. Das sind die Möglichkeiten, die Sie aufgezeigt haben. Sie verkaufen den Menschen Lügen. Nichts anderes. Betrüger!"

De Galbain schüttelte den Kopf

„Nein,  die Menschen entscheiden selbst. Immer!"

„Wie bei Wahlen, was?"

Rossmann lachte bitter.

„Ihr stellt die Kandidaten und die Wähler entscheiden,  aber es sind Eure Kandidaten, egal auf welcher Liste sie stehen. Eine schöne Wahl. Ihr stellt doch die Wahlmöglichkeiten auf. Ihr. Nur Ihr!"

„Schluss jetzt!"

Der Franzose sah auf die Uhr und zählte.

„Drei…Zwei…Eins. Die fünf Minuten sind um. Wie haben Sie sich entschieden?"

Rossmann räusperte sich.

„Nun gut", sagte er, als er sich erhob, „ich gebe ihnen den Gral."

Kolbe riss den Minister am Ärmel.

„Nein!"

Rossmann winkte ab.

„Sollten sie doch glücklich damit werden."

Der Dunkelhaarige streckte sich und umklammerte die Pistole in der Hand fester und im oberen Stockwerk hörte man das dumpfe Geräusch eines umfallenden Möbelstückes. Dorfmann schien in seinem Element zu sein.

„Dürfte ich ein Messer haben? Eine Nagelfeile tut es auch."

Rossmann streckte fordernd die Hand aus.

„Machen Sie keinen Unfug, Minister, sonst holen wir das Attentat nach. Hier und jetzt, aber diesmal ist es dann ein wirklicher Treffer, das garantiere ich Ihnen!"

De Galbain sah zu dem Mann mit der Waffe, der grinsend eine Zahnlücke zeigte.

„Hast Du ein Messer?"

Der Angesprochene schüttelte den Kopf

„Dorfmann!" rief der Franzose dann befehlend: „Runterkommen!" Das Gepolter über ihren Köpfen hörte auf und ein Inspektor mit putterrotem Gesicht kam hastig die Treppe herunter.

„Scheiße! Da oben ist gar nichts!"

„Na und?" sagte de Galbain zynisch, „glauben Sie, das Gesuchte liegt einfach so herum? Außerdem sollten Sie auf Ihre Ausdrucksweise achten. Geben Sie ´mal Ihr Klappmesser her."

Dorfmann zögerte ein wenig, dann aber reichte er es widerwillig dem Franzosen, der es Rossmann zuwarf und dann wieder von de Galbain noch oben befohlen wurde.

Der Minister fing das Messer geschickt auf und ließ die Klinge herausspringen.

Der bewaffnete hob die Pistole und zielte genau auf Berger, der unbewusst tiefer in den Sessel hineinrutschte.

Rossmann ging langsam auf das Fenster zu und kniete sich nieder. Als würde er einen Kuchen zerteilen, schnitt er um eine Parkettplatte herum und setzte die Messerspitze in ein winziges Loch und hob dann die tellergroße Platte an.

Ein Hohlraum wurde sichtbar und de Galbain beugte sich neugierig zu Rossmann hinab, der in die Vertiefung hineingriff und einen Gegenstand herausholte, der in Packpapier eingewickelt war.

Gierig streckte der Franzose die Hand aus und nahm von Rossmann das Päckchen entgegen, welches etwa die Größe von zwei Händen hatte.

Hastig riss er das Packpapier auseinander.

„Der Gral", flüsterte er ehrfurchtsvoll und bemerkte nicht das spöttische Zucken in Rossmanns Mundwinkeln, der zu der Blume schaute, unter der - immer noch unbeachtet - der wirkliche Gral lag. „Genauso wie in den Mythen beschrieben…"

De Galbain konnte sich nicht von dem Gegenstand in seinen Händen abwenden und schaute auf eine flache Schale aus Stein, Smaragdfarben in der sich das Licht des Raumes brach. In der Mitte des

Steines war eine Vertiefung eingebracht, in der restliches Kerzen-
wachs klebte.

„... *Und Luzifer kam zur Erde und der Stein in der Krone auf seinem
Haupte war grün und leuchtete wie Feuer...*" zitierte er leise für sich die
Stelle aus einer der vielen Überlieferungen um den Gral.

Nah hielt er den Stein vor sein linkes Auge und irgendwo saß jemand an einem Monitor, der zuerst fasziniert schaute und dann laut
fluchte.

## 42

„Dieser Idiot lässt sich auch jeden Dreck andrehen!"

Der Fluchende trat wütend gegen den antiken Tisch, auf dem der
Monitor stand und das getroffene Bein brach ab. Der Tisch wankte
und kippte um. Funkenstiebend implodierte das Gerät.

Der Mann war aufgebracht, sehr aufgebracht sogar, doch am meisten war er wütend auf sich selbst, da er es war, der gerade ‚sein‘
Auge in das direkte Geschehen in Bielefeld zerstört hatte.

Natürlich konnte er einen anderen Monitor benutzen, aber von
Technik verstand Bauer nichts, absolut gar nichts.

Arnold Bauer, war seit einigen Jahren Regionalkanzler des Landes
und dem geheimen Rat direkt unterstellt. Er hatte gerade seinen
fünfundsechzigsten Geburtstag gefeiert, einer Festlichkeit, an welcher der Baron selbst teilgenommen hatte. Der Baron, der das eigentliche Haupt des so genannten ‚Rates‘ war, ohne dessen Entscheidung nichts, wirklich gar nichts, geschah. Bauer war Mitglied dieses Rates, einer Vereinigung die es offiziell gar nicht gab und dessen
Mitglieder sich *Bruder* oder auch *Schwester* nannten.

An manchen Tagen trafen sie sich zu einem gemeinsamen Essen in
irgendwelchen Hotels oder auch zu einem Golfspiel, obwohl Bauer
dieses Spiel nicht mochte. Dieses waren die offiziellen Teile, doch
über was gesprochen wurde, drang nie nach außen, obwohl die
Klatschspalten doch sonst über jede Nebensächlichkeit berichteten,
sei es die unkorrekt sitzende Krawatte eines Staatssekretärs oder das

zu tief geschnittene Dekolleté einer der Damen, die schmückendes Beiwerk der Zusammenkünfte waren. Beruhigendes Lesefutter für die Menschen, die voller Illusion glaubten, durch die bunten Bilder über alles informiert zu sein, was die von ihnen gewählten Repräsentanten taten.

„Arnie, bist du böse?"
Die junge Frau, die sich spärlich bekleidet auf der abseits stehenden Liege räkelte und gelangweilt an einem Joint zog, sprach ihn mit ihrer kindlichen Stimme an.
Bauer drehte sich um.
„Raus!" schrie er: „Mach das Du raus kommst!"
Yvonne kam Bauer gerade recht, um seine Wut abzulassen. Er raste innerlich. Die junge Frau war ein Nichts für ihn, wirklich nur ein Nichts, ein Spielzeug nur, mehr nicht, eine lebende Puppe mit dem Körper einer Frau und dem Geist eines Kindes.
Yvonne war, wie alle ihre Vorgängerinnen oder Nachfolgerinnen, vierzig oder mehr Jahre jünger als Arnold Bauer.
Die junge Frau zuckte zusammen, sprang auf und lief rasch auf die Türe zu, um den Raum zu verlassen, denn sie kannte Bauer, wenn er wütend war. Gleich würde er jähzornig irgendetwas werfen, wobei er nicht wählerisch sein würde. Als sie die Türe hinter sich zuzog, hörte sie das Krachen eines Gegenstandes auf das sie nun schützende Türblatt. Sicher war es wieder der schwere Kristallaschenbecher oder eine halbleere Cognacflasche, dem Bauer ebenso verfallen war, wie der Gier nach infantiler Gesellschaft.
Immer noch wütend drückte er auf den roten Knopf der Gegensprechanlage und hörte ein sanftes Rauschen.
„Staller! Reinkommen!" fauchte er in das eingebaute Mikrophon und griff nach dem neben ihm stehenden Wasserglas mit der hellbraunen Flüssigkeit, das er in einem Zug leer sog.
Nach ein paar Sekunden öffnete sich die Tür und Oberst Staller trat ein, wie immer schneidig Uniformiert grüßte zackig mit einem Hackenschlag.

Staller mochte Bauer, nein eigentlich nicht ihn, sondern die Möglichkeit, die abgelegten jungen Frauen, deren Bauer überdrüssig geworden war, eine Weile zu beglücken - wie er es nannte - um sie dann irgendwo aus einem fahrenden Wagen zu stoßen oder mit einer Überdosis irgendeiner Droge auf eine Bahnhofstoilette zu setzen.

„Ja, Kanzler, Sire?"

„Bringen Sie den Mist da in Ordnung. Ich brauche eine Verbindung zu dem Franzosen. Aber rasch, wenn ich darum bitten darf!"

Wieder schlugen die Hacken zusammen. Staller deutete eine Verbeugung an und wandte sich der geöffneten Tür zu, in deren dahinterliegenden Gang er etwas hineinbrüllte und nach wenigen Augenblicken erschienen zwei Reinigungsmänner, die den Elektroschrott entfernten und zugleich einen neuen Monitor anschlossen.

, Nur keinen Fehler machen', dachte Bauer, ,jetzt nur keinen Fehler machen...' denn das würde der Baron ihm niemals verzeihen.


Es zischte ein wenig aus dem Monitor, auf dessen Sichtfläche sich helle Lichtpunkte zu einem Bild vereinigten. Bauer hatte wieder eine Verbindung zu seinem *Auge*.

Es würde der letzte Auftrag für diesen Franzosen sein, beschloss er und er wusste, dass sich Staller darüber freuen würde, wenn er ihm gleich den Auftrag geben würde, den Franzosen zu erledigen.

Der Oberst hasste de Galbain, aber im Grunde hasste Staller jeden. Er verachtete die Menschen, denn Gefühle waren ihm fremd. Sie waren nur Objekte. Mehr nicht.


## 43


Langsam und vorsichtig streckte de Galbain die Arme aus und betrachtete den Stein, den er für den Gral hielt, aus dieser entstandenen Entfernung. Auch jetzt sah der Smaragd imposant aus, ja er glich sogar fast dem, wie er sich den Gral immer vorgestellt hatte.

Das also hatte sein Vorfahre vom Montségur gerettet. Jean de Galbain, aus der ruhmreichen Familie, der auch er angehörte. De Galbain, die Hüter des Grals!

Wie er den *Gral* auch drehte, er bemerkte nicht, dass es nur eine Wunschvorstellung war, die er in der Hand hielt. Eine Wunschvorstellung aus grünem Kunststein, der von einem echten Smaragd nicht zu unterscheiden war.

Geringschätzig zog er die Oberlippe hoch.

„So, meine Herren, das war es dann ja wohl. Herr Kolbe wird mir gewiss jetzt auch noch sagen, wo er die Lanze verborgen hat, oder irre ich mich?"

Dann lachte er überheblich und fügte dann hinzu:

„Die Lanze ist doch zufällig nicht auch noch hier, oder?"

Er sah Kolbe scharf an, doch der zeigte keinerlei Regung.

„Nein", der Franzose schüttelte den Kopf, „so ein Glück habe nicht einmal ich. Also, wo ist die Lanze?"

„Glauben Sie wirklich, dass Sie damit durchkommen?"

Rossmann setzte sich wieder in einen der Sessel.

„Natürlich. Ich bin schon durchgekommen. Ich habe den Gral!"

Wie zum Triumph streckte er das Objekt in die Höhe.

De Galbain wusste genau, was er nun zu tun hatte:

Gleich würde er Dorfmann rufen und jeden festnehmen lassen. Kolbe würde er mitnehmen und dann etwas intensiver befragen, nachdem er Bauer den Gral überreicht hatte. Er würde diese Befragung gemeinsam mit Oberst Staller durchführen, einem ihm persönlich unangenehmen Menschen, der aber in seiner Position sehr nützlich war. Er wettete mit sich selbst, dass er nach kürzester Zeit den Ort erfahren würde, an dem Kolbe die Lanze verborgen hielt.

„Also dann, meine Herren, ich wünsche noch schöne Tage", grinste er die Sitzenden an und tippte sich an seine Stirn um dann zu brüllen:

„Dorfmann, kommen Sie! Ihre Hilfe wird gebraucht!"

Das feste Auftreten auf die Treppenstufen ließ auf einen missgelaunten Inspektor schließen.

‚Gut so‘, dachte der Franzose, , so brauche ich ihn. Jetzt er hat den richtigen Biss.‘

Dorfmann trat mit geballten Fäusten ins Zimmer.

„Ja?" fragte er nur.

De Galbain antwortete mit höflicher Arroganz:

„Wir sind fertig. Das gesuchte Objekt ist gefunden. Herr Kolbe begleitet mich. Die beiden anderen da", er deutete auf Rossmann und Berger und verzog sein Gesicht erneut zu einem höhnischen Grinsen, „sind gemeingefährliche Rauschgifthändler, genauso wie der gewalttätige Komplize, der in Notwehr erschossen wurde. Das ist jetzt ihre Polizeiarbeit. Viel Glück bei den Ermittlungen."

Dorfmanns Unmut schien verflogen zu sein und er tat es dem Franzosen gleich und lachte:

„Na, Berger, Du Arsch? jetzt geht es Dir an den Kragen."

Er trat an das Fenster und winkte die beiden Polizeibeamten herbei, die nach dem Fallen des Schusses ihre Nasen an die Scheibe gedrückt hatten. Dann schob er die Fenstertüre auf und ließ die beiden Polizisten eintreten.

„Meine Herren, ich bin Inspektor Dorfmann", sagte er und hielt seinen Dienstausweis leger in die Höhe.

„Bewachen Sie diese Verbrecher. Wir haben etwa zwei Kilogramm Kokain gefunden. Bei Fluchtversuchen schießen sie bitte sofort. Die Bande ist gefährlich. Besonders der Jüngere. Ein ganz gemeiner und übler Schuft!"

Sein Blick auf die Pistolenholster wurde sofort richtig gedeutet und augenblicklich starrten Berger, Kolbe und Rossmann in die Mündung zweier entsicherter Waffen.

„Du dumme Sau", schrie Berger den Inspektor an. „Du alte, dumme Sau!"

Dorfmann wandte sich dem Journalisten zu und schlug ihm ohne Warnung ins Gesicht.

„Ruhe, Du ... Verbrecher!"

Erneut grinste er überheblich.

De Galbain sagte leise etwas zu dem Mann, der immer noch mit der Pistole in der Hand in einer Ecke des Raumes stand. Dieser zog ein

Paar Handschellen heraus, die er in seiner Hosentasche getragen hatte und ging zu Kolbe, dem er die Pistole tief in den Magen schob um dann die Handschellen anzulegen.

„Aufstehen", knurrte er dann Kolbe an, der sich widerwillig erhob und er schob ihn aus dem Raum, wobei er die Waffe in Kolbes Nierengegend drückte.

Als sie aus dem Haus traten, kam Inspektor Blatter aufgeregt angelaufen.

„Was war das? Ich hörte vorhin Schüsse."

De Galbain deutete nur eine Verbeugung an und wies auf die offenstehende Haustür.

„Ich glaube, Sie werden da drin gebraucht."

Blatter lief los, während de Galbain und der Bewacher Kolbe vor sich her schoben. Sie drängten in Richtung des Waldrandes, wo der Hubschrauber auf sie warten würde, den de Galbain per Handy zurückbeordert hatte.

Kolbe wehrte sich nicht, denn der Druck des Waffen Laufes in der Nierengegend sagte ihm, dass das Spiel nun sehr, sehr ernst geworden war.


## 44


„Staller!" brüllte Bauer erneut in die Sprechanlage und rülpste von dem hastig hinuntergekippten Cognac auf.

„Ja Kanzler, Sire?"

Die Hacken schlugen zusammen.

„Dieser Idiot... dieser Franzose, der macht...", Bauer rang nach Luft, „... der macht nur Mist! Ich glaube es wird Zeit, dass Sie die Sache in die Hand nehmen. Der Trottel hat gerade den Helikopter zurückbeordert Fliegen Sie hin. Und noch etwas: Ich will den Kerl nie wieder sehen! Seinen Helfer auch nicht!. Es genügt, wenn wir diesen Kolbe hier haben"

Bauer atmete tief durch:

„Staller, ich hoffe, dass sie nicht allzu lange brauchen, um diesem Kolbe seine Verschwiegenheit auszutreiben. Wir müssen wissen, wo die Lanze ist."

Er nippte kurz an seinem Cognacglas, das er in die Hand genommen hatte.

„Ach ja, noch etwas", fügte er hinzu, „bringen sie diese Attrappe mit, ich will das Ding sehen."

Wieder klackten die Hacken beim Zusammenschlagen und Staller machte sich auf den Weg. Er wusste was von ihm erwartet wurde.

Mit gespreizten Fingern fuhr er sich durch das Haar und freute sich auf den Franzosen, dessen Helfer ihm gleichgültig war.

Der bereitstehende Hubschrauber würde ihn nach Bielefeld bringen und in einer Stunde würde das ‚Problem' mit Namen de Galbein nicht mehr existieren…

## 45

„Und?"

Fragend lehnte Blatter an der Türfüllung.

„He", entfuhr es ihm, als er Rossmann erkannte.

„Sind Sie nicht Minister Rossmann?"

Verblüfft sah er Dorfmann an und dann wieder den Minister.

Rossmann schloss die Augen leicht und nickte.

„Schnauze", brüllte Dorfmann und stampfte wie ein Kind mit dem Fuß auf.

„Rossmann ist tot. Haben sie keine Zeitungen gelesen? Der Kerl sieht ihm nur ähnlich. Das sind zwei ganz üble Drogendealer. Wir haben Einiges an Rauschgift gefunden."

„Glauben sie ihm kein Wort", sagte der Minister ruhig und sah Blatter an, „Ich bin genau der, den Sie meinen. Das Attentat ..."

„Seien sie ruhig, Sie…Sie Verbrecher!" schrie Dorfmann und schüttelte Rossmann an der Schulter.

„Aber Herr Kollege!"

Blatter war dieses Verhalten wohl nicht gewohnt, doch er kannte Dorfmann nicht.

Minister Rossmann ließ sich nicht beirren und auch Berger fiel ein: „Wir haben mit dem Rauschgift nichts zu tun. Glauben Sie ihm nicht! Wir..."

„Jetzt reicht es aber!"

Dorfmann schien die Nerven zu verlieren.

„Los, führt die Verbrecher ab. In zwei richtig schmutzige Zellen wenn ich bitten darf!"

„Beruhigen sie sich doch, Herr Kollege."

Blatter hatte selten einen Menschen in solcher Rage erlebt.

„Natürlich kommen die beiden mit auf das Revier", sagte er ruhig und trat zu Dorfmann und sah ihn scharf an, „aber hier bin ich der Chef!"

Wütend schlug Dorfmann mit der Faust auf die Wand.

‚Warte nur‘, dachte er, ‚warte nur ab. Morgen bist Du es nicht mehr. Dafür wird der Franzose schon sorgen, so wahr ich Dorfmann heiße...‘


„Wo ist das Rauschgift?" fragte Blatter und schaute dann, als bemerke er es erst jetzt zu dem Toten, der immer noch zusammengesackt in dem Sofa saß.

„Und das da?" fragte er und deutete auf den anscheinend soeben erst entdeckten Toten.

„Notwehr", knurrte Dorfmann, „reine Notwehr."

„Das wird sich herausstellen."

Blatter zog sein Handy heraus und rief die Spurensicherung an den Tatort.

„Und ich bitte um zwei Teams."

Irgendetwas in seinem Gefühl sagte ihm, dass hier etwas nicht ganz richtig war. Er konnte es nicht beschreiben, aber irgendwie lief hier alles anders ab, als er es gewohnt war, zumal er seit rund zehn Jahren der Chef der Rauschgiftabteilung war. Auf sein Gefühl konnte er sich schon immer verlassen.

„Wo ist das Rauschgift?" fragte er nochmals und Dorfmann deutete auf einen kleinen Beistelltisch.

Mit zwei Fingern fasste er das Paket an einer Ecke an und hob es auf Augenhöhe.

Dorfmann wurde blass, denn er spürte, dass er einen Fehler gemacht hatte.

‚ Scheiße', dachte er bei sich, denn auf dem Paket waren jetzt nur Fingerabdrücke von ihm selbst. Sein Helfer hatte Handschuhe getragen. Weder Berger noch Rossmann hatten das Paket angefasst. Fieberhaft überlegte er. Die Gedanken rasten durch seinen Kopf. Dann hatte er scheinbar die Lösung!

„Herr Kollege", schmeichelte er in ruhigem Ton, „wäre es nicht schön, wenn die Presse, die gewiss gleich erscheint, ein schönes Foto von den... Verbrechern macht, das Päckchen gemeinsam in der Hand?"

Berger lächelte. Noch ehe Dorfmann es ganz ausgesprochen hatte, wusste er bereits, was der Inspektor befürchtete.

Wild schüttelte er den Kopf

„Nein! Ich bin doch kein Fotomodell. Ich..."

„Schon gut."

Blatter legte das Päckchen wieder auf dem Tisch ab.

„Herr Kollege", atmete er tief durch, „wir sind hier nicht im Kino und das ist auch keine Showveranstaltung. Hier wird Polizeiarbeit geleistet und hier ist ein Fall zu bearbeiten. Wenn Sie wollen, können Sie sich ruhig fotografieren lassen", er hob die Stimme, „aber ich mache meine Arbeit."

Dorfmann lenkte ein.

„Sicher, sicher. Ich hatte nur so gedacht..."

Wieder jagten seine Gedanken, denn diese Verhaftung würde unter diesen Umständen nur einige Stunden andauern. Alles war so gut vorbereitet gewesen und nun dieser winzige Fehler. Wenn de Galbain da wäre... aber er konnte ihn jetzt schlecht im Beisein der anderen anrufen. Es galt Zeit zu gewinnen.

Er beugte sich über den Tisch und griff mit beiden Händen das Rauschgift.

„Herr Kollege!" herrschte Blatter ihn an.

„Ich ...äh...Entschuldigung..."

Dorfmann spielte seine Rolle gut, aber Blatter war zu lange Zeit schon in seinem Beruf, um die winzigen Schweißperlen zu übersehen, die sich an der Schläfe des Kopfes von Dorfmann gebildet hatten.

„Ich wollte das nur für die Spurensicherung... Nochmals Entschuldigung."

Blatter kniff die Augen zusammen und schaute nochmals zu dem Mann, den er als Minister erkannt hatte.

‚Verdammt noch mal', dachte Blatter, , wenn ich es nicht besser wüsste, dann scheint der Einzige mit Dreck am Stecken dieser Inspektor Dorfmann zu sein'.

Er kratzte sich nachdenklich den Kopf, denn die beiden Verdächtigen, Rossmann und Berger, verhielten sich absolut anders, als er es von dem Abschaum der Rauschgiftszene gewohnt war.

„Gut", sagte er, als die Beamten der Spurensicherung den Raum betraten, „wir fahren jetzt zum Polizeipräsidium. Alle. Sie auch, Herr Dorfmann!"

Er sah den Inspektor an.

„Dort klären wir die Sachlage. Auch diese... Notwehr."

Dorfmann schluckte. Blatter schien nicht so dumm zu sein, wie er gehofft hatte.

Rossmann und Berger wurden mit Handschellen gefesselt und zwei uniformierte Beamte begleiteten sie zu einem Streifenwagen, während Dorfmann spürte, dass Blatter ihn nicht aus den Augen ließ.

, So eine Blamage ', dachte er. ‚Verdammter Mist. Wann kann ich ungesehen telefonieren'?

## 46

„Da vorne ist es."

Staller streckte zeigend einen Arm aus. Der Helikopterpilot nickte nur kurz und drückte den Steuerhebel nach vorne.

Am Waldrand standen drei Männer, von denen einer wild mit den Armen ruderte und Zeichen machte. Sie hatten schon lange auf den Hubschrauber gewartet und sich über sein Ausbleiben gewundert. Staller entsicherte seine Waffe und klemmte sie unter seinen Oberschenkel unsichtbar fest.

De Galbain schien gar nicht mehr mit dem Winken aufhören zu wollen, während Kolbe gelangweilt gähnte.

, …Merkwürdig', dachte er, ,obwohl ich in der Klemme sitze, reagiere ich gar nicht'.

Irgendwie berührte ihn das alles nicht, denn er wusste, dass der Gral noch in Sicherheit war. Rossmann würde sich gewiss etwas einfallen lassen.

Der Helikopter landete und die kleinen Sträucher am Waldrand peitschten durch den Rotorwind hin und her. Die Glastür wurde aufgeklappt und Staller winkte die Passagiere herbei.

De Galbain lief los und etwas unbeholfen durch den Druck der Waffe in seiner Seite, folgten ihm Kolbe mit seinem Bewacher.

„Herr Staller?"

De Galbain stutzte und sah erst jetzt, dass es ein anderer Helikopter war, als jener, der sie hergebracht hatte. Es gefiel ihm gar nicht, von Oberst Staller abgeholt zu werden, dessen hündische Ergebenheit er verachtete. Unbewusst sah er auch, dass in dem Hubschrauber nur Platz für zwei Passagiere gab.

Kolbe blieb stehen.

Es war laut unter dem Rotor, so laut, dass niemand den Schuss hörte, als Staller die Waffe unter seinem Bein hervorzog und Kolbes Wächter ungläubig staunte, als der Oberst auf ihn zielte. Er öffnete fragend den Mund, doch noch ehe ein Laut über seine Lippen kam, fiel er mit einem Loch in der Stirn zu Boden.

Der Oberst sprang aus dem Helikopter und richtete die Waffe auf Kolbe. Instinktiv fühlte er, dass er den Herausspringenden nicht unterschätzen durfte, der ihn eiskalt fixierte und dann anbrüllte:

„Los, rein da!"

Stallers Haare wurden durch den Rotorwind in sein Gesicht geschlagen und seine Waffe deutete zum Helikopter.

„Sie sitzen hinten", wies er Kolbe an und schob ihm zur Bekräftigung die Pistole in den Rücken.

, Eigenartig', dachte Kolbe, ,im Fernsehen und in den Filmen halten sie die Waffen immer schön an den Kopf'. Das war zwar Blödsinn, aber dann hätte er eine Chance; jedoch im Rücken oder in den Nieren ...? So schlecht schoss niemand, dass er den Körper verfehlen würde. Selbst eine verrissene Waffe würde ihn noch treffen.

Umständlich kletterte er auf den hinteren Sitz und Staller folgte ihm, während de Galbain neben dem Piloten Platz nahm, der sogleich startete.

„Wo ist der Gral?" fragte Staller und de Galbain zögerte einen Augenblick, dann jedoch legte er das Replikat in die fordernde Hand des Oberst, der - ohne den Zirkon anzuschauen - diesen neben sich auf den engen Sitz legte. Seine rechte Hand griff unbemerkt nach einem kleinen Hebel.

„Was ist mit ihm?"

De Galbain war immer noch zu Staller umgedreht und deutete nach unten, direkt auf den am Boden liegenden Erschossenen, der am Waldrand lag

„Er bekommt Gesellschaft", sagte Staller knapp.

De Galbain sah den Oberst fragend an und dann riss er verstehend die Augen weit auf. Der Ton, den er dabei ausstieß, glich einem Schluckauf, als sich - wie von Geisterhand - die Kanzeltür öffnete und der Sitzsessel zur Seite kippte. Klickend löste sich der Sicherheitsgurt und de Galbain fiel wild wirbelnd in Richtung der Bäume, die nun bereits fast dreihundert Meter unter ihnen standen.

Der Franzose dachte an nichts.

Es war nicht so, wie man es immer sagt, dass das ganze Leben an ihm vorbeiziehen würde. Nichts zog an ihm vorbei, gar nichts. Er empfand nur eine Gedankenleere und das Denken war wie ausgeschaltet. Nur den, ihn durch die Luft wirbelnden kalten Fallwind spürte er noch. Dann, ein Peitschen der Äste durch sein Gesicht und ein dumpfer Schlag.

Eingezwängt in die Astgabel einer Buche hing er da. Sein Genick war durch den Aufschlag gebrochen und einige Blutstropfen fielen zu Boden, die das Moos aufsaugte.
Gerard de Galbain war tot. Er hatte den Gral verraten.

Hämisch winkte Staller dem Fallenden hinterher, während sich die Kanzel des Helikopters wieder schloss.
Der Pilot ließ die Maschine seitlich abfallen und flog eine große Schleife. Dann stieg er höher und Kolbe sah an der Anzeige des Kompasses, dass sie nach Westen flogen.

„So, nun zu Ihnen."
Oberst Staller lehnte sich mit dem Rücken an die feste Glaswand hinter sich und sah Kolbe scharf an.
„Sie möchten mir doch jetzt sicherlich sagen, wo die Lanze ist, nicht wahr?"
Dann zögerte er kurz, schlug Kolbe ins Gesicht und fuhr fort:
„Antworten Sie mir, denn ich bin nicht so umgänglich wie der Franzose."
Kolbe schwieg und biss die Zähne zusammen, so fest, dass er meinte in den Ohren das Krachen seines Zahnschmelzes zu hören.
Der Mann neben ihm war von anderer Art als Dorfmann oder de Galbain.
Der Inspektor war eine haltlose Marionette und der Franzose war skrupellos gewesen, doch in dieser Skrupellosigkeit bemühte er sich jedoch stets um einen gewissen Stil. Dieser Mann aber bewahrte keine Formen. Dieser Mann war eine unmenschliche Maschine, die bedingungslos ihren Auftrag erfüllen wurde, gleich zu welchem Preis. Nur das Erreichen des Zieles war wichtig, der Weg dorthin jedoch völlig nebensächlich.
Kolbe wusste, dass dieser Mann sein Ziel auch erreichen würde, denn konnte sich sehr gut in diesen Oberst hineinversetzen, denn *er* war früher wie Staller gewesen...

## 47

Blatter bot Dorfmann einen Stuhl an, der auf der anderen Seite des Schreibtisches stand, der Stuhl, auf dem normalerweise Verdächtige saßen.

Dorfmann war auf eigentümliche Weise nervös. Das Blatter ihm gegenübersaß, gelangweilt mit einer Büroklammer spielte und keinen Ton sagte, irritierte ihn nicht, denn er machte es so manches Mal nicht anders. Aber so behandelte man Verdächtige, die zumeist nach kürzester Zeit einfach losplapperten, oft genug belangloses Gefasel allgemeiner Art, aber das war stets das Zeichen, dass der Bann gebrochen war und der Verdächtige irgendetwas zu dem Fall sagen würde. Zumeist gestanden sie auch, denn es leugneten die Wenigsten.

Was Dorfmann mit Nervosität erfüllte, waren die beiden uniformierten Polizeibeamten, die sich ebenfalls in dem Büro aufhielten. Der eine saß hinter einer alten mechanischen Schreibmaschine und der andere lehnte an der geschlossenen Zimmertür. Beide hatten die Druckknöpfe der Waffenholster geöffnet und genau das war es, was Dorfmann beunruhigte.

Es tröstete ihn kaum, Rossmann und Berger in einer grell erleuchteten Zelle im Keller des Gebäudes zu wissen, die zweifellos fest verschlossen war und keine Fenster hatte. Tatsache war, dass *er* hier saß und nicht einer der beiden.

Inspektor Dorfmann rückte den Stuhl zurecht und überkreuzte leger seine Beine, um lockere Ungezwungenheit zu demonstrieren.

„Nun, Herr Kollege, ich muss einmal telefonieren."

Er versuchte es auf die direkte Art.

Blatter lächelte und seine offene Hand deutete auf das Diensttelefon.

„...Bitte sehr. Da steht der Apparat."

„Äh... Hm... Also...", Dorfmann stockte und schaute die uniformierten Beamten in einer Art an, das man sah, dass er sie als Störenfriede betrachtete.

„Keine Sorge, Kollege Dorfmann", sagte Blatter, der immer stärker das Gefühl empfand, dass irgendetwas nicht stimmte, „wir sind hier ganz unter uns."

Der Angesprochene biss sich auf die Lippen und zog sein Handy heraus.

„Wenn Sie erlauben ...?"

Inspektor Blatter schüttelte den Kopf

„Ach, Herr Kollege, bitte nicht."

Demonstrativ massierte er seine Schläfen.

„Ich leide unter Migräne und die Dinger da mit ihren Frequenzen..., na, Sie wissen schon."

Innerlich grinste Blatter.

, Mist', dachte Dorfmann, , jetzt nur keinen Fehler machen'.

Er steckte das Handy weg und beugte sich zu dem Telefon, das auf Blatters Schreibtisch stand, um de Galbain anzurufen. Schließlich war er der Kopf der Operation und er könnte ihn aus dieser verfahrenen Situation herausholen.

Noch während er die Nummer wählte, drückte Blatter mit seinem Fuß auf einen Schalter und in der Zentrale des Präsidiums wurde die Nummer gespeichert. Zwar hackten die Beamten immer noch auf altersschwachen Schreibmaschinen ihre Protokolle zusammen, aber die technische Ausrüstung war erstklassig. Der Computer im Keller des Gebäudes registrierte die Nummer und gleichzeitig peilte ein Satellit den Standort des Angerufenen an.

Inspektor Dorfmann bekam keine Verbindung und legte auf.

„Es meldet sich niemand", erklärte er lapidar.

„Schade."

Blatter stand auf und nahm aus einem neuen Tischkühlschrank eine Dose Euro Cola und riss den Verschluss auf

„Möchten Sie auch?"

Blatter begann Spaß an der Situation zu empfinden. Er fühlte sich als Katze und der inzwischen etwas verkrampft sitzende Dorfmann war die Maus, eine Maus, die glaubte, ein Tiger zu sein und nun verneinend den Kopf schüttelte.

„Sie sollten aber etwas trinken, denn die ganze Angelegenheit kann
etwas länger dauern."
Jetzt reichte es Dorfmann. Er sprang auf und schlug seine Faust auf
den Tisch.
„Genug jetzt! Sie sollten lieber die Verbrecher verhören, als einen
Kollegen zu... zu...", ...er rang nach Worten.
„Festzusetzen? Meinen sie das?"
Blatter rülpste und der Beamte, der an der Tür stand verzog sein Ge-
sicht.
„Setzen Sie sich. Bitte!"
Blatters Ton wurde schärfer und er sank wieder in seinen Schreib-
tischsessel.
„Sagen Sie einmal Kollege Dorfmann", sagte Blatter wie beiläufig,
„Wir sind jetzt schon fast eine Stunde hier. Warum rufen Sie eigent-
lich nicht Ihre Einsatzzentrale an?"
Um die Beiläufigkeit zu unterstreichen, gähnte er ein wenig.
Dorfmann zuckte zusammen. Ihm war ein weiterer Fehler unterlau-
fen, nachdem er es schon versäumt hatte, Berger oder Rossmann das
Rauschgiftpaket anfassen zu lassen. Er machte doch sonst keine Feh-
ler.
„Ich... Ich habe gerade angerufen... Ich..."
„Ja? Die Einsatzzentrale? Einen Moment bitte."
Blatter hob den Telefonhörer ab und drückte eine dreistellige Kombination auf den Tasten. Dann lauschte er in den Hörer, ohne etwas
zu sagen. Als er wieder auflegte, grinste er Dorfmann an.
„Aha, die Einsatzzentrale hat eine Handynummer und sie liegt mitten in einem kleinen Wald, keinen Kilometer entfernt von dort, wo
wir gerade herkommen ..."
Dorfmann biss sich wieder auf die Lippen. Wie kam er bloß hier heraus? Wieso war de Galbain noch in dem Wald? Er musste heraus
und das sehr schnell. Man hatte ihn nicht durchsucht und unauffällig wanderte seine Hand in Richtung seines Schulterholsters. Er achtete dabei nicht auf das unauffällige Blinzeln Blatters, der die Absicht ahnte und dem Beamten an der Tür ein Zeichen gab.

Zwei kräftige Hände drückten Dorfmann fest auf die Schultern und er ließ die Hand sinken.

Blatter stand auf.

„Herr Dorfmann, Ihre Waffe und Ihren Ausweis bitte. Sie sind vorläufig festgenommen."

Dorfmann schrie:

„Das hat ein Nachspiel, das...!"

Er wusste was seine plötzliche Festnahme bedeutete. Nicht die Verhaftung war es, die ihn störte, es war die Handlungsunfähigkeit, der er jetzt ausgesetzt war, denn Blatter würde ihn nicht nur entwaffnen, er würde ihn auch in eine Zelle sperren. Ein geschlossener Raum, aus dem er für die nächsten Stunden nicht herauskonnte um den Franzosen zu benachrichtigen.

„Ich werde mich beschweren!"

Dorfmann war außer sich, „Ich? Verhaftet? Wieso... Was liegt gegen mich vor?"

Blatter wurde ernst.

„Das weiß ich noch nicht, aber mir fällt bestimmt noch etwas ein und jetzt geben Sie mir bitte auch noch Ihr Handy und dann raus mit ihnen."

Der Polizist zog Dorfmann die Waffe und das Handy aus der Tasche. Danach klopfte er ihn ab, wobei er auch das Stilett entdeckte.

‚Verdammt', durchfuhr es den Festgenommenen, ‚alles, aber auch wirklich alles war bisher so gut gelaufen und jetzt macht mir ein blöder Bulle alles kaputt...'.

„In die Zelle Vier bitte mit unserem Gast."

Blatter deutete eine Verbeugung an und der Beamte drehte Dorfmanns Arm nach hinten, so fest, dass er sich nach vorn Beugen musste und allerlei Schimpfwörter herumschrie.

Blatter griff erneut zum Telefon.

„Ist der Bericht der Spurensicherung da? ... Eine halbe Stunde noch ?... Gut. ... Danke."

Kopfschüttelnd legte er den Hörer auf und schloss die Bürotür, um den Schreienden nicht mehr zu hören.

## 48

„Wir sind gleich da."

Staller puffte Kolbe in die Rippen.

„Nun, was ist? Haben sie Ihre Überlegungen angestellt, und sagen mir jetzt endlich, wo die Lanze ist?"

Kolbe schwieg. Ihm war absolut klar, dass er nach der Offenbarung seines Wissens keine Minute mehr zu leben hatte. Leugnen wäre ebenfalls zwecklos, denn die weiteren Befragungen durch diesen Kerl würden effizienter sein als das, was de Galbain versucht hatte. Sicherlich würden sie auch schmerzvoller werden. Dieser Mann war völlig ohne Gefühl und obwohl Kolbe wusste, dass er viel aushalten konnte, würde es nur eine Frage der Zeit sein, bis Staller sein Ziel erreicht hätte. Es galt alleinig Zeit zu gewinnen, viel Zeit, soviel wie es nur irgendwie möglich war!

„Werter Herr", Staller überbetonte seine Anrede, „noch ist hier alles höflich und friedlich, aber glauben Sie mir, es geht auch anders, ganz anders … Und vor allem sehr schmerzhaft."

Kolbe sah das Blitzen in den Augen des Oberst und er erkannte, dass der Mann gar nicht wollte, dass er sofort antwortete, sondern auf dieses ‚Anders' wartete und sich darauf freute.

„Ich sage gar nichts", erwiderte Kolbe und sah das spöttische Verziehen von Stallers Mund.

„Dann eben nicht. Es ist Ihre Entscheidung."

Der Helikopter flog wieder eine leichte Kurve und schien danach kurz in der Luft zu stehen, bevor er sich auf eine Betonplattform setzte, die von einem U-förmigen Gebäude umrahmt wurde, dessen offene Seite durch dichtes Gebüsch begrenzt wurde.

Staller wartete das Auslaufen des Rotors ab, bevor er die Kanzeltür öffnete und aus dem Helikopter sprang und selbst dabei noch die Waffe auf Kolbe richtete, der nach ihm aus dem Hubschrauber kletterte.

„Da hinein!"

Der Oberst deutete auf den mittleren Gebäudeteil, aus dem gerade ein älterer Mann heraustrat, über dessen massige Gestalt sich zwei bunte Hosenträger spannten und aus dessen Hosenlatz ein Hemdzipfel lugte.

Kolbe stockte kurz, aber der Druck der Waffe in seinem Rücken zwang ihn, weiter zu gehen.

„Kanzler Bauer ... ?"

Kolbe hatte mit vielem gerechnet, aber nicht damit. Obwohl Rossmann des Öfteren von Bauer gesprochen hatte, war in Kolbe stets noch etwas Skepsis geblieben. Also waren sie doch schon überall? Wirre Gedanken durchschossen seinen Kopf.

‚Übermorgen', dachte er, ‚nur noch bis übermorgen. Halte durch, Alex... Eineinhalb Tage noch ... Nurch noch kurze Zeit ... Hoffentlich schaffen sie es... Dorfmann ... Berger ... Gral ... Rossmannn ... der Franzose... Ach Scheiße !'

„Seien Sie herzlich willkommen."

Bauer blieb stehen und schaute Kolbe abschätzig an.

„Entschuldigen Sie diese Form der Einladung, aber ich glaube, Sie wären sonst nicht gekommen. Ich möchte mich mit Ihnen unterhalten."

Einem Diener gleich wies er mit der Hand auf die offenstehende Tür des Hauses.

„Oder möchten Sie nicht ...? Sie können sich auch gerne der Gesellschaft meines Mitarbeiters erfreuen, der sich gerne auf seine Art mit Ihnen unterhalten möchte. Nun ...?"

Staller machte einen halben Schritt nach hinten und reichte Bauer die Imitation, den Gegenstand, den der Franzose für den Gral gehalten hatte.

„Hübsch, sehr hübsch. Wer hat es machen lassen? Rossmann?"

Bauer schnaubte durch die Nase. Allmählich verschwand die gespielte Höflichkeit aus seiner Stimme.

„Natürlich Rossmann! Ich habe ihm nie getraut, schon damals nicht, als er als Abgeordneter gegen die Abschaffung unserer Währung...

äh... ehemaligen Währung stimmte. Naja, das Ding hier ist jedenfalls sehr hübsch. Darf ich dann nun bitten!"

Es war keine Frage, es war ein Befehl.

Als erster betrat Bauer den üppig ausgestatteten Raum und Kolbe folgte ihm, von Staller gedrängt, nach.

Der Kanzler sah noch einmal kurz auf das Replikat und warf es dann achtlos in einen Sessel. Auch Kolbe wurde in einen Sessel gedrängt, hinter dem Staller Aufstellung bezog.

„Ich brauche doch nicht erwähnen, das Sie jetzt keinen Unfug machen sollen, oder? Mein Mitarbeiter hat Anweisung sofort zu schießen und ich garantiere Ihnen, er trifft immer!"

‚Komisch', dachte Kolbe wieder bei sich, ‚er sagt stets Mitarbeiter, als ob in dieser Phase eine derartige Geheimhaltung überhaupt noch nötig ist'.

„Wenn ich tot bin, erfahren Sie aber nichts mehr."

Kolbe überlegte Zeit zu gewinnen.

„Tja, so ist das dann nun mal. Ich weiß nichts, Sie sind tot. Es ist das Risiko, aber als Toter brauchen Sie es ja nicht mehr zu tragen."

Bauer schenkte sich einen Cognac ein, dessen Flasche trinkbereit neben dem Sessel stand, in den er sich plumpsend setzte.

„Möchten Sie auch einen Drink? Es plaudert sich dabei besser."

Er griff auf ein Beistelltischchen und nahm ein bauchiges Glas herunter, das er füllte und Kolbe reichte.

„Prosit! Trinken wir auf eine gute Zusammenarbeit. Dann erzählen Sie doch mal ein wenig, Herr Kolbe."


## 49

Blatter nahm den ersten Bericht der Spurensicherung in die Hand, der aus zwei eng getippten Blättern bestand, die von einer Heftklammer gehalten wurden.

Es war so, wie er es vermutet hatte.

Natürlich waren es zwei Kilogramm reinsten Kokains, doch die verschiedenen Fingerabdrücke auf dem Plastik waren nicht die, welche zu Rossmann oder Berger gehörten. Da Dorfmann das Paket so auffällig angefasst hatte, war die Identität einiger Abdrücke geklärt, aber es befanden sich noch die Abdrücke anderer darauf. Wem gehörten diese?

‚Das wird sich klären lassen', dachte Blatter und schlug die erste Berichtsseite um.

Die Kugel war aus weniger als drei Metern abgefeuert worden und es war nicht der typische schräge Einschlag gefunden worden, der entstand, wenn man aus einer Drehung schoss, wie man es versucht hatte ihm, Blatter, weiszumachen, sondern direkt von vorne. Die Waffe, aus welcher die Kugel stammte, die man aus der Wand gepult hatte, war nicht gefunden worden. Auch die Kugel aus der Waffe des jetzt toten, vermeintlichen Angreifers, war platt gedrückt. Sie stammte wirklich aus der kleinen Luger, die man auf dem Boden liegend gefunden hatte, nur diese Geschichte hatte den kleinen Fehler, dass sie in der Wand hinter dem Toten steckte....

Dorfmann würde einige, sehr intensive Fragen beantworten müssen um den Sachverhalt zu erklären.


Die Tür öffnete sich und Rossmann trat in Blatters Büro. Berger folgte ihm nach. Beide waren mit Handfesseln an die sie begleitenden Polizeibeamten gekettet, die ihnen jedoch auf ein Zeichen Blatters hin abgenommen wurden.

Wieder setzte sich ein Beamter hinter die Schreibmaschine und der andere stellte sich vor die Tür, nachdem er einen weiteren Stuhl vor den Schreibtisch des Inspektors gestellt hatte.

Mit einer Handbewegung deutete Blatter auf die Sitzgelegenheiten.

„Bitte setzen Sie sich doch."

Berger sprudelte los:

„Das ist alles ein Missverständnis. Dorfmann hat…"

„Bleiben Sie bitte ruhig", unterbrach ihn Blatter, „ganz ruhig."

Er drehte sich Rossmann zu.

„Ich verstehe das nicht. Nein, ich verstehe Einiges nicht. Laut Presseberichten und den Fernsehmeldungen sind Sie tot. Es gibt dafür nur zwei Erklärungen: Entweder war das Attentat nur vorgetäuscht, oder Sie sind nicht Rossmann. Machen wir es kurz, welche der beiden Annahmen stimmt denn nun?"

Rossmann rückte den Stuhl zurecht.

„Wir müssen hier heraus."

„Stopp!"

Blatter hob die Hand.

„Selbstverständlich müssen wir hier heraus. Wir alle, es fragt sich nur, wann wir gehen. Außerdem haben Sie meine Frage nicht beantwortet. Wie wäre es denn zum Beispiel mit einer kleinen Geschichte ... wissen Sie, ich höre gerne Geschichten und ich bekomme jeden Tag die unmöglichsten Dinge zu hören. Sie können also ruhig aus ihrer Fantasie schöpfen, ich glaube fast alles..."

Wieder lächelte Blatter.

„Also", wieder drängte sich Berger vor, „ich..."

„Langsam", beschwichtigte der Inspektor den Journalisten und zog eine dünne Akte hervor.

„Herr Wolf Berger, sie waren am 3. April 2003 bereits einmal vorläufig festgenommen worden..."

„Ja, aber..."

„Langsam, langsam", wiederholte Blatter und fuhr mit dem Finger die in der Akte geschriebenen Zeilen nach.

„Das lese ich aber gar nicht gerne... Tse ... Tse..., eine Rauschgiftsache. Razzia in einem Nobelrestaurant in Leipzig..."

Wieder setzte Berger an und Blatter hob beschwichtigend die Hand, während es gleichzeitig klopfte und eine ältere Sekretärin ein Tablett hereintrug, auf welchem sie einige Becher lauwarmen Kaffees balancierte und auf die Schreibtischkante abstellte.

„Schon gut, Herr Berger, trotzdem fanden die Kollegen damals Spuren von Kokain in Ihrem Wagen."

‚Natürlich', dachte Berger, ‚natürlich fanden sie damals Spuren des Aufputschmittels, denn schließlich hatte die Frau, die er am Abend aufgerissen hatte, sich in seinem Wagen die Nase ‚gepudert', bevor er sie deswegen rausgeworfen hatte'.

„Herr Berger, darum geht es hier aber nicht. Das ist ja auch schon einige Zeit her. Hier, das ist etwas völlig anderes. Hier geht es um eine große Menge und außerdem ist da noch ein toter Mann und es lief eine - sagen wir es einmal so – sehr merkwürdige Form der Amtshilfe ab. Aber so eine Akte ist doch etwas Feines, denn da sind so richtig schöne Fingerabdrücke von Ihnen drin. Doch nun zu Ihnen, Herr Rossmann?"

Er drehte sich ein wenig auf seinem Sessel und sah den Minister an.

„Ich möchte etwas von Ihnen hören... und wenn es Sie beruhigt, ich habe Sie nicht gewählt falls Sie Rossmann sind."

„Es ist Ihre eigene Entscheidung", erwiderte der Minister und nahm einen Becher des lauwarmen Getränks in die Hand, das widerlich nach Plastik schmeckte.

„Aber ich bin Rossmann! Ihr Labor hat doch sicher schon meine Gene in der Datei überprüft, oder warum haben Sie uns sofort nach der Festnahme Blut abgenommen?"

„Vorläufige Festnahme", korrigierte Blatter, „es ist eine vorläufige Festnahme. Ich habe Sie zwar nicht gewählt, aber die Anstrengungen Ihrer Partei, bei der Ausgabe neuer Personalkennkarten vor einigen Jahren sofort eine Gen-Datei anzulegen, gefällt mir schon sehr gut. Das Ergebnis von Ihnen liegt mir noch nicht vor, aber es müsste bald herein kommen. Solange erzählen sie mir doch bitte eine Geschichte. Ja?"

Wieder lächelte der Inspektor die beiden an.

Rossmann überlegte.

Was sollte er sagen?

Sollte er dem Inspektor, der sich anscheinend um sachliche Aufklärung bemühte, die Wahrheit erzählen, einer Wahrheit, die den Lügengeschichten des Barons von Münchhausen glich? Sollte er sagen, dass sie deshalb hier heraus mussten, weil übermorgen die Sonnenwende der Herbstgleiche war und sie dann auf den Externsteinen sein wollten, nein mussten?

Sollte er ihm sagen, dass *SIE* schon fast alles in der Hand hatten und sich nicht einmal mehr die Mühe machten, das alles noch zu verschleiern? Hatte nicht selbst die Bibel von der Zahl des Tieres gesprochen, von der Versklavung der Menschen durch und unter dem Symbol der Zahl 666?

Sollte er dem Inspektor sagen, dass die neue Zeitrechnung im Jahre 666, also vor wenigen Jahren angefangen hatte, sichtbar für Jedermann, der den Kalender im Jahr 1999 auf den Kopf gedreht hatte und dort lesen konnte: 666 1, das erste Jahr in *IHRER* Herschaftszeit? Die Einweisung in eine Psychiatrische Anstalt wäre nur einen Telefonanruf weit entfernt.

Berger kam Rossmann zuvor.

Ohne auf die beiden Polizisten zu achten die noch anwesend waren beugte er sich zu Blatter.

„Herr Inspektor, wissen Sie, was der Gral ist?"

Blatter lehnte sich zurück.

„Aha, das ist neu. Jetzt erfahre ich also die Geschichte von zwei fahrenden Rittern auf der Suche nach dem heiligen Gral. Tja, dann plaudern Sie doch mal los."

Bergers Zunge spielte zwischen den Zähnen und dann biss er sich auf die Unterlippe.

„Herr Inspektor, Sie müssen uns helfen, Es geht um die Zukunft!"

Der Beamte an der Schreibmaschine schaute Blatter an.

„Soll ich das mitschreiben, das mit der Zukunft und so ...?"

Blatter winkte ab. Zuerst wollte er die Geschichte hören. Nachdem der ganze Ablauf schon so verrückt war, kam es auf diesen Unfug auch nicht mehr an.

Das Telefon läutete und mit einem knappen „Ja" meldete sich der Inspektor, lauschte kurz und legte dann den Hörer wieder auf Etwas hastig stand er auf und verbeugte sich.

„Herr Minister, entschuldigen Sie bitte... äh... aber durch die Gen-Datei wurde ihre Identität bestätigt."

Rossmann atmete tief durch.

Mit einer derartig raschen Wendung hatte er nicht gerechnet. Zwar war er damals gegen diese Datei gewesen, doch gerade diese half ihm jetzt.

„Könnten wir Sie allein sprechen, Herr Blatter?"
Der Inspektor zögerte etwas, dann aber nickte er und die beiden Uniformierten verließen den Raum. Berger war sicher, dass sie vor der Tür stehen bleiben würden.
Blatter stützte sich auf dem Schreibtisch ab und beugte sich zu Rossmann, der seinen Stuhl ganz nahe heranrückte und Rossmann flüsterte:
„Dies ist eine streng geheime Staatsmission und ich verpflichte Sie auf Ihren Diensteid. Kann ich mich auf Sie verlassen, Herr Blatter?"
Beschwichtigend legte der Minister die Hand auf Bergers Knie, der gerade etwas sagen wollte und fuhr fort:
„Herr Berger hat Recht. Es geht um die Zukunft und um den Gral; eigentlich gehört beides zusammen. Um es kurz zu machen", er räusperte sich künstlich, „der Gral ist gefunden worden."
„Der Gral? Sie meinen…", Blatter zweifelte, doch Rossmann nickte und drückte erneut auf Bergers Oberschenkel, als dieser gerade ansetzte dazwischen zu reden.
„Ja, es ist ein Kunstgegenstand von höchstem Wert und Ihr Kollege Dorfmann wird von einigen Herren bezahlt um ihn zu unterschlagen und an sich zu bringen, denn der Gral ist in unserem Besitz."
Rossmann lehnte sich wieder ein wenig zurück. Im Großen und Ganzen war es nicht einmal gelogen, was er hier gerade dem Inspektor erzählt hatte.
Auch Blatter sank in den Sessel und atmete erleichtert auf. Ein Kunstdiebstahl, ein Kriminalfall also, das verstand er.
„Und wo ist dieser Gral?" fragte er neugierig, „Ist es wirklich diese Schale aus den Sagen und Mythen?"
„Ja", log Rossmann, „es ist das Gefäß. Es wurde uns gerade übergeben. Der Übergabeort war das Haus am Stadtrand, aber Sie sind direkt hineingeplatzt."
Diese Erklärung erschien Blatter logisch.
„Ich habe diesem Dorfmann auch nicht so recht getraut, zumal es da einige Unklarheiten gibt. „Was haben Sie mit der Sache zu tun, Herr Berger?"
Statt des Angesprochenen antwortete erneut der Minister.

„Herr Berger hat uns bei der Transaktion geholfen."

„Aha, ich glaube, dass ich das jetzt verstehe. Ist der Gral sehr wertvoll?"

Innerlich lachte Rossmann, als er diese typische Frage eines schlichten Menschen hörte der Wert nur in Geld definieren konnten, ähnlich den Touristen, die an der Schönheit der Kunst vorbeiliefen, und in den Museen das teuerste Bild bestaunten, egal was darauf zu sehen war.

„Ein Million?" fragte Blatter schätzend.

Rossmann schüttelte den Kopf.

„Zehn Millionen?"

„Mehr."

„Hundert Millionen?"

„Weit mehr."

„Wieviel?"

„Es ist der teuerste Gegenstand der Welt."

Ehrfürchtig staunte der Inspektor. Und er ermittelte in dem größten Kunstdiebstahl der Geschichte. Er, Blatter!...

„Natürlich helfe ich Ihnen, das muss ich ja geradezu... Bei so einem Wert! Und wo ist dieser Gral jetzt?"

Berger stand auf.

„Sollten wir nicht fahren und ihn holen?"

Blatter zögerte wieder ein wenig.

„Gut", stimmte er dann zu, „aber nur in der Begleitung meiner Kollegen. Auf dem Weg dorthin erklären Sie mir dann doch bitte, was das Attentat auf Sie mit der Sache zu tun hat und wieso es um die Zukunft geht."

Rossmann nickte. Natürlich würde er das. Irgendetwas Glaubhaftes würde ihm schon einfallen.

Der Inspektor griff zum Telefon und bestellte drei Polizeifahrzeuge. Beim Verlassen des Büros vergewisserte er sich nochmals seiner Waffe, die in seinem Brustholster steckte und schüttelte den Kopf.

‚ Warte nur Dorfmann, wenn ich nachher wiederkomme' dachte er, ‚ein Kollege, der in einen Kunstdiebstahl verwickelt war... Pfui'!

## 50

Kolbe griff das Glas und nippte kurz an dem Cognac. Der scharfe und zugleich milde Geschmack verteilte sich wohlig in seinem Mund.

Eine Tür öffnete sich und Bauer wehrte mit der Hand ab.

„Jetzt nicht!"

„Ja, Arnie."

Kolbe hörte die piepsige Stimme einer sehr jungen Frau, von der er vermutete, dass es wohl die Enkelin Bauers sein müsste.

‚Komisch', dachte er, ‚das Männer wie Bauer auch Enkel haben können'. Er hatte nie daran gedacht, wenn er den Kanzler im Fernsehen sah oder zufällig bei einem Kongress, wo er stets dicht hinter Rossmann stehen musste. Merkwürdigerweise hatte er Staller nie gesehen - oder auch nicht - denn es gibt Menschen, die sind da, aber man bemerkt sie nicht.

„Ihre Enkelin?"

Kolbe versuchte das Gespräch zu entkrampfen.

Bauer zuckte leicht zusammen und zögerte etwas.

„Nur ein Besuch", antwortete er ausweichend, „aber wollten Sie mir nicht etwas erzählen?"

‚Sicher', dachte Kolbe, ‚doch was erzähle ich ihm? Was, um alles in der Welt, würde genügend glaubhaft klingen und wodurch würde sich genügend Zeit gewinnen lassen?

„Ich höre", setzte Bauer noch einmal nach und goss sein geleertes Glas erneut halbvoll, um die innere Unruhe zu bekämpfen.

Sicherlich würde Kolbe reden, die Frage war nur, wie lange es dauern würde, bis es soweit war.

Bauer wurde unruhiger. Nicht dass es ihm etwas ausmachte, einige Stunden oder Tage zu warten. Nein, er wollte es jetzt einfach wissen, denn Bauer war ein Mann, der sich nahm, was er wollte. Immer!

Kolbe spürte den Druck der Waffe in seinem Nacken. Bauer hatte vorhin gesagt: Wenn er nicht reden würde, wäre es eben das Risiko? Verdammt, Kolbe wusste, dass diese Drohung wirklich ernst gemeint war.

‚Zeit', dachte er, ‚ich brauche Zeit'!

„Wenn es Sie glücklich macht", sagte er dann, „die Lanze ist an einem sicheren Ort!"

Der Druck der Pistole wurde stärker.

„Schön dieses zu hören", erwiderte Bauer: „Jetzt sagen sie uns bitte auch noch, wo dieser Ort ist."

‚Wo, 'dachte Kolbe, ‚verdammt nochmal, wo? Was würde genug Zeit bringen'?

Er richtete sich ungeachtet der Waffe auf.

„Sie kennen Lhasa …?"

Kolbe warf den Satz wie unbeabsichtigt in den Raum.

Bauer schien mit vielem gerechnet zu haben, aber nicht mit dieser Antwort. Hastig sog er den Cognac aus dem Glas.

„Lhasa? … Ach, hören sie doch auf."

„Natürlich Lhasa, das ist ein sicherer Ort."

Einen Moment lang schwieg Bauer.

Lhasa …?

Er versuchte sich mit dem Gedanken anzufreunden. Lhasa? Warum nicht, denn schließlich war dieser Ort war genau so gut wie jeder andere Ort. Er bedauerte nur, das der Ort so weit entfernt lag und sich in dem Kriegsgebiet befand, in dem seit geraumer Zeit die Tibetanische Befreiungsarmee - wider allen buddhistischen Lehren - einen Partisanenkrieg begonnen hatte, um ihr Land zu befreien.

Bauer beschloss der Ortsangabe zunächst einmal zu glauben. Zwar verspürte er das sofortige Verlangen nach der Lanze, denn schließlich hatten er und seine *Brüder* ungezählte Jahre auf diesen Tag hingearbeitet, den Tag, an dem sie die Lanze mit dem Gral zusammenbringen konnten, doch kam es ihm nun auf eine geringe Verzögerung nicht mehr an.

„Lhasa ist groß. Die Angabe ist etwas ungenau". bemerkte er nach diesem Gedankengang und griff erneut die Cognacflasche.

„Könnten Sie uns vielleicht den genauen Punkt in Lhasa angeben?" Wieder spielte er einen freundlich lächelnden Mann, so wie im Fernsehen, wo er stets freundlich und volksnah wirkte.

Kolbe zögerte kurz und dachte nach, um der Ortserfindung Glaubwürdigkeit zu verleihen.

„Sie... Sie kennen das Kloster des weißen Buddhas?"

„Nicht direkt. Ich war noch nie in Lhasa", log Bauer, denn natürlich war er dort gewesen. Es gab kaum einen wichtigen Ort auf der Welt, den er noch nicht besucht hatte. Warum auch nicht? Schließlich stand ihm ein Staatsflugzeug zur Verfügung, für dessen Unterhalt die Steuerzahler aufkommen mussten. Es stand ihm rund um die Uhr zur Verfügung. Wo er gewesen war, war auch stets Staller in seiner Begleitung gewesen.

„Sicherlich haben Sie eine Karte", bemerkte Kolbe und setzte das leere Cognacglas auf dem Tisch vor sich ab.

„Kloster sind groß und die Gänge sehr verwinkelt."

Staller mischte sich in das Gespräch ein und zog die Waffe etwas von Kolbe weg

„Natürlich sind Klöster groß", antwortete Kolbe und wunderte sich über die akzeptable Höflichkeit, mit der er behandelt wurde.

„Gehen Sie zum Pantschen Lama. Er wird..."

Bauerfiel ihm ins Wort.

„Der Stellvertreter? Warum er?"

„Weil man sich – bei einer Suche - sofort an den ersten Mann im Kloster wenden würde; doch der Zweite hat dort fast die gleichen Möglichkeiten."

‚ Es macht Sinn', dachte Kanzler Bauer bei sich und beschloss in Lhasa suchen zu lassen. Was soll's, in spätestens zwei Tagen, vielleicht auch eher, würde er Gewissheit haben. Solange würde Kolbe sein *Gast* sein. Danach .. ? Nun, man würde sehen…

Bauer stand auf.

„Ich nehme zu Ihren Gunsten an, dass dies stimmt, was Sie mir gerade sagten. Mein Mitarbeiter kann sonst sehr unangenehm werden. Er wird sie jetzt in ihr Zimmer bringen."

Staller klackte mit den Hacken und druckte einige Knöpfe auf seinem Armbandhandy.

„Zimmer Acht bitte vorbereiten", flüsterte er und wies Kolbe dann zur rechten Tür des Raumes, die gerade geöffnet wurde und durch die zwei Männer hereinkamen.

„Guten Abend Herr Kolbe."

Der Angesprochene stutzte und schüttelte etwas irritiert den Kopf.

„Sie? Verdammt nochmal, was machen Sie hier?"

Professor Glaubert zeigte ein zahniges Lachen.

„Archäologen werden überall gebraucht…!"

„Los, weitergehen!"

Staller drückte die Waffe schmerzhaft in Kolbes Nieren und auch der andere Mann, groß, kräftig und mit eiskaltem Blick richtete eine Pistole auf ihn, während Glaubert zu Bauer trat.

Irgendwelche Tricks würden vergeblich sein, denn Kolbe war sich sicher, dass diese Männer, die hier für Bauer arbeiteten, nicht zögern würden, sofort zu schießen. Zusätzlich hatte er das Empfinden, dass sie nicht dumm waren, denn das Risiko dumme Leute zu beschäftigen, das würde Bauer nicht eingehen.

„Zimmer Acht", erklärte Staller noch einmal kurz und sie gingen zu einer Treppe, die zwei Etagen tief unter die Erde führte, um dann in einem grell erleuchteten Gang zu enden, der an beiden Seiten mit Türen bestückt war.

Die Tür zu dem Zimmer stand offen und war aus poliertem Edelstahl gefertigt. In der Raummitte stand eine wannenartige Liege, die ebenfalls aus glänzendem Metall gefertigt schien.

Staller drängte Kolbe in den fensterlosen Raum und setzte mit der Pistole zum Schlag an, die Kolbe in eine Ohnmacht fallen ließ.

Der Oberst bückte sich und nahm einen bereitstehenden Kanister und goss die darin befindliche klare Flüssigkeit in die flache Schale, welche die Liege bildete. Achtlos ließ er danach den Blechbehälter scheppernd fallen.

„Fass an", wies er den anderen Mann an, der sich nach Kolbes Beinen bückte und stützend stellten sie ihn aufrecht.

Staller ließ ein Stilett herausklicken und in wenigen Sekunden hatte er Kolbes Kleider zerschnitten und trat sie achtlos in eine Raumecke.

Schwankend und immer noch ohnmächtig lehnte Kolbe in sich zusammengesackt in den Armen des Helfers des Oberst.

Kolbe war nackt.

„Bauch oder Rücken?" fragte der Helfer und sah Staller an.

„Rücken!" entschied dieser und sie legten Kolbe auf den Metalltisch, so, dass er beim Erwachen in einen grellen, blendenden Leuchtstrahler schauen musste. Dann verließen sie den Raum, dessen schwere Tür mit einem einfachen Riegel verschlossen wurde.

Kolbe erwachte.

Sein Schädel brummte, aber er konnte sich nicht bewegen. Alles zog ihn auf die Liegefläche. Er spürte ein Reißen in den Poren der Haut und dann wusste er, was geschehen war:

Er war festgeklebt, mit Kraftkleber auf dem Tisch fixiert. Das war das Ende und er wusste es, als er langsam die Augen aufschlug und von dem grellen Licht geblendet wurde, welches zugleich auch die einzige Wärmequelle des Raumes zu sein schien...

Über ihm wies Kanzler Bauer dem Professor Glaubert einen Platz an und instruierte ihn über die bevorstehende Reise nach Tibet, ehe er *Zur Feier des Tages* - wie er sich ausdrückte – die dritte Cognacflasche des Tages öffnete und dann laut brüllte:

„Yvonne! Komm zu Arnie!"

Er nahm einen tiefen Schluck aus der Flasche und ließ die Hosenträger schnappen, als die junge Frau den Raum betrat und Professor Glaubert ging.

Jetzt war sein Vergnügen an der Reihe...

## 51

„Das soll der Gral sein?"

Blatter schaute etwas ungläubig auf die Scheibe, die Rossmann unter einem Blumentopf hervorgezogen hatte, während Berger etwas von einem dringenden Bedürfnis sprach und im Badezimmer verschwand.

Entgegen seiner sonstigen Art stellte Inspektor Blatter keinen uniformierten Beamten vor die Tür, durch die der Journalist verschwunden war. Es genügte ihm, das draußen einige Männer mit Maschinenpistolen standen, welche die Anweisung hatten, bei einem Fluchtversuch sofort zu schießen Zwar empfand er all dies als äußerst merkwürdig, doch er wollte kein Risiko eingehen.

Blatter nahm die Scheibe, in die Hand.

„Das Ding sieht eher aus wie ein Rad, es fehlt nur noch die Nabe. Die Öffnung ist schon da. Ich dachte immer es wäre ein Kelch oder eine Schale. Und das Ding ist so wertvoll ...?"

Spielerisch steckte der Inspektor den kleinen Finger durch das Loch und schob die Scheibe mit der anderen Hand an. Eiernd drehte sich der Gral auf seinem Finger und Rossmann bemerkte, dass er etwas heller zu werden schien. Es war als wäre eine innere Lampe angezündet worden, was auch der Inspektor zu bemerken schien.

Er griff sich mit Daumen und Zeigefinger über die geschlossenen Augen und rieb sie. All die vielen Überstunden. Sicher war er überarbeitet...

Von oben hörte Blatter die Toilettenspülung rauschen und Berger schien gerade einen Hustenanfall zu haben. Langsam schraubte er den Siphon wieder zusammen und rollte quietschend einige Meter Toilettenpapier ab, um das Wasser aufzusaugen, das bei dessen Öffnung auf den Boden gelaufen war.

Platschend fiel der nasse Papierklumpen in die WC Schüssel und Berger steckte die Nabe ein, als er die Spülung nochmals betätigte.

„Probleme?"

Blatter hörte Berger die Treppe hinabkommen.

„Nein, nein, schon gut", erwiderte dieser. „ Es war nur ein Hustenanfall und ich muss wohl etwas Falsches gegessen haben."

Als wolle er seine Behauptung bekräftigen, hustete er erneut.

Lässig stand Berger da, eine Hand in der Hosentasche, die Nabe des Grals umklammernd.

„Und nun?"

Berger schaute den Inspektor an.

„Jetzt fahren wir ins Präsidium."

Blatter gab Rossmann den Gral zurück und fügte dann hinzu: „Dort machen wir ein Protokoll und sie können gehen."

Diensteifrig wandte er sich zu dem Minister.

„Wenn es Ihnen Recht ist, natürlich..."

Abwartend schaute er Rossmann an.

Da war es wieder, dieses Obrigkeitsdenken. Kaum hatte sich Rossmanns Identität bestätigt, schon wurde aus dem Inspektor ein serviler Diener, obwohl er vor kurzem noch den Zerberus der Gerechtigkeit und Staatsgewalt dargestellt hatte.

„Das ist doch selbstverständlich", sagte der Minister, „alles muss seine Ordnung haben."

Blatter war zufrieden, wusste er doch nicht, dass es Rossmanns einziges Bestreben war, Sicherheit zu bekommen. Solange er und Berger den Inspektor in seinem Büro beschäftigten - unter dem Schutz der Polizei beschäftigten - dachte er amüsiert, konnte Dorfmann keinen Unsinn anstellen , den Plan noch scheitern lassen und Kontakt mit dem Franzosen aufnehmen, von dem noch niemand nicht wusste, dass er tot war.

Kurze Zeit später erreichten sie das Präsidium der Polizei, von dessen Hof gerade zwei Streifenwagen losjagten, deren rot-weiß-blaues Leuchtfeuer auf dem Wagendach von einem jaulenden Sirenenton begleitet wurde.

„Was gibt es?" fragte Blatter einen jungen Beamten, der gerade einen Aktenstapel über den Hof trug.

„Zwei Tote, Herr Inspektor. Ein Mann liegt erschossen am Waldrand, und der andere Tote, das ist sehr merkwürdig, hängt kopfüber sehr hoch in einem Baumwipfel."

Blatter schaute den Beamten verdutzt an und sein Kopf zuckte etwas nach hinten. Der junge Polizist deutete dies als Aufforderung zu einer Erklärung:

„Zwei Spaziergänger haben die Toten gefunden. Es ist gar nicht weit von dort, wo Sie heute die Rauschgiftbande ausgehoben haben. Ach ja, herzlichen Glückwunsch noch dazu."

„Schon gut", beschwichtigte der Inspektor und machte eine abwinkende Handbewegung. In seinem Kopf jagten die Gedanken, die sich zu einer Vermutung verdichteten. Zwar war er nur für die Rauschgiftdelikte zuständig, aber die Nähe der Toten zu seinem Einsatzort, gab ihm doch zu denken.

Sehr merkwürdig...

Im Büro angekommen ließ er sich mit der Mordkommission verbinden und ihm wurde zugesichert, dass er sich die beiden Toten anschauen könne, sobald sie im Kühlkeller des Präsidiums eingetroffen seien.

‚Schade', dachte Rossmann bei sich, ‚Wenn es davon doch nur mehr Männer wie Blatter gäbe. Der Mann ist gewissenhaft und nimmt seinen Beruf sehr ernst'.

„So!" sagte Blatter bestimmend, „jetzt machen wir ein Protokoll und danach können sie gehen."

„Ja?" erwiderte Berger, der bemerkt hatte, dass der Minister Zeit gewinnen wollte. Wer wusste schon, was Dorfmann sich bei dem Verhör -das auf ihn wartete - noch einfallen lassen würde. Jetzt musste jedes Risiko ausgeschaltet werden, denn auch Kolbe würde sicher nichts sagen, um die Mission zu gefährden

„Ich bekomme Hunger. Herr Inspektor, könnten sie vielleicht ...?"

„Natürlich, Herr Berger."

Blatter bestellte telefonisch einige belegte Brote samt Kaffee und wartete danach auf den Beamten, der das Protokoll tippen sollte. Der Beamte kam auch kurz danach und brachte zugleich den Imbiss mit, den er abstellte, um sich dann hinter die Schreibmaschine zu setzen.

Tack, tack, tack.

Hart schlugen die Hebel der alten Maschine mit den Buchstaben auf dem Papier auf. Rossmann gab eine Geschichte zum Besten, die sehr ausführlich mit dem Kunstgeschäft und historischem Allerlei gefüllt war. Hätte man nicht gewusst, wer er war, man hätte ihn für einen fantasievollen Journalisten halten können. Berger hatte beim Zuhören die gleichen Empfindungen und amüsierte sich köstlich.

Der Minister erzählte und erzählte, ja er schmückte die Geschichte immer weiter aus, wobei er tief in die Vergangenheit eindrang, die er gerade erfand.

Der Protokollführer hatte schon mehrfach gegähnt, denn es wurde sehr langatmig, aber Blatter hörte interessiert zu.

, Unbezahlbar, Millionen Euro ist das Ding wert', dachte er, , ... mehr als einhundert Millionen vielleicht?'

Vor seinem geistigen Auge bauten sich Stapel von Geldscheinen auf, hoch wie Türme. Hin und wieder wanderte sein Blick zu dem unscheinbaren Gegenstand, der auf seinem Schreibtisch lag.

, ... Millionen...'

Berger kaute an den belegten Broten und verschluckte sich fast, als das Diensttelefon klingelte und Blatter es abhob.

„Ja? ... Ich komme sofort."

Der Inspektor drückte beim Aufstehen seinen Sessel beiseite und sprach Berger und Rossmann direkt an:

„Entschuldigen Sie  mich bitte. Ich bin gleich wieder zurück. Ich muss nur kurz in den Keller."


## 52


„Geh jetzt", wies Bauer Yvonne an und sie bückte sich, um ihre Kleidung zusammenzusuchen, die in dem Raum verstreut lag. Viel war es nicht und sie presste den Ballen vor ihre Brust, bevor sie trippelnd aus der Tür ging.

Bauer saß mit herunterhängenden Armen in einem Sessel und nahm mit verschwommenen Blick die Welt um sich kaum mehr wahr.

Draußen dunkelte es bereits und er fand sich in dem Gedankenge-
spinst wieder, das ihn in solch einer Situation immer gefangen hielt,
immer wenn er sich verlassen und allein fühlte...
, ...Ab morgen trinke ich nicht mehr...' doch er wusste genau, dass
er dieses Versprechen nicht halten würde. Wenn er sich selbst nach
dem Erwachen im Spiegel sah, die geplatzten Adern in den roten
Augen und dabei das Zittern seines Zahnputzbechers in der Hand
spürte, würde er sich ein Glas einschenken, um das Zittern abzustel-
len und um sich selbst ertragen zu können.

Bauer griff zu der Fernbedienung des Fernsehers um die Nachrich-
tensendung einzuschalten. Auf der, an der Wand hängenden Tafel
erschien ein Bild mit dem Nachrichtensprecher.
„Guten Abend, es ist zwanzig Uhr. Hier sind die Nachrichten von
Euro-Aktuell. "
Ohne genau hinzuschauen betrachtete er sich durch einen dunstigen
Nebel, der seinen Blick trübte in dem gerade Gezeigten. Bauer sah
sich an einem Konferenztisch sitzend, lächelnd und schweigend.
Wie sollte er auch etwas sagen, denn schließlich saß dort sein Dop-
pelgänger, ein Ukrainer, der der deutschen Sprache nicht mächtig
war, ihm aber wie ein Zwilling glich. Die Besprechung handelte von
irgendwelchen Abkommen mit einem afrikanischen Staat denn si-
cherlich nur die wenigsten Zuschauer kannten.
Bauer griff wie automatisch nach der Flasche mit dem Cognac und
hörte gar nicht zu. Warum auch, denn schließlich wurden derartige
Auftritte seit dem Jahr 1, das man 1999 nannte nur für das Volk
durch die Presse und Medien inszeniert. Entscheidungen trafen sie
im kleinen Kreis. *Sie*, die Bruderschaft, deren Kopf der Baron war.
Wenn er rief, kamen sie alle.
Ohne Teilnahme schaute Bauer dem Weltgeschehen zu...
Hungersnöte, Aufstände und Bürgerkriege, nichtssagende Einblen-
dungen aus dem Europarlament und die Geburt von Fünflingen in
einer Kleinstadt…

Nicht dass er, der Kanzler, diesen bereinigten Tagesrückblick zur Information brauchte, nein, es war nur dies: Es freute es ihn, zu sehen, was die Menschen für die Wirklichkeit hielten...
Die Wirklichkeit...

...Bei diesem Gedanken wurde ihm einen Augenblick klar und er fühlte sich wie ein Wanderer, der aus, einer nebligen Wolke trat und nun die klärende Kraft der Sonne über einem grünen Tal sah. Die Wirklichkeit... Ha!...In etwa zwei oder spätestens drei Tagen hätten *sie* die Nabe der Lanze in der Hand und eine Unterredung mit Kolbe durch Staller würde sie auch sicher zu dem Gral fuhren, dessen unähnliche Nachahmung inzwischen auf dem Tisch stand und aus der heraus eine Kerze erwuchs, deren Flamme gelb-rotflackerte.
Bevor er wieder in den, ihn wohlig umhüllenden Alkoholnebel, eintauchte, beschloss er, auch Rossmann und diesen Journalisten - wie hieß er noch gleich? ... Berger? ... kalt zu stellen.
Durch Dorfmann, von dem de Galbain gesagt hatte er sei ein ergebener Idiot. Aber auch ein ergebener Idiot bleibt ein Idiot.
Vielleicht hätte der Franzose die Sache doch zu Ende fuhren sollen, denn dann wäre er zumindest optisch immer bei dem Geschehen dabei gewesen.
Bauer stieß auf und spürte, dass ihm Übel wurde. Er zog sich schwerfällig hoch und übergab sich über seinen fülligen Leib, wobei er den Teppich besudelte, auf dem einst Bismarck stand, als er 1871 das Reich der Deutschen schuf. Heute stand Bauer dort und schaute mit glasigen Augen auf das Erbrochene und beschloss erneut, am nächsten Tag nicht mehr zu trinken. Ja, er plante sogar einen kleinen Ausflug nach Bielefeld.

Die Alkoholohnmacht griff nach ihm; er sackte vornüber und schlug auf dem dicken persischen Teppich auf, wo er grunzend einschlief
Die Nachrichtensendung zeigte gerade das Bild eines Mannes, der tot in der Astgabel eines Baumes hing...

## 53

Mit rotem Kopf trat Blatter durch die Tür zurück in sein Büro.
„Die beiden Toten unten", stammelte er und ließ sich in den Sessel
fallen.
„Ja?"
Berger beugte sich vor und zündete sich eine Zigarette an.
„Ich..., ich darf es Ihnen eigentlich gar nicht sagen..."
Der Inspektor schaute zu dem Protokoll schreibenden Beamten,
doch dieser sah demonstrativ beiseite.
„Hm ... ?"
„Es sind die beiden Beamten vom Zoll, die Sie..."
Blatter brach mitten im Satz ab.
„Die in dem Haus waren?"
Rossmann erhob sich.
„Ja, aber sie hatten keine Dienstausweise dabei. Bei dem Toten in
dem Baum fanden wir eine Identitätskarte. Ein gewisser Kahlert.
Der andere Tote ist ein Belgier mit Namen van Straten, der nicht
ganz unbekannt ist. Aber wie kommt der Tote in den Baum?"
„Herr Blatter, wir haben volles Vertrauen in Sie und Ihre Behörde.
Besonders in Sie!"
Theatralisch legte Rossmann die Hand auf die Schulter des Inspek-
tors.
„Können wir nun gehen?"
Berger sah, das der Minister der Meinung war, sie hätten genug Zeit
geschunden und es nun war sei, langsam zu verschwinden. Minister
hin, Minister her, bei insgesamt drei Toten würde Blatter bestimmt
nicht zögern, einen Vorgesetzten zur Hilfe zu holen.
 Surrend zog der Protokollführer das letzte getippte Blatt aus der
Maschine.
„Sie müssen noch unterschreiben."
Der Minister nickte und nahm einen dargereichten Kugelschreiber
und setzte seine Unterschrift unter das Protokoll, das er überflog.
Dahinter setzte Berger ein unleserliches Gekritzel.

„Wo erreiche ich Sie?" fragte Blatter Rossmann, der gerade den Gral in die Hände nahm und in Richtung der Tür gehen wollte.

„Halt! Sie müssen noch eine Quittung für das Ding da unterschreiben, dass Sie es mitgenommen haben, meine ich."

Er drückte sich etwas abgehackt aus.

„Eigentlich müsste das wertvolle Ding ja hier bleiben, bis der Fall geklärt ist", ergänzte Blatter, „aber ich weiß ja, dieses ist eine Staatssache."

Verschwörerisch kniff er ein Auge zu.

Eilig unterschrieb Rossmann die gewünschte Quittung.

„Ihre Adresse hier brauchen wir auch noch", fügte der Protokollbeamte nochmals hinzu.

„Wir sind heute Nacht hier, Hotel Sennehof", warf Berger hastig in den Raum.

„Das trifft sich gut", lachte Blatter, „dann schaue ich nachher vielleicht noch einmal vorbei, denn ich wohne gleich nebenan."

Berger sah zu Boden, doch der Inspektor bemerkte es nicht.

Mit einer angedeuteten Verbeugung verließen sie das Büro und eilten aus dem Gebäude der Polizei.


Blatter stellte sich an das Fenster und wischte sich den leichten Schweiß mit dem Ärmel aus dem Gesicht.

„So, und jetzt diesen Dorfmann hoch. Wir wollen doch einmal hören, was er zu seinen toten Kollegen vom Zoll zu sagen hat…"


## 54


Kolbe hörte ein Geräusch.

Starr lag er da und hielt krampfhaft die Augen geschlossen, doch die Leuchtkraft des Strahlers baute hinter seinen Lidern ein helles, gelbschwarzes Muster auf, das ihm Trugbilder vorgaukelte.

Hörte er nun etwas oder hörte er nichts?

Waren es die Endorphine in seinem Gehirn, die Schabernack mit ihm trieben?

Doch!

Jetzt hörte er es deutlich, ein unregelmäßiges Hüpfen und trotz der Schalldämmung die Räume wie diese hatten, vermeinte er dumpf eine Stimme zu hören, eine sehr junge Stimme.

Das Hüpfen endete und er hörte das Klacken einer Klappe, die auf Metall schlug.

Obwohl er die Augen jetzt öffnete und die Augäpfel drehte, sah er nur seine eigenen Tränensäcke durch die Helligkeit des Strahlers, dessen Hitze seine Kehle ausdörrte.

„Ist da jemand?"

Seine Lippen begannen spröde zu werden und er spürte, dass es nicht mehr lange dauern würde, bis sie rissen.

„Ist da jemand?" wiederholte er, doch statt einer Antwort hörte er nur ein leises Kichern.

„Hallo?"

Es fiel ihm schwer, mit der anschwellenden Zunge zu sprechen.

„Bist du böse gewesen?" fragte die Stimme, die gerade noch gekichert hatte, nach einigem Zögern.

Da war jemand. Er hatte sich nicht getäuscht.

„Nein", presste er hervor.

„Aber Arnie hat Dich eingesperrt. Du musst doch böse gewesen sein .Böse Menschen sperrt Arnie immer hier ein."

„Nein", erwiderte Kolbe schwach: „Ich war nicht böse."

Es musste diese junge Frau sein, die er für Bauers Enkelin gehalten hatte.

„Möchten Sie ... Äh ... Du… nicht hereinkommen?"

„Nein, ich darf doch gar nicht hier unten sein. Arnie hat es doch verboten", sagte die Stimme.

Schwer atmete Kolbe aus.

„Warum hast du nichts an? Frierst du nicht?"

Den Fragen schloss sich erneut ein leises Kichern an.

Oh je... frieren…

Kolbe spürte die Hitze des Strahlers in diesem Augenblick deutlicher als zuvor und die hellpolierten Wände warfen gleißendes, heißes Licht auf ihn zurück.

„Nein", antwortete er, „es ist sehr warm."

Sein Rücken und die anderen aufgeklebten Gliedmaßen brannten wie Feuer. Er schien mit dem Metall eins geworden zu sein.

„Möchtest Du nicht doch hereinkommen?"

Er versuchte es noch einmal.

Ohne etwas zu sagen und ohne das Kolbe es sah, schüttelte die Frau den Kopf. Es wurde eine Weile still, aber dann hörte er das saugende Geräusch eines zurückgeschobenen Riegels. Ohne dass er sie sah, spürte Kolbe die Anwesenheit der Frau.

„Bist Du jetzt doch da?"

„Hm..."

„Wie heißt du denn?"

Kolbe versuchte seine Schmerzen zu beherrschen und zugleich auf das wohl schlichte Gemüt der Frau einzugehen.

„Yvonne... . Warum stehst du denn nicht auf? Bist Du krank?"

„Yvonne, das ist ein schöner Name", erwiderte Kolbe, der bemerkte, dass es ihr anscheinend gar nichts ausmachte, dass er völlig nackt da lag. Er wusste, dass er am Ende seines Lebens angekommen war und auch dass er nicht befreit werden konnte, denn ein kräftiger Ruck an einer der Gliedmaßen würde genügen und er würde elendig an dieser Häutung krepieren.

Die Stimme riss ihn aus seinen Gedanken.

„Ich gehe jetzt wieder... wie heißt Du denn?"

„Nein!" sprach Kolbe lauter, „bitte bleibe hier. Ich heiße Alex."

Er hörte, wie sie von einem Bein auf das andere trat.

„Hallo Alex... Du bist aber nicht ordentlich. Arnie ist auch nicht ordentlich."

„Warum?"

Kolbe überdachte kurz die merkwürdige Art des Gespräches.

„Ja, Deine Sachen sind gar nicht auf einem Bügel, sie..."

„Meine Sachen?"

Kolbe versuchte den Kopf zu heben, aber brutal hielt ihn der Klebstoff auf dem Metall fest.

„Meine Sachen?" wiederholte er, obwohl ihm das Sprechen schwerfiel.

„Ja sicher. Du hast sie einfach in die Ecke geworfen. Das ist nicht ordentlich!"

Kolbe schwieg kurz.

„Du hast recht Yvonne, aber kannst du mir bitte ein Bonbon geben. In der Hosentasche ist ein kleines Döschen und..."

„Bekomme ich auch eines?" unterbrach sie ihn fragend und wieder spürte er die Naivität die aus dem Satz klang.

„Ich würde Dir ja gerne eines geben, aber die Bonbons sind...sind gegen... gegen Kopfschmerzen."

„Ach so, Tabletten. Ich bekomme auch manchmal welche."

Die Stimme klang enttäuscht, aber er hörte das Rascheln von Kleidung und dann wieder die Stimme Yvonnes.

„Schade. Da sind nur noch zwei darin. Eine gehört aber mir. Du bist bestimmt böse!"

„Bitte Yvonne, ich kann mich kaum bewegen. Schieb es mir doch bitte in den Mund… und nehme die andere bitte nicht. Bitte!"

„Hm... ."

Kolbe starrte in den Strahler und sah außer gleißendem Licht nichts. Einem Schemen gleich sah er einen dunklen Schatten neben sich und er spürte die weiche Hand des Mädchens an seinen Lippen, die ihm die blaue Kapsel in den Mund schob.

„Und das hier ist meine!" triumphierte sie und betrachtete das kleine Etwas.

„Yvonne! Nicht! Yvonne!" schrie Kolbe, doch er hörte nur, dass sie sich entfernte.

Dumpf saugte sich die Metalltür in ihre Füllung und schmatzend schloss sich der Riegel.


Yvonne schaute kurz auf die winzige Kapsel, roch daran und steckte es sich in den Mund. Ihr Speichel löste die zuckrige Hülle auf. Röchelnd und voller Krampfe fiel sie zu Boden, wo sie noch einmal zusammenzuckte und ein Blitz in ihrem Geist sie in den Tod riss.

Kolbe schrie und zermahlte zur gleichen Sekunde die Zyankalikapsel. Ein stechender Schmerz durchjagte ihn und sein Gehirn schien zu explodieren. Wild krampfte er sich hoch und riss seinen Haarschopf von dem Metalltisch los auf dem sich augenblicklich eine Blutlache ausbreitete.

„Yvonne!" schrie er: „Yvonne!"

Dann erbrach er sich in ein Röcheln.

Alexander Kolbe war tot.

## 55

„Und nun? Hotel Sennehof?" fragte Berger.

Rossmann tippte sich an die Stirn.

„Von wegen. Wir müssen ganz schnell weg von hier."

Ein Blick auf die Armbanduhr sagte ihnen, dass es gerade einundzwanzig Uhr war. Noch neun Stunden und neun Minuten bis zum Sonnenaufgang. Noch gut neun Stunden Zeit, um zu den Externsteinen zu gelangen.

Berger winkte nach einem Taxi.

## 56

„Das wurde aber auch Zeit!"

Dorfmann tobte.

„Das wird Konsequenzen haben, das garantiere ich!" setzte er hinzu und fuchtelte wild mit den Armen herum.

„Ich verlange..."

„Ruhe! Sie verlangen gar nichts!"

Blatter wurde sehr laut und schob ihm zwei Fotos über den Tisch zu, auf denen die Toten zu sehen waren, die in der Kühlkammer lagen.

Dorfmann war lange genug bei der Polizei um sofort zu erkennen, wo die Aufnahmen gemacht worden waren und in welchem Zustand sich de Galbain und van Straten befanden. Augenblicklich wurde er still.

„Wann und wo?" fragte er knapp.

„Tja, das erzählen Sie mir jetzt", grinste Blatter überlegen und hob die Stimme, um „Kollege Dorfmann" an den Satz anzufügen.

„Gut!" schnaubte Dorfmann, „Jetzt will ich telefonieren!"

„Aha, wieder ein Handy?"

„Nein! Jetzt will ich sofort meine Einsatzzentrale sprechen!"

„Bitte."

Blatter wies auf das Diensttelefon.

Dormann hatte das Gefühl, nichts mehr verlieren zu können und zum ersten Mal in seinem Leben würde er die Nummer wählen, die de Galbain ihm für den Ernstfall gegeben hatte, den er ausdrücklich den *ernsten Ernstfall* genannt hatte.

„Ich wähle für Sie", sagte Blatter, der das Handeln in der Hand behalten wollte und reichte Dorfmann den Hörer.

„ Gut."

Inspektor Blatter tippte die angegebene Zahlenfolge ein und hörte ein leises Surren. Dann wurde an der angerufenen Stelle der Hörer abgenommen.

„Kanzleramt. Sie sprechen mit der Zentrale. Was können wir für Sie tun?"

Blatter schaute erschrocken auf und unsicher sah er Dorfmann an, der kurz schluckte und sagte:

„Verlangen Sie Code 666."

„Wie?"

„Code 666", wiederholte drohend.

Blatter hörte ein kurzes „Ich verbinde" und dann einige Klickgeräusche, die sich wie das überholte Morsealphabet anhörten, bevor er mit einem neuen Gesprächspartner verbunden wurde.

„Vorzimmer Bauer. Bestätigen Sie den Code."

Erschrocken knallte Blatter den Hörer auf und starrte den zu Verhörenden an.

Was war hier los? Wieso konnte dieser „Kollege" direkt ins Kanzleramt telefonieren?

Dorfmann grinste hämisch und er schien zu spüren, dass er nun die Trümpfe in der Hand hielt.

„Das war es dann wohl", sagte er dann, „ Ich übernehme jetzt diese Sauerei hier."

Er setzte alles auf eine Karte, obwohl er nicht wusste, wen Blatter erreicht hatte.

„Rossmann und Berger dürfen ihre Zellen nicht verlassen ... und nehmen Sie mir endlich diese beschissenen Handschellen ab!"

„Aber .. ?"

Blatter war völlig verunsichert und wie mechanisch löste er die Fesseln von Dorfmanns Handgelenken.

„Was aber .. ? Nicht verlassen sage ich!"

Dorfmann kniff die Augen zusammen und starrte den Inspektor böse an.

„Aber... Aber..., das sind sie doch schon", stotterte Blatter.

Er verstand jetzt gar nichts mehr. In was war er da hineingeraten? Er sparte sich die Fragen, die er zu den Toten hatte. Dieser Dorfmann hatte eine direkte Verbindung zum Kanzler... Und vorhin war da noch ein Minister...

, Ach', seufzte er innerlich, ‚es geht doch nicht über ein paar normale Verbrecher...'

Dorfmann lief wie ein wildes Tier in dem Büro umher und knurrte Blatter an:

„Wohin sind sie? Sie haben doch die Adresse, oder?"

„Ja, ja! Sicher!" antwortete er kleinlaut, „Hotel Sennehof."

„Gut!"

Dorfmann hatte die Initiative übernommen.

„Sofort dorthin und mindestens zehn Leute mitnehmen! Schusswaffengebrauch ist ausdrücklich gestattet!"

Diensteifrig telefonierte Blatter den Befehl in den Hörer.

Zur gleichen Zeit fuhren Rossmann und Berger in einem Taxi in Richtung der Externsteine. In Kürze würden sie den Ortsrand der Gemeinde Horn erreichen, welche ihr Fahrziel war.

# 57

Nora Rahner saß gemütlich in dem Schaukelstuhl gelümmelt, der in einem Fenstererker stand und betrachtete den feinen Schaum, der sich in der soeben eingegossenen Tasse Kaffee spiralförmig ausbreitete.

Seit einigen Tagen war sie hier, mit dem Auftrag Rossmanns versehen, die Eintrittskarten zur Besichtigung der Externsteine abzureißen. Der Minister musste wohl wirklich gute Verbindungen haben, denn - ohne irgendwelche Nachfragen beantworten zu müssen - wurde sie eingestellt. Nicht um den Job zu erfüllen, sondern um die Leute zu beobachten, die Interesse an der alten Kultstätte hatten, doch zumeist sah sie Familien mit Kindern, welche die Steine als Kletterspielplatz betrachteten und nutzten.

Zuerst hatte sie sich etwas gesträubt, doch nachdem Rossmann ihr erklärt hatte, dass sie nicht alleine wäre, fühlte sie sich sicherer.

Auch jetzt, während sie an dem Kaffee nippte und sich eine Zigarette anzündete, war sie in dem Haus nicht allein. Ein halbes Dutzend Männer war anwesend, die Rossmann herbeitelefoniert hatte. Sie befanden sich in den Räumen des Hauses. Aufgefallen war ihr bisher nichts.

Sie dachte an Berger, denn mehr außer der Nachricht, dass er von der Isle of Man zurück sei, hatte sie noch nicht erhalten. Unten im Erdgeschoß hörte sie das Klingen einiger Gläser und irgendwer schob Töpfe in der Küche umher, als jemand mit ungleichmäßigen Schritten die Treppe heraufkam. An dem Klang erkannte sie Escher, den Leiter dieser kleinen Gruppe, ein Mann mit einem Holzbein, der das Rentenalter schon erreicht hatte. Seine Aufgabe war die Koordination und die Bedienung des eigenen Funknetzes war. Welche Koordination, hatte sie nie gefragt, denn es schien ihr auch überflüssig.

Sie stellte die Tasse ab und drückte die Zigarette aus.
„Na, Frollein..."
Escher sagte stets Frollein, so wie sie Herr Escher sagte.

„Ham' Se noch 'n Kaffee für 'n alten Mann?"

Wie immer sprach er etwas undeutlich und verschluckte einige Silben.

„Aber gewiss, Herr Escher."

Sie wies auf die Warmhaltekanne, die auf dem Tisch stand. Escher setzte sich etwas umständlich auf einen Stuhl und goss sich das heiße Getränk in eine Tasse. Dann schaute er auf die Uhr an seinem Handgelenk.

„Es is' gleich Mitternacht. Nich' mehr viel Zeit bis zur Sonnenwende, ne?"

Nora wusste, was er meinte.

Eigentlich hätten die Drei schon längst hier sein müssen. Das es nur noch Zwei waren und Kolbe kilometerweit entfernt tot auf einem Metalltisch lag, wusste sie nicht. Niemand wusste es, genauso wenig wie man wusste, was in diesem Haus geschah.

Die Einheimischen hatten zwar so manches Mal geschaut, wenn sie des Morgens in Begleitung einer der Männer losfuhr, aber Fragen? Nein, Fragen hatte niemand gestellt.

Auch Escher wurde nicht gefragt, obwohl er schon lange in dem Haus lebte, eines der Häuser, welche die Getreuen Asgards überall unterhielten und in dem Escher sein Geld offiziell als Landschaftsmaler verdiente. Nora gefielen die Bilder die er malte, ja einige waren von Fotographien kaum zu unterscheiden. Sie beschloss Escher Modell zu sitzen, der gefragt hatte.

Obwohl sie sich bemühte, ruhig zu wirken, hatte sie einen merkwürdigen Druck im Magen und ihre Gesten wirkten etwas fahrig.

„Sicher, Herr Escher, in einigen Stunden geht die Sonne auf."

Nervös schaukelte sie mit dem Stuhl.

Escher war lange genug dabei, um darüber hinwegzugehen. Rossmann vertraute ihm ebenso, wie jedem der Männer, die sich hinter den heruntergelassenen Rollladen im Erdgeschoß des Hauses aufhielten.

‚Sicherheit geht vor', hatte Escher gesagt und diszipliniert hielt sich jeder an dies Anweisung, während zum ungezählten Male die Lasergewehre überprüft wurden.

Schweigend saßen die beiden da, als eine Stunde nach Mitternacht ein leises Surren in dem Haus ertönte, welches durch die unsichtbare Lichtschranke ausgelöst wurde, die das Grundstück absicherte und die wohl gerade durchbrochen worden war.

Nora schaute hoch, aber Escher winkte ab.

„Kann auch 'ne Katze sein..."

Trotzdem stand er auf und humpelte zur Treppe, neben welcher der Überwachungsmonitor stand, auf dem zwei Männer zu sehen waren, die sich geduckt dem Gebäude näherten.

Gleichzeitig richteten sich drei Lasergewehre auf die kommenden Männer und beobachteten jede ihrer Bewegungen.

„Is' gut, Männer, " rief Escher: „Sie sind's."

Lautlos öffnete sich die Hintertür und Rossmann trat mit Berger in das Haus ein.

Nora sprang aus dem Schaukelstuhl und rannte polternd die Treppe hinab.

„Wolf!"

Einem kleinen Mädchen gleich hängte sie sich an den Hals des Journalisten und zog die Beine an. Berger drehte sich im Kreis und küsste sie.

„Hat das nicht Zeit bis später?" räusperte sich Rossmann und zog den Gral aus der Jacke heraus, um ihn den Männern zu zeigen, die ungläubig staunten.

Das sollte der Gral sein?

Der Minister beschwichtigte das Gemurmel.

„Wir sind nur zu zweit, weil der Franzose Alex Kolbe mitgenommen hat. Wir dürfen jetzt keine Zeit verlieren, denn die Umstände zwangen uns, mit einem Taxi zu kommen."

Jeder der Anwesenden wusste, dass dieses den sofortigen Aufbruch bedeutete. Innerhalb weniger Minuten standen die Männer in Tarnanzügen bei Rossmann, der sich ein kleines Funkgerät um das Handgelenk schnallte und eine Pistole hinter den Hosengürtel klemmte. Jeder überprüfte seine vollgestopften Munitionstaschen. So kurz vor dem Erreichen ihres Zieles wollte niemand mehr einen Fehler machen.

Escher humpelte erneut die Treppe hinauf und rumorte ein wenig an der Funkanlage herum, die danach nicht mehr zu gebrauchen war.

Er murmelte „Das war's dann" und hob die Hand zum Zeichen des Aufbruches.

Ohne überflüssige Worte zu verlieren verließen sie das Haus und stiegen in nachtdunkle Fahrzeuge mit schallgedämpften Motoren.

Das Ziel waren die Externsteine...

## 58

Wütend druckte Dorfmann auf die Türklingel des Hotels, bis sich sein Fingernagel an der Spitze verfärbte. Unterstützend trat er mit der Fußspitze gegen die Eingangstür.

Einige Lichter gingen in den benachbarten Häusern an und Fenster öffneten sich.

„Ruhe!" rief irgendwer auf die Straße hinab, aber nachdem man die Polizeifahrzeuge gesehen hatte, verstummten die Rufe.

Dorfmann sah durch die eingelassene Scheibe in der Tür hindurch, durch die er einen verschlafen wirkenden Portier herankommen sah, der sie umständlich öffnete.

Unwirsch drückte Dorfmann den Mann zur Seite und Inspektor Blatter folgte ihm zur Empfangstheke, wo Dorfmann geradewegs das Gästebuch griff und mit suchenden Augen die Eintragungen überflog.

Nichts!

„ Rossmann? Berger? Sind die hier?"

Grundlos schrie er den Portier an und zog ihn am Kragen. Erschrocken schüttelte der Mann den Kopf. Auch eine kurze Beschreibung der Gesuchten half nicht weiter.

„Suchen!" brüllte Dorfmann los:

„Alle Zimmer, jede Ecke! Los, los!"

„Hausdurchsuchung?" hauchte der Portier mit aufgerissenen Augen und Blatter unterstützte ihn:

„Wir können doch nicht einfach..." aber dann schwieg er unsicher.
Die sie begleitenden Polizeibeamten polterten los, liefen durch die Gänge und traten ohne irgendwo anzuklopfen jede Tür ein, die sie auf ihrem Weg fanden. Weder Rossmann noch Berger waren zu finden, nur verängstigte Menschen die laut nach Hilfe schrien und ein kläffender Hund waren das Ergebnis der Suchaktion.
Alle Räume, bis in den Keller hinab, wurden untersucht und nach kurzer Zeit wurde ein Durcheinander hinterlassen, das Aufräumungsarbeiten für einige Tage verursacht hatte.
Dorfmann brüllte herum und die Beamten sammelten sich in der kleinen Hotelhalle.
„Alle Mietwagenunternehmen und Taxis absuchen. Los jetzt! Nicht trödeln! Dalli, dalli!"
Mit knallrotem Gesicht kommandierte er scharf und schneidend. Obwohl er nicht wusste, was ablief, so hatte er jetzt doch seinen großen Auftritt, zumal ihm de Galbain eine Beförderung in Aussicht gestellt hatte. Er brauchte den Erfolg, ja, er musste ihn haben.

Ein Beamter griff zu seinem Handy und telefonierte.
Fünf Minuten später hatten sie die Nummer des Taxis, welches die Gesuchten gefahren hatte und kannten auch den Zielort. Im Eilschritt rannten sie aus dem Hotel, sprangen in ihre Fahrzeuge und rasten über die dunklen Straßen in die Nacht hinein.

Das Haus stand mit heruntergelassenen Jalousien da und trotz allen Klopfens öffnete niemand.
Dorfmann trommelte wie wild auf den Rollläden herum, aber außer einigen Nachbarn die um Ruhe baten, geschah nichts. Auch hier war wieder das verstummende Protestieren zu sehen, wenn die Fahrzeuge der Polizei erkannt wurden.
Auf die wiederholte Anweisung Dorfmanns zerschoss ein Polizist das Schloss der hinteren Eingangstür und ein wuchtiger Tritt stieß sie auf, so dass sie krachend gegen einen dahinter stehenden Schrank schlug.

Mit gezogenen Waffen stürmten sie in das verlassene Haus uns fluchten über die fehlende Beleuchtung, denn das Stromnetz war von Escher unterbrochen worden.

Dorfmann brüllte nach Taschenlampen und schlug, nach der Entdeckung der Funkanlage, wütend mit der Faust gegen einen Schaltschrank.

„Scheiße!"

Dorfmann schrie erneut: „Verdammte Scheiße!"

„Und was geschieht nun?"

Ratlos stand Blatter neben der offen getretenen Tür des Einganges.

„Na, was wohl? Ermitteln!"

Blatter schien nicht zu verstehen.

„Los! Alle Mann herkommen!"

Dorfmanns Sprache schien nur noch aus Schreien und Brüllen zu bestehen.

„Fünf Leute durchsuchen das Haus!"

„Aber…" unterbrach ihn Blatter und dachte bei sich an einen Hausdurchsuchungsbeschluss, doch das schien Dorfmann nicht zu kümmern.

„Durchsuchen Sie jetzt das Haus!" wiederholte Dorfmann: „Unter der fachkundigen Leitung von Inspektor Blatter!"

Böse sah er den Bielefelder Kollegen an, der in sich ein Gemisch aus Zorn und Unsicherheit gegenüber Dorfmann anwachsen spürte.

Der Angesprochene schluckte und nahm einige Beamte beiseite. Mit ihnen betrat er das Haus, froh, Dorfmann nicht mehr sehen zu müssen.

„Und sie meine Herren", hörte er den *Einsatzleiter* schreien, „holen mir die Nachbarn aus dem Bett. Alle! Jeden einzelnen von ihnen und wenn es ein Säugling ist! Ich will alles über das Haus wissen und alles über seine Bewohner. Wenn ich Alles sage, meine ich das auch so! Los jetzt! Hopp, hopp!"

Dienstwillig schwärmten die Uniformierten aus und schellten die Nachbarn aus ihrer Nachtruhe, sofern sie diese noch hatten, denn Dorfmann ging wirklich nicht leise vor.

Eine halbe Stunde später wusste Dorfmann alles über Escher und seine Lebensumstände. Außerdem erfuhr er, das sich seit einigen Tagen eine junge Frau und auffällig viele Männer in dem Haus aufgehalten hatten, sowie das Escher Landschaftsmaler sei, der mit Vorliebe die Externsteine auf die Leinwand banne. Das mochte alles nichts Besonderes sein, aber die Beschreibung der Frau passte genau auf Nora Rahner.

Dorfmann genügte dies, denn de Galbain hatte oft genug von dem Naturdenkmal gesprochen. Er wusste zwar immer noch nicht, was hier konkret ablief und was die Externsteine damit zu tun hatten, aber dieses war ein Anhaltspunkt, der ihm genügte.

Ohne Blatter zu informieren fuhr er mit den restlichen Beamten los. Er wollte so schnell wie möglich zu diesen Steinen...

## 59

Leise surrten die fast geräuschlosen Fahrzeuge durch die Straßen, die durch die am Rand stehenden Bäume noch dunkler wirkten und fuhren in einen kleinen Waldweg ein.

Berger hatte die Nabe in der Hand und spielte mit ihr herum, während Rossmann in die Tasche griff und nach dem Gral fühlte.

Die Männer in den Tarnanzügen verließen sofort den Waldweg und wie eintrainiert, duckten sie sich. In der, jetzt sternenklaren Nacht, krochen sie lautlos in die Gebüsche und das Unterholz hinein, ohne dass man das leiseste Geräusch hörte.

Berger und Nora warteten noch einige Minuten, denn Rossmann sprach noch kurz mit dem alten Escher. Er sollte mit einem Handfunkgerät auf einen etwas abseits stehenden Hochsitz klettern, um von dort die Straße im Auge zu behalten.

Steifbeinig stieg er die Leiter hinauf und über seinem Rücken hing ein Lasergewehr mit Nachtsichtfernrohr.

„So, dann wollen wir auch mal losgehen," sagte Rossmann und stapfte zielstrebig vor Nora und Berger den Waldweg entlang, den sie in den letzten Tagen des Öfteren gegangen war, um ihren Beobachtungsposten an dem Kassenhäuschen einzunehmen.

Ein leichter Wind kam auf und schmale Wolkenfetzen glitten vor die Sterne, während ein halber Mond sich hinter einer dicken Wolke verbarg.

Obwohl sie sicher waren, allein zu sein, schauten sich die drei doch immer wieder um und kniffen die Augen zusammen, wenn sie in das Dickicht der schon kahler werdenden Büsche starrten. Von den sie begleitenden und schützenden Männern war nichts zu sehen; nur manchmal raschelte es im Laub, aber das konnte auch ein aufgescheuchtes Tier sein, das in seiner Nachtruhe gestört worden war.

„Die Karten bitte", sagte Nora scherzhaft und streckte spielerisch die Hand aus, als sie das Kassenhäuschen erreichten und sie das Drehkreuz überkletterten. Mit ihrem Körper versperrte sie den Durchgang.

„Du bekommst gleich die rote Karte ", erwiderte Berger lächelnd und zwängte sich an ihr vorbei, dicht gefolgt von Rossmann, der gerade ein Magazin in die Pistole schob.

„Man kann ja nicht sicher genug sein", sagte er erklärend, als er die Blicke des Journalisten sah.

„Sicher", erwiderte dieser und drückte Nora die Hand.

Das Wasser des kleinen Sees unterhalb der Felsen kräuselte sich leicht im Nachtwind und die Lichter der Sterne spiegelten sich darin, nachdem die Wolkenfetzen weitergezogen waren und den Blick auf sie erneut freigaben. Einige Enten quakten im Halbschlaf.

Ein feiner Piepton war zu hören und Rossmann hielt das Handgelenk mit dem winzigen Funkgerät an sein Ohr.

„Vier auf Position", hörte man ein rauschfreies Flüstern.

„Verstanden", bestätigte der Minister, als er in das Funkgerät sprach.

Ein erneutes Piepen.

„Sieben auf Position."

„Verstanden."

Innerhalb kürzester Zeit meldeten sich die getarnten Männer von den wohl abgesprochenen Positionen, welche sie abdecken sollten.

„Das sieht ja richtig durchorganisiert aus", bemerkte Berger zu Rossmann, der stumm nickte.

„Natürlich Wolf", entgegnete Nora, „meinst Du, wir haben gar nichts getan, als Du Deinen gemütlichen Ausflug in die Irische See gemacht hast?"

„Von wegen gemütlicher Ausflug... Pah!"

Sie hatten inzwischen den Aufgang zum Sonnenloch erreicht, direkt an dem alten Hellweg, der uralten Handelsstraße, die von der Ostsee durch Ostwestfalen in das heutige Ruhrgebiet führte, in dem vor wenigen Jahren noch Kohle gefördert wurde und der in einer Schlucht durch das Steinwerk verlief.

„Bekomme ich keine Waffe?" fragte Berger neugierig, doch Rossmann schüttelte den Kopf und sog die feuchte Nachtluft tief ein.

„Nein, Sie bekommen etwas anderes. Sie bekommen den Gral."

Mit diesen Worten reichte er Berger die schwarzviolette Scheibe und sie stiegen die ausgetretenen Stufen zum Sonnenloch empor, wobei Nora voranging und auf halber Strecke mit einem Schlüssel ein stählernes Gitter aufschloss, welches ungebetene Besucher von dem Weg abhalten sollte. Fest die eiserne Griffstange, die in den Felsen eingelassen war, umfassend, stiegen sie weiter, denn der Schatten des Felsens verdunkelte in der Nacht die gewundene steinerne Treppe, so dass man die Stufen kaum sehen konnte.

Oben angekommen überquerten sie eine kleine Holzbrücke und blieben vor dem *Sonnenloch* stehen.

Rossmann fühlte über den Altarstein, in dessen Mitte sich eine quadratische Vertiefung befand. Mit einem kleinen Messer kratzte er den Dreck und das Moos, das sich darin befand heraus und als er einen Finger in das nun saubere Loch hineinsteckte, fühlte er, das sich die Vertiefung nach unten verjüngte und einen runden Querschnitt annahm.

„Hier", sagte er abschließend und Berger beugte sich zu dem Minister, um in das gereinigte Loch zu sehen.

„Hier hinein muss die Nabe aus der Lanze und darauf dann der Gral, doch erst, wenn der Morgen dämmert und die Sonne zu ahnen ist. Genau um 6.09 Uhr."

Nach diesem Satz drehte er sich und stieg wieder über die Brücke, um sich an einer Treppenkehre auf einen Stein zu setzen, der Überblick über den gesamten Aufstieg gewährte. Müde reckte er seine Arme in die Luft, während Berger und Nora sich in die halbrunde Grotte zurückzogen, in der sich der Altarstein befand und wärmten einander.

Escher funkte sein „Alles in Ordnung" und Berger gähnte.

Nun galt es auf die Sonne zu warten und zu sehen, ob die Überlieferungen stimmten und ob sich der von Kolbe dechiffrierte Text bewahrheiten würde.

Nora zog den Ärmel ihrer Jacke zurück und schaute auf ihre Uhr.

Sie sah:

3:17 Uhr.


Ein Käuzchen flog nah an dem Sonnenloch vorbei und der Flügelschlag ließ Berger zusammenzucken, der an der Wand gelehnt kurz eingeschlafen war.

Auch Nora schaute erschrocken auf

„Was war das?"

„Keine Ahnung." Berger hob die Schultern und grinste: „Vielleicht ein Vampir ...?"

Sie boxte ihn leicht in die Rippen:

„Eh, Du..."

„Ruhe da oben", hörten sie Rossmann sagen, der gerade ein Ohr an das Funkgerät hielt und danach hineinflüsterte. Etwas schwerfällig stand er von seinem Sitzstein auf.

„Wir bekommen Besuch."

Er deutete in den Wald, dorthin, wo der Forstweg in die Straße einmünden musste.

„Escher meldet gerade die Ankunft einiger Polizeifahrzeuge."

„Naja, ich hoffe, Ihr Plan war gut genug", entgegnete Berger und legte den Gral auf den Altarstein. Dann machte er einen Schritt auf die Holzbrücke. Die Nabe hatte er wieder in die tiefe Hosentasche gesteckt.

## 60

Dorfmann stieg aus dem Wagen, als sie den Waldweg bis zur sperrenden Schranke gefahren waren, die eine Weiterfahrt verhinderte. Es war nichts zu sehen, denn Escher hatte die Fahrzeuge hinter einem riesigen Holzstapel mit Ästen und Zweigen gut getarnt.

Unschlüssig stand er da und trommelte mit den Fingern auf dem Wagendach herum. Es war nur eine Vermutung gewesen, Rossmann und Berger hier zu finden, aber es war sein einziger Anhaltspunkt.

Er überlegte. Um den Wald zu durchkämmen, waren sie zu wenige. Er brauchte mehr Leute. Nervös kaute er auf seinen Lippen herum, um dann zu einem Polizeihandy zu greifen. Nochmals wählte er die Nummer an, die de Galbain den ‚ernsten Ernstfall' genannt hatte und nannte den Code, den man von ihm verlangte.

„666."

Er wusste nicht, wen er jetzt erreichte, denn schon die Verbindung mit dem Kanzleramt hatte ihn irritiert, doch als er Bauers Vorzimmer erreichte, das auch zu dieser Zeit besetzt war, wurde er unsicher.

„Code 666", wiederholte er und spürte das Verkrampfen seiner Finger, die das Handy hielten, als er gebeten wurde, kurz zu warten.

Der Moment schien ihm zu einer Ewigkeit zu werden. Die Polizeibeamten stiegen unschlüssig aus den Fahrzeugen und vereinzelt glühten Zigaretten. Niemand wusste so recht, was er hier sollte, denn Dorfmann hatte ihnen nur erklärt, das sie zwei flüchtige Mörder verfolgten, die in Begleitung einer Frau - und möglicherweise einer Bande - seien.

Monoton rauschte das Handy in Dorfmanns Ohr und angestrengt lauschte er in die Nacht hinein.

Alles war ruhig... nur Escher räusperte sich ein wenig, als er Dorfmanns Schulterblätter in das Visier seines Lasergewehres nahm.

Nervös zündete sich Berger eine Zigarette an, deren Glut er in der hohlen Hand verbarg und trat tief in die Grotte des Altarsteines hinein, wobei er den Kopf durch das *Sonnenloch* steckte und in die Dunkelheit starrte.

Obwohl Rossmann von ‚Besuch' gesprochen hatte, sah er nichts, sondern spürte nur Noras Hand in seinem Nacken, die sanft durch sein Haar strich.

„Ruhig, Wolf. Rossmann hat das schon im Griff."

„Glaubst du das?"

„Natürlich. Hatte er bis jetzt nicht alles gut geplant? Dachtest Du, es wäre wirklich so einfach, wie es aussah, dass wir nur auf den Aufgang der Sonne warten müssten und dann gemütlich zu einem Frühstück gehen könnten?"

Sie hatte Recht.

Natürlich hatte sie Recht! Zwar verlief das Ganze ziemlich reibungslos, doch genügte nicht auch eine Bananenschale auf dem Gehweg, um zu fallen? Konnte dieser Besuch nicht diese Bananenschale sein?

Mit den Fingerspitzen kniff er die Zigarettenglut vom Tabak ab und steckte den Stummel in die Hosentasche, denn er wollte diesen wohl geweihten Ort nicht entehren. Nora setzte sich auf die Steinstufe vor dem Altar und zog Berger zu sich herab. Die die ausgetretene Trittstufen war merkwürdigerweise angenehm warm.

„Setz Dich, Wolf. Wenn etwas Ungewöhnliches passiert, wird es der Minister uns schon sagen."

Berger folgte der Aufforderung und schlang seine Arme um sie, bevor er ihr einen zarten Kuss auf die Stirn gab.

„Gut, warten wir also ab."

## 62

„Kanzler Bauer. Hallo! Kanzler Bauer! Aufwachen!"
Staller schüttelte den schnarchenden Bauer, der noch immer auf
dem Boden lag und aus allen Poren des Körpers nach Alkohol stank.
‚ Widerlich', dachte der Oberst, ,der stinkt ja wie ein...'.
Er hatte den Gedanken noch nicht zu Ende gebracht, als der Betrun-
kene sich regte und stöhnend auf den Rücken rollte. Mit glasigen
Augen starrte er Staller an.
„Hä ..? Was ist los?" lallte er und bewegte dabei seine Arme wie ein
Käfer in Zeitlupe.
„Code 666!" erwiderte der Oberst und wandte sich etwas ab, um
dem Atemgemisch aus Erbrochenem und Alkoholdunst zu entgehen.
Schlagartig schien Bauer nüchtern zu werden. Umständlich rollte er
sich etwas herum, bevor er von allen Vieren versuchte aufzustehen,
was er jedoch nur mit der Hilfe des Oberst zuwege brachte.
Er schwankte und ächzend ließ er sich auf das Sofa fallen, wo er an
sich selber roch, als er Mühe hatte, den Kopf gerade zu halten. Selbst
er spürte, dass er mehr als unappetitlich stank. Der Teppich war von
dem Erbrochenen ruiniert, doch das war ihm völlig gleich. Immer
wieder schüttelte er sich, doch der glasige Blick durch den er alles
wahrnahm, wollte sich nicht klären.
„Bad...", grunzte er und versuchte erneut aufzustehen. Staller half
ihm und fluchte leise, als seine Uniform mit dem Schleim aus Bauers
Magen beschmiert wurde, während er ihn stützte. Schweratmend
schleppte er den Kanzler in den Nebenraum, wo Bauer wortlos auf
die Dusche zeigte.
„Jawohl, Sire!" sagte der Oberst zackig und drückte die massige Gestalt in die enge Kabine, wo er danach sofort den Kaltwasserhahn
aufdrehte.
Bauer schüttelte sich, aber trotz seines Zustandes wusste er, dass er
nun einen klaren Kopf brauchen würde. Zwar wurde er durch das
Wasser noch immer nicht ganz nüchtern, aber es genügte, um zu
verstehen, dass er jetzt handeln musste. Er!

„Code 666!" wiederholte Staller erneut, als er den Eindruck gewann, dass er mit dem Kanzler so reden könne, dass dieser ihn auch verstünde. Er nahm das Handy von seiner Gürtelklammer ab und reichte es Bauer, der tapsig danach griff.

„Bauer", lallte er leicht und schickte einen Rülpser hinterher.

„Code bestätigt. Also?"

„Hier ist Dorfmann, Inspektor Dorfmann."

Der Name schien zu Bauers Ernüchterung beizutragen.

„Dorfmann? Sie waren mit de Galbain zusammen..."

„Richtig", fiel Dorfmann dem Kanzler respektlos ins Wort, der ihm nun jedoch die Rede abschnitt.

„Kurz und knapp bitte", befahl Bauer und hielt sich am Haltegriff der Dusche fest, während Staller das Wasser abstellte, unter dem der Kanzler herumschwankte.

Nur die Enge der Kabine hinderte ihn am Umfallen, und fahrig schlug seine Hand gegen die Glaswand…

…Kurz dachte er an damals. An die Zeit als er gewählt worden war; ja, da war er noch schlank gewesen und in einer gewissen Art sogar attraktiv, aber nachdem ihn seine vierte oder fünfte Ehefrau verlassen hatte - er konnte sich im Augenblick nicht an die genaue Zahl erinnern - da begann es, mit ihm bergab zu gehen. Der Wein wurde älter, der Cognac reichlicher und die Frauen immer jünger. Blutung. Manchmal hasste er sich für das, was er tat, aber er war einer von *Ihnen* geworden… Da spielte man mit in dem Spiel, das ihm im Grunde doch gefiel…

Seine Gedanken liefen wirr ab und Vergangenheit vermischte sich mit der Gegenwart. Er hörte und verstand erst gar nicht, was Dorfmann von ihm wollte.

„… Sind wir jetzt an den Externsteinen. Die Verdächtigen, Rossmann und Berger halten sich vermutlich hier auf. Ich schlage vor, dass wir das Gelände sondieren, aber wir benötigen dringend Unterstützung und das dazu gehörende Gerät."

Bauer schüttelte das Wasser aus dem Gesicht und kam er aus der Dusche, wonach er sich mit einer Hand umständlich entkleidete, während er mit der anderen Hand weiter das Funktelefon festhielt.

Ohne auf seinen Mitarbeiter zu achten, stützte er sich nackt auf dem Waschbecken ab, das vor seinen Bauch drückte und er übergab sich erneut.

Rossmann und Berger waren frei, soviel hatte er verstanden. Das genügte ihm eigentlich und als er noch das Wort ‚Externsteine' vernahm, wurde ihm klar, was dieses bedeutete. Der Franzose hatte ihm stets über dieses Naturdenkmal berichtet und obwohl er sich nicht um den Kleinkram - wie er es nannte - kümmerte, wusste er doch, dass sich dort ein zentraler Punkt befand, wenn nicht gar der zentrale Punkt.

Er taumelte hoch und Staller wischte ihm mit einem Handtuch den Mund ab. Mit bemühter Beherrschung sagte er zu Dorfmann, dass er die Stellung halten solle, da er Unterstützung bekäme. Mit einem Rülpser beendete er das Gespräch und reichte dem Oberst das Handy zurück, welches dieser mit den Fingerspitzen annahm, da es völlig mit Bauers Erbrochenem besudelt war.

Staller sah den Kanzler an.

„Und, Sire?"

„Einsatzgeschwader fertigmachen."

Bauer schwankte noch immer.

„Sofort fertigmachen ... Externsteine ..."

Bauer versuchte sich zu fassen und schnappte wie ein Fisch nach Luft.

„Bruder Staller, es scheint als sei der Gral an den Externsteinen. Übernehmen Sie das. Sofort... los."

Es war einer der wenigen Momente, in denen Staller von Bauer als Bruder angesprochen wurde. Sicher, er war einer von Ihnen, ja er gehörte sogar zu Bauers Zirkel, doch der Kanzler stand weit über ihm. Sehr weit. Trotzdem fühlte er sich geschmeichelt, gerade jetzt als ‚Bruder' angesprochen zu werden.

Der Oberst nickte und drängte seinen Ekel beiseite, als er das Handy abwischte und ein kurzes Telefonat führte. In einer halben Stunde wurde das Einsatzgeschwader starten.

„Ist schon etwas zu sehen?"

Berger bemühte sich leise zu sprechen, als er nochmals aufstand und zu Rossmann hinunterflüsterte, der die Umgebung mit einem Nachtsichtgerät absuchte.

Mit der Hand bedeutete der Minister, dass Berger ruhig sein solle und schüttelte verneinend den Kopf.

„Komm zu mir", flüsterte Nora und hielt Berger einladend die Hand entgegen.

Er lächelte und nahm ihr Angebot an.

‚Wie ihr Haar duftet', dachte er und sog die Mischung aus Schweiß und Nachtfeuchte in sich ein, während sie ihn küsste. Das Verlangen wuchs in ihm und sie drängte sich an seinen Körper.

„Morgen, Liebster", flüsterte sie: „...Morgen."

Gab es ein Morgen?

Dorfmann warf das Handy achtlos auf den Sitz des Fahrzeuges, neben dem er gerade stand und drehte sich den abwartenden Polizisten in Uniform zu.

„Wir bekommen Hilfe. Schwärmen sie etwas aus und beobachten die Gegend."

Ein Blick auf die Uhr zeigte ihm die Zeit.

5:25 Uhr...

Escher nahm das Auge vom Zielfernrohr und horchte.

Ganz in der Nähe war ein Vogelschwarm aus einer hohen Ulme aufgeflogen und der Flügelschlag mischte sich in das Geräusch eines sanften Surrens. Er kannte diesen Ton und wusste, dass einige Helikopter mit schallgedämpften Motor im Anflug waren.

, Es scheint loszugehen', dachte er und flüsterte seinen Funkspruch an Rossmann, dessen Körper sich merklich spannte und der Berger dann ein Zeichen gab.
Nora schaute auf die Uhr.
5:29 Uhr.


## 66

Dorfmann sah zum Himmel hinauf
Obwohl das Geräusch nicht laut war, hörte er es. Über ihm stand ein Helikopter in der Luft, der sich langsam heruntersenkte und dessen Rotorwind die Baumwipfel hin und her peitschte.
Dicht neben ihm fiel ein Seil zu Boden und Sekunden später stand eine völlig maskierte Person in einem Tarnanzug neben ihm, die daran herabgeglitten war und sich sofort in das Unterholz rollte. Dann kam noch eine Person und noch eine...
„Sind Sie die angeforderte Unterstützung?" fragte er etwas unsicher, denn er erkannte sofort, dass es keine Polizeikräfte waren.
Er bekam keine Antwort und sah nur das rasche Verschwinden des Seiles sowie das Abdrehen des Hubschraubers, der sich in die Luft stellte um sich dann schräg abfallen zu lassen, bevor er aus seinem Blickfeld verschwand.
Aus einem Gebüsch traten einige Männer hervor.
„Ich bin Inspektor Dorfmann", stellte er sich zögernd vor, nicht wissend, wen er ansprechen sollte.
Ein Mann trat vor, etwas größer als er. Aus der schwarzen Sturmhaube, die das ganze Gesicht bedeckte, sofern es nicht schon der dunkle Helm tat, sah er in zwei stechende Augen. Der Mann im Tarnanzug stellte sich nicht vor.
„Bericht!" war das einzige Wort, das er hervorstieß und Dorfmann sah das unsichere Verhalten der von ihm an diesen Platz gebrachten Schutzpolizisten, denen die Situation ebenfalls nicht geheuer schien.
„Bitte?"

Dorfmann mochte derartige kurze Anweisungen nicht, aber er würde auch keine anderen mehr kennenlernen. Instinktiv spürte er das leise Zischen hinter sich, bevor die Kugel in seinen Hinterkopf einschlug.

Sein Gesprächspartner hatte sich blitzschnell zur Seite geworfen und die für ihn bestimmte Kugel schlug mit einem Ploppen in einen Baum ein.

Inspektor Dorfmann war bereits tot, als sein Körper auf das nasse Herbstlaub fiel.

Escher legte das Gewehr kurz ab und funkte Rossmann flüsternd das soeben Geschehene.

„Verstanden", sagte der Minister als einziges Wort und wandte sich hoch zu Nora und Berger an dem *Sonnenloch*.

„Es scheint zu beginnen. Es wird wohl doch nicht so einfach, wie es anfänglich aussah. Achtet mir auf den Gral!"

„Sicher, sicher!"

Berger bemühte sich entschlossen zu wirken und nestelte nervös an einer Zigarette, deren Genuss Rossmann ihm verboten hatte.

Er rieb sich den verspannten Nacken und ein Blick auf die Uhr zeigte ihm die Zeit:

5:41 Uhr.

## 67

Flach blieb Oberst Staller auf dem aufgeweichten Boden liegen und kommandierte seine Gruppe mit leisen Befehlen durch den Sprechfunk in ihren Helmen.

Konzentriert sah er in die Richtung, aus welcher er den Schuss vermutete und kroch langsam über den feuchten Boden, nachdem er hinter ein dichtes Gebüsch gerollt war.

Ruhig saß Escher in dem Hochstand und schaute durch das Nachtsichtfernrohr. Er sah keinen der Getarnten mehr und selbst die Uniformierten hatten hinter einem moosbewachsenen Felsen Deckung gesucht. Hier und da raschelte ein halbkahler Zweig, doch dies genügte ihm nicht für einen platzierten Schuss. Ein Fehlschuss hätte nur seinen Standort verraten.

Er kniff die Augen zu und lauschte. Irgendwo unter ihm knackte ein Ast. Bedächtig legte er das Gewehr an und sein suchender Blick glitt über den Boden,

Hinter einem Baum sah er eine Bewegung und langsam legte er den Finger an den Druckpunkt des Abzuges, als unter ihm das Holz des Hochstandes zerfetzte und ihn eine Salve traf.

Escher war sofort tot und wie ein Speer fiel seine Laserwaffe hinab und blieb mit dem Lauf im Waldboden stecken.

Staller blieb noch einen Moment liegen, bevor er katzengleich den Hochstand erklomm und den Toten betrachtete und ihm kräftig in die Seite trat.

Zwischen dem, durch seine Schüsse zerfaserten Holzboden, tropfte Blut auf das Laub. Er zog ein Messer heraus, mit dem er das haltende Lederarmband des kleinen Funkgerätes zerschnitt, welches der Tote noch um sein Handgelenk trug. Mit einem wuchtigen Schlag ließ er es auf die Balustrade des Hochstandes aufprallen, so dass das Gehäuse zersprang. Achtlos ließ er es nun fallen und stieg die Leiter hinab, um dann die uniformierten Beamten zu sich zu rufen, die zögernd in die Deckung des Felsens verließen.

„Ihr bewacht die Straße!"

Sein Arm deutete den Waldweg entlang und im Eilschritt liefen die Uniformierten in die angegebene Richtung, sicherlich froh, aus dem direkten Gefahrengebiet herauszukommen.

Auch Staller war froh, denn sie störten ihn nur bei seinem Einsatz, den niemand überleben würde. Niemand,- weder die nun fortgeschickten Beamten noch die anderen des Einsatzgeschwaders... .

Der einzige Überlebende würde Staller heißen...

„Escher...Escher...", hauchte Rossmann leise in das Sprechfunkgerät, das er dicht an seinen Mund hielt.

Konzentriert sah er zum Waldrand und hörte dann ein zischendes Plopp. Er kannte dieses Geräusch. Fast lautlos schien in der Deckung der Bäume, die sich nahe an dem Felsen befanden, ein Gefecht stattzufinden.

Er drückte die winzigen Tasten des Funkgerätes und peilte die Positionen an.

„Punkt Fünf: Meldung!"

Er bemühte sich so leise zu sprechen, wie er es nur konnte.

Der Angesprochene reagierte nach kurzem Zögern und Rossmann erfuhr von der Sichtung der Helikopter, aus der sich getarnte Personen abgeseilt hatten.

‚ Das wird hart', dachte er und kniff die Lippen zusammen, um dann erneut in die heraufziehende Dämmerung zu starren, aber außer den Bäumen war nichts zu sehen.

Wieder hörte er das Zisch...Plopp...

Dann erneut Stille und dann wieder:

Zisch ... Plopp...

Er schaute auf die Uhr:

5:51 Uhr.

Hastig funkte er die Posten an.

„Sieben ...?"

...Nichts.

„Vier...?"

...Nichts.

„Drei ... ?"

...Nichts.

„Eins ... ?"

Nichts.

„Fünf ... ?"

„Ja?"

...Zisch ...

…Plopp…
…Nichts.


## 69

Wahllos schaltete Bauer zwischen den Übertragungskanälen hin
und her, die ihm das Bild der Helmkameras auf den Monitor übertrugen.

Aus der Perspektive einer Schlange sah er das langsame Kriechen
über braun nassem Boden, in dessen Blättern sich die Morgen-
feuchte glänzend zeigte. Er sah dunkle Schemen, die sich kurz nach
ihrer Sichtung als Felsen oder Baumstumpf entpuppten und manchmal auch das kurze Aufblitzen aus diesem Halblicht, das ebenso auf
einen Schuss hindeutete, wie das Verharren des übertragenen Bildes
auf einen Punkt, dem sich danach das Weiterkriechen anschloss, o-
der eine wackelnde Vibration auf dem Monitor, die er nicht deuten
konnte.

Bauer dachte kurz an den Baron, der sein Erscheinen angekündigt
hatte und an seinen eigenen erbärmlichen Zustand, denn der über-
heizte Raum trieb ihm den Schweiß aus den Poren.

Gähnen, stöhnen und hochziehen aus dem Sessel war eins, aber
dann ließ er sich wieder fallen. Seine Neugier hielt ihn vor dem Monitor fest, der soeben schwarz wurde. Er ahnte, dass dies einen Treffer in die einzige Schwachstelle der Schutzkleidung des Betreffen-
den bedeutete:

Die Kamera, die in dem Helm auf der Stirnmitte eingebaut war.

Sein Daumen klickte ein anderes Bild an.

Vor sich sah er eine weite Fläche mit Grasbüscheln, hinter denen
Wasser schimmerte.

„Heb' endlich den Kopf an, Du Idiot", sagte er mehrmals zu dem
Bild auf welches er sah, doch er hatte keine Sprechverbindung zu
dem von ihm befohlenen Einsatzgebiet.

Er wusste, was er dort sah: Die Einsatzgruppe, zumindest eine Person davon, schien an den See gekommen zu sein, der sich unterhalb der Steine ausbreitete.

Instinktiv spürte er, dass er auch bald Rossmann sehen wurde.

„Rossmann ... !"

Verächtlich schnaubte er durch die Nase und suchend glitt seine Hand über den Tisch zu einer halbleeren Flasche hin.

Der Kameraträger, den er gerade noch als ‚Idioten' bezeichnet hatte, hob den Kopf, als hätte er die Worte Bauers vernommen. Die untere Bildhälfte blieb dunkel, was auf die Deckung hinter einem schützenden Irgendwas hindeutete, aber die obere Hälfte der Übertragung gewährte eine klare Sicht auf die Externsteine.

Bauer klimperte mit den Augenlidern um klare Sicht zu bekommen und den trüben Schleier zu vertreiben, den der Alkohol aufziehen ließ, aber er sah keinerlei Bewegungen. Er sah nur noch einen Blitz, der das Monitorbild zusammenfallen ließ.


## 70


„Guter Schuss", sagte Berger halblaut und nickte Rossmann anerkennend zu.

„Ruhe da oben!"

Rossmann war ärgerlich.

„Trotzdem", maulte der Journalist leise zu Nora gewandt, die ihren Mund zu einem schiefen Grinsen verzogen hatte.

Auch sie beobachtete den Waldrand und hatte die nur winzige Reflektion gesehen, die von der Kameralinse ausging, ohne zu ahnen, was es war. Rossmann schien nicht das erste Mal eine Waffe in der Hand zu halten.

„Eine Minute noch", flüsterte Nora zu Berger, als sie gebannt auf den Sekundenzeiger ihrer Uhr starrte, der sich wie in Zeitlupe um seine Achse drehte.

Er zog die Nabe aus der Tasche heraus und schaute in den Himmel, dessen leichte Röte das Nachtgrau überstrahlte und das Aufsteigen der Sonne ankündigte.

Rossmann schoss, doch er zielte nicht mehr, denn dicht neben ihm schlugen die ersten Kugeln ein.

Berger spürte Noras krampfartigen Griff in seinen Oberarm, aber dann sah er es auch.

Aus dem Unterholz des Waldes kamen, kaum erkennbar, Männer in Tarnanzügen heraus. Sie liefen, zick-zack-springend, den Kugeln Rossmanns ausweichend, auf den Punkt zu, an dem der Treppenaufstieg begann, der zu dem Altarstein vor dem *Sonnenloch* führte.

Auch die Angreifer schossen unkonzentriert und Berger sah, wie einige von ihnen das Seeufer entlang liefen, wohl um zu versuchen, von der anderen Seite näher heranzukommen.

Nora drängte sich in die Halbgrotte und Berger stellte sich vor sie.

... Noch acht Sekunden ...

Er atmete tief durch und zuckte zusammen, als ein Querschläger die Felswand über seinem Kopf traf und staubendes Pulver herabrieselte. Er nahm die Nabe und steckte sie in das kleine Loch in dem Altarstein. Mit einer Hand hielt er den Metallstift fest, während Nora den Gral nahm und das Loch in ihm über die Nabe schob.

Erst ruckelnd, dann aber saugend glitt er daran hinab und verharrte genau in der Mitte des Metallstiftes ...

...*SONNENWENDE*

Noch immer schoss Rossmann und ließ die leer geschossenen Magazine achtlos zu Boden fallen, um danach hastig nachzuladen. Es würde nicht mehr sehr lange dauern, dann würden die Vermummten die Deckung des Felsens erreichen und mit dem Aufstieg beginnen...

# 71

Bauer schaltete wahllos mit der Fernbedienung herum.
Überall sah er das Gleiche. Wackelige Bilder, übertragen von Laufenden, Fallenden oder Hin- und Herspringenden. Ab und zu sah er auch das Aufblitzen eines Mündungsfeuers aus dem Sonnenfelsen und er wettete mit sich selbst, dass in wenigen Minuten die Externsteine erstürmt und in Stallers Händen sein würden.

Er klickte sich zu den Hubschraubern, die flugbereit auf einem Feld standen und dachte sich, wie lustig es sei, das Schauspiel aus der Luft zu beobachten, denn das ständige Wackeln der Übertragungsbilder ging ihm allmählich auf die Nerven.
Er funkte Oberst Staller an und gab ihm seinen Wunsch weiter.
Ein kurzes „Ja, Sire!" war die einzige Antwort die er bekam, und auf Stallers Befehl hin setzten alle Hubschrauber, bis auf den, welchen er, Staller, als einziger Überlebender brauchte, um sich abzusetzen , ihre Rotoren in Gang und stiegen in die Luft.

, Das ist schon besser', dachte Bauer, als er die Externsteine in der Ferne aus der Sicht eines anfliegenden Helikopters sah.

# 72

*ZONNENWENDE*

„Pünktliche ist sie ja, nicht wahr...", flüsterte Berger zu Nora und deutete zum heller werdenden Horizont, während er versuchte, die Morgenmüdigkeit aus seinen Schultern zu lockern.
Orangerot stieg die Sonne hinter einem entfernt liegenden Hügel auf und man sah wie das heranflutende Licht sich über die brachen Felder ausbreitete.

„Wolf!"

Nora schrie laut auf.

Der Gral, auf dem Altarstein stehend wie ein Kreisel, begann zu leuchten.

Am Anfang war es nur schwach erkennbar, pulsierend mit einem durchschimmernden Violett, dann jedoch wurden die Farben heller. Je höher das Sonnenlicht stieg, umso schneller durchflutete den Stein das Farbenspiel. Farben, die denen eines Regenbogens glichen. Der Stein verlor das bunte Spiel in sich und verschmolz zu einem hellen Gelb. Als ihn die Strahlen der Sonne erreichten wurde er Weiß wie neugefallener, kristalliner Schnee, zugleich begann er, sich um seine eigene Achse zu drehen.

Der Gral blendete heller als das hellste Licht und Nora wandte sich ab, wobei sie Berger mit sich zog.

Rossmann schrie getroffen auf und fasste sich an die Brust, um dann zu Boden zu sinken.

Berger stürmte über die Brücke hinab und nahm die Waffe Rossmanns in die Hand, mit der er dann wild und ziellos in das Tal feuerte.

Trotz der zischenden Schussgeräusche hörte er plötzlich ein Surren von überall her. Leise und fein, aber nicht nur er hörte es. Jeder konnte es fast körperlich spüren. Ein Surren, das aus dem Inneren des eigenen Körpers zu kommen schien, nein! Es entstand im Kopf, oberhalb der Nasenwurzel.

Rossmann presste die Hand auf die Wunde, die sich unterhalb des Rippenbogens befand und lächelte.

Sein Blick war auf den Wackelstein gerichtet, jener Stein, welcher oben auf einem Felsvorsprung lag und der am Tag der Rückkehr der alten Götter herabfallen würde. Man hatte ihn– als könne man dieses verhindern - mit Zement befestigt. Eben von dort lösten sich kleine Steinchen und fielen den felsigen Hanghinab. Es schien als drücke eine gewaltige Kraft auf den Felsen und der haltende Zement fiel wie Staubschleier hinab.

Das Surren wurde stärker und dann etwas dumpfer.

Berger kannte diesen Ton. Es war der Klang einer Lure, jenem großen bronzezeitlichen Horn.

Die Schüssen hörten mit einem Male abrupt auf und die Angreifer verharrten in ihren Bewegungen. Fliegende Kugeln standen still in der Flugbahn. Die Zeit und alles Leben schienen erstarrt zu sein.

ZENNENWENDE

## 73

„Weiter Ihr Blödmänner!" brüllte Bauer in den Monitor, der ihm das Luftbild übertrug. Es war ein Luftbild voller merkwürdiger Starre, denn die Helikopter schienen regungslos in der Luft zu stehen. Nicht einmal eine Vibration war auf dem Übertragungsbild zu sehen.

Bauer sah auf den Bildschirm und er sah in die Bewegungslosigkeit eines Fotos.

Wütend klickte er auf der Fernbedienung herum, doch er sah nur stehende Bilder.

„Staller!" schrie er in den Monitor, „Staller!"

Aber Oberst Staller meldete sich nicht...

## 74

„Wolf!"

Nora schrie erneut und Berger stürmte mit der Waffe in der Hand die Treppe hinauf und rannte über die hölzerne Brücke. Nur hier schien noch eine Bewegung möglich zu sein.

Der Kreisel stand still und um die Achse herum bildete sich ein schwarzer Kreis, um den dann zwölf ebenso schwarze Linien erwuchsen, die langsam zum Rand des Steines krochen und in sich mehrmals abknickten.

Berger hatte dieses Zeichen schon einmal gesehen: Es war die Spinne, die Kolbe die *Schwarze Sonne* genannt hatte.

Die Bildung der Sonne war leuchtend beendet und im gleichen Augenblick kam der Wackelstein aus dem Gleichgewicht.

Brüllend rutschte er den steilen Abhang hinab und riss Strauchwerk und kleine Bäumchen mit, die sich in den Felsspalten verkrallt hatten. Der riesige Felsblock brach auseinander und zerbröselte wie Kreide zwischen den Fingern. Staubend blieb er am Fuß des Felsens liegen.

„…Und er wird fallen an dem Tag, an dem die Götter dereinst wiederkehren…", flüsterte Rossmann andächtig und stemmte sich mit dem Rücken an die Wand gelehnt hoch, um dann zum *Sonnenloch* zu schlurfen. Das heraussickernde Blut zwischen seinen Fingern schien er nicht mehr zu beachten.

Immer noch stand der Gral still und zeigte das Symbol der Schwarzen Sonne, welches nun jedoch verblasste, als die wahre Sonne ihre volle Scheibe zeigte und einen Strahl durch das kreisrunde *Sonnenloch* sandte. Der Gral nahm ihre goldene Farbe an.

„Hä?"

Berger stutzte.

‚Was geschieht hier'? dachte er bei sich und versuchte seine Gedanken zu ordnen.

Die Schießerei, der stürzende Felsen, ja alles, was er gerade sah und erlebt hatte, mochte noch angehen. Es könnte vielleicht sogar irgendwie erklärbar sein… doch was er jetzt sah, ließ ihn an seinem Verstand zweifeln:

Der Gral drehte sich wie auf einer Gewindestange an dem Metallstift empor und stellte sich hochkant auf die Spitze des Nagels, der einst das Herzstück der Lanze war. Die kleine Bohrung im Zentrum des Steines lag genau in der Mitte der Sonnenstrahlen, die durch das Sonnenloch hereinfluteten und sie wurden zu einem scharfen Lichtstrahl gebündelt. Der Gral fungierte gleichsam als eine Art Prisma, welches das Licht auf die Felswand lenkte, wo es entgegen aller Logik nicht zurückgeworfen wurde, sondern von dem Felsen schwammgleich aufgesogen wurde.

Der kleine Punkt, in welchem die Sonnenstrahlen verschwanden, färbte sich Schwarz und kräuselnder Rauch stieg aus ihm heraus, wobei sich zugleich Risse in dem Felsen zeigten, die von ihm auszugehen schienen. Die Externsteine schienen von einem Zittern erfasst worden zu sein.

Wieder erklang aus dem Nichts der dumpfe Ton einer Lure, der sich nun jedoch nicht mehr so gedämpft anhörte, wie es beim ersten Erschallen klang.

Das Licht, welches durch den Gral abgeleitet wurde veränderte erneut seine Farbe und zeigte - statt einem grellen Sonnengelb - nun die Bündelung eines Regenbogens. Die Risse breiteten sich immer schneller aus.

„Wir müssen hier runter!" brüllte Berger und stützte Rossmann, während Nora schon über die Holzbrücke voranlief.

Von den Vermummten ging keine Gefahr aus. Schaufensterpuppen gleich standen sie da, in der gerade ausgeführten Bewegung innehaltend.

In der flirrenden Luft verglühten die Helikopter und ihr heißes Metall stürzte zu Boden. Die Bäume fingen Feuer und der Wald begann zu brennen.


Am Fuß der Steine griffen Berger und Nora gemeinsam dem Minister unter die Arme und liefen auf die dem Felsen gegenüberliegende Seite des Sees, während der Rauch des sich ausbreitenden Feuers zu ihnen herüberzog. Wie Puppen standen die Angreifer da und sie keuchten ob des Gewichtes des Ministers in dieser unwirklichen Szenerie. Die Luft war erfüllt vom Rauch des brennenden Waldes und dem Geräusch des Berstens der Felsen.

Knirschend und krachend zog sich ein senkrechter Riss durch den Teil der Externsteine, auf dem sie kurz zuvor noch gestanden hatten. Aus dem entstandenen Spalt heraus explodierte ein Regenbogen in den Himmel.

# 75

*ZEINENWENDE*

„Blöde Technik!" fluchte Bauer und schlug mit der Faust auf den Monitor, der ihm immer noch ein starres Bild anzeigte, das gerade in sich zusammenfiel und jetzt gar nichts mehr übertrug.
Er beschloss sich anzuziehen, denn der Baron würde sicherlich gleich erscheinen. Mühsam drückte er sich aus dem Sessel und trat an das Fenster, um den wunderschönen Regenbogen zu bewundern, der den ganzen Himmel einfärbte.
Bauer schüttelte den Kopf und gähnte laut
„Eigenartig", sagte er zu sich selbst, „ein Regenbogen, aber es regnet gar nicht."
Fragend kratzte er sich am Kopf und setzte die Cognacflasche zum Trunk an.

# 76

Rossmann setzte sich auf einen umgestürzten Baumstamm und atmete schwer. Sein Hemd hatte sich mit dem Blut vollgesogen und die Hand, mit der er gegen die Wunde drückte, war rotverschmiert. Der Schuss hatte ihn wohl schwerer getroffen, als er es zuerst gedacht hatte.
Trotz seiner Schmerzen schaute er fasziniert auf die, wie leblose Puppen dastehenden, vermummten Angreifer und dann durch die Rauchschwaden zu dem Felsen hinauf.
Der Klang der Lure wurde lauter und es schien, als würden weitere Hörner in den Klang einfallen, als der Sonnenfelsen sich in der Mitte teilte.

Wie gefangene Vögel, die in die Freiheit fliegen, schossen Myriaden von bunten Farben aus dem Felsen und rasten bogenförmig auf die Sonne zu.

Mit offenem Mund starrte Berger in den Himmel und er fühlte einen Schauer den Rücken hinablaufen. Ohne es zu spüren, umklammerte er Noras Hand.


# 77

*ZEITENWENDE*

Zur gleichen Zeit, als Bauer an das Fenster trat und Berger Noras Hand umklammerte, sah der Baron aus dem Fenster seines luxuriösen Privatflugzeuges.

Er stellte das Champagnerglas beiseite und starrte in den Regenbogen.

Bunte Farben die den Himmel bemalten, aber er hatte keinen Blick für die Schönheit.

Es war wie ein gewaltiger Schlag, der ihn innerlich traf, denn er ahnte, nein, er wusste, was dieses bedeutete.

Langsam und bedächtig nahm er die Zyankalikapsel aus seiner Westentasche und schob sie sich wie andächtig in den Mund. Gleichzeitig entnahm er einer verdeckten Sitzklappe eine Handgranate und betrachtete sie. So klein und harmlos wirkte sie in seiner schwitzigen Hand. So harmlos…

, Vorbei', dachte er, ,es ist vorbei…'.

Er schaute noch einmal auf das Grün der Landschaft unter ihm, dann riss er ruckartig den Sicherungsstift aus der Sprengkapsel und hielt sie vor seinen Bauch, um sich dann vornüber zu beugen, wobei er gleichzeitig die Giftkapsel zerbiss.

Selbst in seinem explodierenden Tode begriff er nicht ganz, dass er, nein *SIE*, verloren hatten.

## 78

„Bifrost", murmelte Rossmann mit röchelnder Stimme, „Schaut, ...
die Regenbogenbrücke..."
Staunend saßen die Drei auf dem Baumstamm und starrten in die
Kaskaden flutendenden Lichtes, aus denen bunter Staub herauszu-
fallen schien.
Die Felsen brachen in sich zusammen und wie ein Blitz explodierte
der Gral auf dem Altarstein in der Halbgrotte vor dem Sonnenloch.
Wie Fanfaren tönten die nicht sichtbaren Luren und aus dem Wasser
des kleinen Sees stieg brodelnder Schaum auf. Eine unsichtbare
Kraft zog die in sich zusammenstürzenden Felsen in die Tiefe der
Erde und das Wasser legte sich wildbrausend über sie. Innerhalb
kürzester Zeit waren die Externsteine verschwunden und das Wasser beruhigte sich. Ein stiller See lag vor ihnen, in denen sich nicht
nur der Regenbogen spiegelte, sondern auch das Feuer des um sie
herum brennenden Waldes, aber sie spürten die Hitze nicht.

Der Regenbogen verschwand und wieder gurgelte das Wasser. Aus
der Mitte des Sees erwuchs ein kegelförmiger Felsen und aus ihm
erstrahlte das Farbenspiel erneut.
„Bifrost", wiederholte Rossmann andächtig.
Berger stand auf, und stützte den Verletzten, aus dessen Mundwinkeln eine Blutspur lief.
Als er aufschaute, sah er zwei Raben aus dem Licht steigen, die spiralförmig um den gerade wachsenden Felsen in der Seemitte kreis-
ten.
Trotz seiner Schmerzen und des Blutverlustes, der fast die gesamte
Kleidung getränkt hatte, richtete sich Rossmann steif auf und er
winkte mit den Armen grüßend in die Luft.
„Seid gegrüßt, ihr Raben! Habt auch ihr Ragnarök überlebt ...?" rief
er mit all der Kraft die er noch in sich hatte und lachte laut, doch
dann sackte er in sich zusammen und fiel tot zu Boden. Nora kniete
sich neben ihn und legte ihre Jacke über sein Gesicht, wobei sie mit
dem Handrücken die hervorquellenden Tränen fortwischte.

Die Raben beendeten ihren Flug und setzten sich auf den Felsen in dem Wasser nieder, doch sie flogen sofort wieder auf, als ein achtbeiniges stählernes Gerät, welches Ähnlichkeit mit einem Pferd hatte, aus dem Lichtnebel erschien, dessen Reiter eine Lanze in den Himmel schleuderte, die in die Wolken eintauchte und sie explosionsartig auseinandertrieb.

Der Himmel färbte sich rot wie Blut und die Flammen schienen an die Wolken zu greifen.

Donnergrollen mischte sich in den immer noch anhaltenden Fanfarenklang der Luren und Blitze zuckten aus dem bunten Farbenspiel, das im Rot des Himmels versank.

Berger wurde blass und ein aufkommender Wind trieb das Feuer des Waldbrandes von dem See weg. Der Sog des Sturmes riss ihn und Nora zu Boden, einem Boden, der überall die Farben des Regenbogens anzunehmen schien. In der Luft ertönte ein unbeschreiblicher Lärm und brennende Äste wurden herumgeschleudert.

Der Reiter auf dem stählernen Pferd* fasste seinen weiten Umhang und wirbelte das Gerät herum und er wuchs in die Höhe. Zwei stählerne Wölfe folgten ihm.

Berger sah den eisgrauen Bart und das einzige Auge des Reiters, der zu ihnen hinab zu schauen schien. Aus dem Licht des Regenbogens flog ein Gegenstand heraus, der einem Hammer glich.

Ihm folgte, aus dem Licht heraus, ein rotbärtiger Riese, der sich auf der kleinen Insel niederkniete und mit seinen Händen Wasser schöpfte, das er zum Himmel warf, um dann den Mund zu öffnen und donnernd zu rufen:

„Odin, ich grüße dich!"

* In der Edda, der nordischen Mythologie, war das achtbeinige Pferd „SLEIPNIR " das Reittier Odins (Wotans), welches ohne Rast laufen konnte. Odin, der einäugige Gott hatte eines seiner Augen geopfert, um in den Schicksalsbrunnen die Zukunft sehen zu können. Seine Begleiter waren die Raben Hugin (Geist) und Munin (Gedanke), sowie die Wölfe Freki (Fraß) und Leki (Gier).

Der Eisgraue lachte schallend und schlug seinen Arm auf die Schulter des Roten.

„Thor, mein Sohn, willkommen zurück in Midgard!"

Dann griff er erneut den Speer der zu ihm zurückgekommen war und stieß ihn in den Felsen hinein.

„Wohlan, hier bauen wir Asgard neu!"

Nora legte die Hand auf Bergers Arm und sah ihn tief in die Augen.

„Sargon!" flüsterte sie: „Ich werde unseren ersten Sohn Sargon nennen."

Berger erwiderte den Blick und nickte.

## ENDE*

**\*Ende ?**

Nun sind wir am Ende der Geschichte angelangt. Der Untertitel eines fiktiven Realromans hat sich bewahrheitet. Fiktion und Wirklichkeit vermischten sich.

Können Sie es unterscheiden? Können Sie es wirklich?

Ist all das, was Sie in dieser Geschichte erlebten und erfuhren nur meiner Fantasie entsprungen?

Sie sind der Meinung: „Ja, das ist es?"

Nun, in diesem Fall muss ich Sie enttäuschen.

Wenn Sie selbst nachforschen, Namen, Orte und auch historische Begebenheiten mit einbeziehen, dann werden Sie es anders sehen. Versuchen Sie es:

… Robert Lhomoy … Jaques de Molay … Berengar Saunier … Montségur…

Nun?

Vielleicht besuchen Sie die erwähnten Orte auch einmal. Es lohnt sich.

Oder Sie zeichnen das Dreieck auf eine Kopie der Mona Lisa….Vielleicht messen Sie auch die genannten Maßangaben an den Orten nach….

Ich helfe Ihnen zudem ein wenig: Als Anhang finden Sie einen Hinweis auf die Kabbala, dazu eine Kurzanleitung zur Anwendung derselben.

**Ach ja:**

Schauen Sie auf den Kalender. Er zeigt Ihnen die nächste Zeitgleiche an….

# Anhang

## Zur Mystik der Kabbala

Die Kabbala *(hebräisch: Überlieferung)* ist eine - auf alter Mystik fußende - Geheimlehre, die u. a. hinter Zahlen und Buchstaben den verborgenen Sinn der Welt zu ergründen sucht.

Ihre große Blütezeit war das 13. Jahrhundert in Spanien und ihr Hauptwerk ist die SOHAR *(Glanz)*, welches zum Ende des 13. Jhd. erschien.

Nach der Wiederentdeckung des amerikanischen Kontinentes durch den italienische Seefahrer Christobal Colon *(Christoph Kolumbus)*, der nach dänischen Seekarten fuhr, breitete sich die Mystik der Kabbala über Europa aus und beeinflusste viele Alchemisten, Maler und Künstler (da Vinci, Dürer usw.).

Die Blütezeit der Kabbala lag im 16. und 17. Jhd. und wirkt im Chassidismus nach, welcher von Rabbi Israel ben Elisier *(Baal Schem Tob)* in der Mitte des 18. Jhd. gegründet wurde und eine Kommunikation mit Gott herstellen soll.

Man unterscheidet die sogenannte **Kleine Kabbala** und die **Große Kabbala**, wobei die Buchstaben des Alphabetes durch Zahlen ersetzt und verschlüsselt werden, bzw. werden Zahlen durch Buchstaben verschlüsselt.

Bei der **Kleinen Kabbala** steigt der Zahlenwert von Buchstabe zu Buchstabe jeweils um den Wert 1, bei der **Großen Kabbala** jedoch jeweils um den Wert 6.

Alphabet der **Kleinen Kabbala:**
A=1  B= 2  C= 3  D=4  E= 5  F=6  G=7  H=8  I=9 J=10  K=11  L=12 M=13  N=14  O=15  P=16  Q=17  R=18  S=19  T =20  U=21  V=22  W=23 X=24  Y=25  Z=26

Alphabet der **Großen Kabbala:**
A=6  B=12  C=18  D=24  E= 30  F=36  G=42  H=48  I=54  J=60  K=66 L=72  M=78  N=84  O=90  P=96  Q=102  R=108  S=114   T=120  U=126 V=132  W=138  X=144  Y=150  Z=156

**Beispiele zur Entschlüsselung von Namen oder Daten:**
*(Während Namen zumeist nur mit der kleinen oder großen Kabbala verschlüsselt werden, so wendet man jedoch bei Daten eine Kombination an.)*

**Beispiel: Name**
z. B.: COMPUTER
C=18, O=90, M=78, P=96, U=126, T=120, E=30, R=108.
Nun werden die ermittelten Zahlen zusammengerechnet.
Ergebnis: 666.
Der kabbalistische Name für das Wort Computer lautet also: 666.


**Beispiel: Berechnung eines Datums**
z.B.: Hier der Todestag des *Gottfried von Bouillon* aus dem Namen des Bild von Leonardo da Vinci MONA LISA DEL GIOCONDA.

Zuerst wird der Name in die Zahlenwerte der großen Kabbala umgesetzt:
M= 78, O=90 N= 84, A= 72 usw.
Das Ergebnis der Addition ergibt die Zahl 1100.
Nun wird der Name in die Zahlenwerte der kleinen Kabbala umgesetzt:
M=13, O=15, N=14, A=l usw.
Das Ergebnis dieser Addition ergibt die Zahl 187.
Diese ermittelten Zahlen werden zusammengesetzt. In der Form wie wir heutzutage ein Datum niederschreiben: 187 1100.
Das Datum ist jetzt ermittelt und lesbar:
**18.7.1100,**
der Todestag, ermittelt aus dem Namen des Bildes.

- *Bitte beachten Sie auch die folgenden Seiten. Der Schreiber nagt zwar gern am Federkiel, aber satt macht dieser ihn nicht.*

  **Vielen Dank.** > >

Wolf von Fichtenberg

# „Der Pfeifer"

Packender Roman aus der Zeit des Interregnum

https://tredition.de/autoren/wolf-von-fichtenberg-1340/der-pfeifer-paperback-1966/

## Erhältlich in jedem Buchhandel / Versandbuchhandel / Amazon

*Was war nur aus ihm geworden?*
*Er, der seine Eltern verlor, durch die Lande vagabundierte und nun auf der Flucht war.*
*Alles hatte er verloren, alles... Aber Guinevra hatte er gefunden und mit ihr würde er neu beginnen.*
*Heimatlos, verfolgt und verzweifelt bedrängt ihn sein Schicksal.*
*Er, der in die Zeit geboren wurde, als das Reich keinen Kaiser hatte. Das Schwert regierte und fremde Herren bemächtigten sich des Landes.*
*Aberglaube beherrscht die Menschen und Raubritter drangsalierten das Volk, von ihren festen Burgen aus.*
*Was macht ein einfacher Mann in dieser Zeit? Wie lebt er, wie fühlt er, was hält das Schicksal noch für ihn bereit? Für ihn, Falk, der doch nur den Frieden sucht und als „Rattenfänger von Hameln" in die Geschichte einging.*
*War er der böse Mann, mit dem man Kinder erschreckt, oder war alles ganz anders?*
*Lernen sie Tile Kolup kennen, der sich zum Kaiser berufen fühlt und auch den Minnesänger Eckart, der sich großspurig „von der Vogelweyde" nennt. Aber auch die liebreizende Guinevra.*
*Tauchen Sie ein in eine Welt, in der die Menschen in ihren Handlungen denen von heute gleichen, aber die doch so anders ist.*
*Hier erzählt Falk Ihnen seine Geschichte.*

*19,99 €*
*Seitenanzahl: 292*

ISBN: 978-3-86850-614-3

### <u>Rezension</u> (bei amazon)
Spannend bis zum letzten Wort. Ein historischer Roman der Extraklasse. Wann wird er verfilmt?
Klare Kaufempfehlung! )
★★★★★ 5,0 von 5 Sternen

Wolf von Fichtenberg
# „Blickpunkt Religion"
Kritische Schrift zur Religion

https://tredition.de/autoren/wolf-von-fichtenberg-24519/blickpunkt-religion-paperback-106627/

## Erhältlich in jedem Buchhandel / Versandbuchhandel / Amazon

*Haben Sie sich schon einmal Gedanken zur Religion gemacht?*
*Nein, es ist kein religiöses Buch, es ist ein Buch zum (Nach)Denken.*
*Sie halten eine Schrift in der Hand, die mit „Religion" betitelt ist. Ganz profan „Religion"*
*und jeder Mensch glaubt zugleich nun sofort zu wissen um was es sich handelt.*
*Dieses ist eine Streitschrift.*
*Gegen die Religion? Für die Religion? Wer kann dies schon sagen?*
*Sie werden das Thema von einem völlig neuen Standpunkt aus betrachten und... Vielleicht*
*erkennen Sie sich in den Gedankengängen sogar wieder. ..*
*... Oder aber Sie entzünden eine Brandfackel um mich, den Ketzer(?) zu verbrennen.*

*8,99 €*
*Seitenanzahl: 152*

ISBN: 978-3-7469-6842-1

### _Rezension_ (bei amazon)
Völlig neue Ansichten. Sehr informativ und es ist zugleich eine
unterhaltsame Lesereise durch die Zeit. Der Autor verknüpft
seine Gedankengänge immer wieder mit geschichtlichen Ereignissen. Seine Sprache ist fast so, als säße jemand beim Leser und
plaudert. Das Wissen um historische Begebenheiten ist sehr fun-
diert und seine Sicht wird manchmal erschütternd. Er spricht
ohne Umschweife und beschönigt nichts.
Absolute Empfehlung!
★★★★★ 5,0 von 5 Sternen

Wolf von Fichtenberg

# „Der Spatz im Spiegel"

Geschichten auch zum Vorlesen für Kinder, aber auch für Erwachsene.

https://tredition.de/autoren/wolf-von-fichtenberg-24519/der-spatz-im-spiegel-paperback-112317/

## Erhältlich in jedem Buchhandel / Versandbuchhandel / Amazon

*Sind Geschichten für Kinder immer nur Geschichten, die allein für Kinder bestimmt sind? Oder sind Geschichten für Kinder nicht zugleich auch Geschichten für all jene Menschen, die ein Stück der Kindheit in ihren Herzen bewahrt haben?*
*Wolf von Fichtenberg, (Sachbuch-u. Romanautor, Illustrator und Kunstmaler) hat einige Geschichten verfasst, die Kindern vorgelesen werden können, aber auch (heimlich und unbeobachtet, das versteht sich…) von Erwachsen gelesen werden dürfen.*

*7,99 €*
*Seitenanzahl: 92*

ISBN: 978-3-7482-2838-7

### *Rezension (bei amazon)*

Zuerst denk man…. Was macht ein Spatz im Spiegel? Dann, beim Blick in das Inhaltsverzeichnis wird man neugierig. Eine Bandbreite von Geschichten. Zum Nachdenken, zum Lachen, zum Nachsinnen, aber nie profan und platt. Sprachlich geschliffen, aber nicht abgehoben. Sehr gut lesbar und vorlesbar für kleine Menschen, die sich ins Land der Phantasie entführen lassen. Für große Menschen, die sich ihre Neugier und Liebe auf Geschichten bewahrt haben. Das Lächeln bleibt und die Seele entspannt. Einfach nur SCHÖN!

★★★★★ 5,0 von 5 Sternen

Wolf von Fichtenberg
# „Rabenfeder"
Gedichte-Gedachtes

https://tredition.de/autoren/wolf-von-fichtenberg-24519/rabenfeder-paperback-113049/

## Erhältlich in jedem Buchhandel / Versandbuchhandel/Amazon

*Gedichte und Gedachtes in heiterer aber manchmal auch zynisch-sarkastischer Form. Ungewöhnlich und nachdenklich.*
*Keine Reime zum Überlesen, sondern gereimte Denkanstöße.*

*7,99 €*
*Seitenanzahl: 68*

ISBN: 978-3-7482-3692-4

### *Rezension (bei Tredition)*
Heiter, manchmal auch zynisch, aber immer auf den Punkt gebracht. Treffende Worte in einer wortlosen Zeit.
100% Kaufempfehlung!
★★★★★ 5,0 von 5 Sternen

Wolf von Fichtenberg

# „Der *Zeit*Bogen"
## Eine Reise durch die Vergangenheit

https://tredition.de/autoren/wolf-von-fichtenberg-24519/der-zeitbogen-paperback-125463/

## Erhältlich in jedem Buchhandel / Versandbuchhandel/Amazon

*Wollten Sie nicht manchmal auch Augenzeuge bei Ereignissen in der Vergangenheit gewesen sein?*

*Wünschen Sie sich möglicherweise sogar, mit dieser oder jener Person selbst gesprochen zu haben?*

*Also eine Frage, die Sie sich vielleicht schon einmal gestellt haben, wenn Sie ein historisches Gebäude sahen oder einen Artikel über eine vergangene Epoche lasen.*

*Möglicherweise ergingen Sie sich dabei in dem Gedanken, ob es nicht interessant sei, selbst in einer anderen Zeit gelebt zu haben.*

*Jeder Mensch sieht die Vergangenheit und jedes Ereignis von seinem eigenen Standpunkt aus. Ich erzähle Ihnen, wie ich es sehe.*

*Blicken wir zurück, zurück in die Vergangenheit, die Zeit unserer Vorfahren.*

*Menschen, ohne die wir nicht wären. Sie nicht, aber auch ich nicht.*

10,99 €
Seitenanzahl: 252

ISBN: 978-3-7497-8524-7

### *Rezension (bei amazon)*

Geschichte wird erlebbar! Zusammenhänge verständlich! Personen leben vor meinem inneren Auge auf und werden zu Menschen, mit all ihren Stärken und Schwächen. Endlich verstehe ich: warum, was, wie geschehen ist. Jedes neue Kapitel macht neugierig auf das Folgende. Nie langweilig, spannend, sprachlich geschliffen. Ich kann nur sagen: sehr lesenswert für alle, die wissen wollen, warum unsere Welt so ist, wie sie ist.

★★★★★ 5,0 von 5 Sternen

*Notizen:*